Deux flagelles pour certaines cellules

VÉGÉTAUX VERTS Chloroplastes

Particularités moléculaires

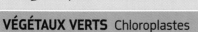

Ulve

Tige

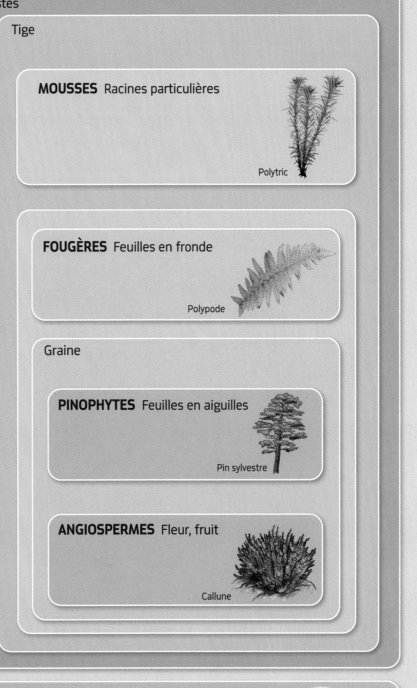

MOUSSES Racines particulières

Polytric

FOUGÈRES Feuilles en fronde

Polypode

Graine

PINOPHYTES Feuilles en aiguilles

Pin sylvestre

ANGIOSPERMES Fleur, fruit

Callune

Cils vibratiles

Paramécie

SVT

SCIENCES DE LA VIE ET DE LA TERRE

MANUEL DE CYCLE 4

NOUVEAUX PROGRAMMES 2016

Sous la direction de

Jean-Michel GARDAREIN
Paris, Collège-lycée *Victor Duruy*

Auteurs

Professeurs en collège et en lycée :

Benoît DESRAYAUD
Roissy-en-Brie — *Anceau de Garlande*

Olivier LELIÈVRE-BELLINI
Montreuil — *Condorcet*

Julien LOCHE
Faremoutiers — *Louise Michel*

Maud PELÉ
Montreuil — *Jean Jaurès*

Frédéric WILLIATTE
Nancy — *Henri Loritz*

Les auteurs et les Éditions Hatier remercient
Philippe Louâpre, Maître de conférences à l'Université de Bourgogne, pour sa relecture critique.

Les Éditions Hatier remercient tous les enseignants
qui ont participé à l'amélioration du projet par leurs remarques pertinentes.

sommaire

THÈME 1

La planète Terre, l'environnement et l'action humaine

Sommaire des Parcours

Parcours d'éducation artistique et culturelle (PÉAC)

Parcours Avenir

Métiers

Filières

Les pictogrammes suivants indiquent des ressources numériques associées dans le manuel numérique :

 Ce pictogramme signale le BILAN INTERACTIF ou une ANIMATION

 Ce pictogramme signale une VIDEO

 Ce pictogramme signale un QUIZ INTERACTIF

Sommaire des compétences

CYCLE 4 Sciences de la vie et de la Terre

Extrait du programme paru au Bulletin officiel spécial n° 11 du 26 novembre 2015

[…] Les professeurs veillent à la progressivité et à la continuité dans les apprentissages des notions et concepts, sur l'ensemble du cycle, pour laisser aux élèves le temps nécessaire à leur assimilation.

Au cours du cycle 4, il s'agit […] de permettre aux jeunes de se distancier d'une vision anthropocentrée du monde et de distinguer faits scientifiques et croyances, pour entrer dans une relation scientifique avec les phénomènes naturels ou techniques, et le monde vivant. Cette posture scientifique est faite d'attitudes (curiosité, ouverture d'esprit, esprit critique, exploitation positive des erreurs…) et de capacités (observer, expérimenter, modéliser…).

Les objectifs de formation du cycle 4 en sciences de la vie et de la Terre s'organisent autour de trois grandes thématiques : la planète Terre, l'environnement et l'action humaine ; le vivant et son évolution ; le corps humain et la santé.

Compétences travaillées

Pratiquer des démarches scientifiques

> Formuler une question ou un problème scientifique.

> Proposer une ou des hypothèses pour résoudre un problème ou une question. Concevoir des expériences pour la ou les tester.

> Utiliser des instruments d'observation, de mesures et des techniques de préparation et de collecte.

> Interpréter des résultats et en tirer des conclusions.

> Communiquer sur ses démarches, ses résultats et ses choix, en argumentant.

> Identifier et choisir des notions, des outils et des techniques, ou des modèles simples pour mettre en œuvre une démarche scientifique.

Domaines du socle : 4, 2, 1

Concevoir, créer, réaliser

> Concevoir et mettre en œuvre un protocole expérimental.

Domaine du socle : 4

Utiliser des outils et mobiliser des méthodes pour apprendre

> Apprendre à organiser son travail (par ex. pour mettre en œuvre un protocole expérimental).

> Identifier et choisir les outils et les techniques pour garder trace de ses recherches (à l'oral et à l'écrit).

Domaine du socle : 2

Pratiquer des langages

> Lire et exploiter des données présentées sous différentes formes : tableaux, graphiques, diagrammes, dessins, conclusions de recherches, cartes heuristiques, etc.

> Représenter des données sous différentes formes, passer d'une représentation à une autre et choisir celle qui est adaptée à la situation de travail.

Domaines du socle : 1, 4

Utiliser des outils numériques

> Conduire une recherche d'informations sur internet pour répondre à une question ou un problème scientifique, en choisissant des mots-clés pertinents, et en évaluant la fiabilité des sources et la validité des résultats.

> Utiliser des logiciels d'acquisition de données, de simulation et des bases de données.

Domaine du socle : 2

Adopter un comportement éthique et responsable

> Identifier les impacts (bénéfices et nuisances) des activités humaines sur l'environnement à différentes échelles.

> Fonder ses choix de comportement responsable vis-à-vis de sa santé ou de l'environnement sur des arguments scientifiques.

> Comprendre les responsabilités individuelle et collective en matière de préservation des ressources de la planète (biodiversité, ressources minérales et ressources énergétiques) et de santé.

> Participer à l'élaboration de règles de sécurité et les appliquer au laboratoire et sur le terrain.

> Distinguer ce qui relève d'une croyance ou d'une idée et ce qui constitue un savoir scientifique.

Domaines du socle : 3, 4, 5

Se situer dans l'espace et dans le temps

> Situer l'espèce humaine dans l'évolution des espèces.

> Appréhender différentes échelles de temps géologique et biologique (ex : histoire de la Terre ; apparition de la vie, évolution et extinction des espèces vivantes…).

> Appréhender différentes échelles spatiales d'un même phénomène/ d'une même fonction (ex : nutrition : niveau de l'organisme, niveau des organes et niveau cellulaire).

> Identifier par l'histoire des sciences et des techniques comment se construit un savoir scientifique.

Domaines du socle : 5, 4

La planète Terre, l'environnement et l'action humaine

Attendus de fin de cycle

> Explorer et expliquer certains phénomènes géologiques liés au fonctionnement de la Terre.

> Explorer et expliquer certains éléments de météorologie et de climatologie.

> Identifier les principaux impacts de l'action humaine, bénéfices et risques, à la surface de la planète Terre.

> Envisager ou justifier des comportements responsables face à l'environnement et à la préservation des ressources limitées de la planète.

Connaissances et compétences associées	Dans le manuel
La Terre dans le système solaire. Expliquer quelques phénomènes géologiques à partir du contexte géodynamique global. • Le système solaire, les planètes telluriques et les planètes gazeuses. • Le globe terrestre (forme, rotation, dynamique interne et tectonique des plaques ; séismes, éruptions volcaniques). • Ères géologiques.	Chapitre 1

Connaissances et compétences associées	Dans le manuel
Expliquer quelques phénomènes météorologiques et climatiques. • Météorologie ; dynamique des masses d'air et des masses d'eau ; vents et courants océaniques. • Différence entre météo et climat ; les grandes zones climatiques de la Terre. • Les changements climatiques passés (temps géologiques) et actuel (influence des activités humaines sur le climat).	Chapitre 2
Relier les connaissances scientifiques sur les risques naturels (ex. séismes, cyclones, inondations) ainsi que ceux liés aux activités humaines (pollution de l'air et des mers, réchauffement climatique…) aux mesures de prévention (quand c'est possible), de protection, d'adaptation, ou d'atténuation. • Les phénomènes naturels : risques et enjeux pour l'être humain. • Notions d'aléas, de vulnérabilité et de risque en lien avec les phénomènes naturels ; prévisions.	Chapitres 1 et 2
Caractériser quelques-uns des principaux enjeux de l'exploitation d'une ressource naturelle par l'être humain, en lien avec quelques grandes questions de société. • L'exploitation de quelques ressources naturelles par l'être humain (eau, sol, pétrole, charbon, bois, ressources minérales, ressources halieutiques…) pour ses besoins en nourriture et ses activités quotidiennes. Comprendre et expliquer les choix en matière de gestion de ressources naturelles à différentes échelles.	Chapitre 3
Expliquer comment une activité humaine peut modifier l'organisation et le fonctionnement des écosystèmes en lien avec quelques questions environnementales globales. Proposer des argumentations sur les impacts générés par le rythme, la nature (bénéfices/ nuisances), l'importance et la variabilité des actions de l'être humain sur l'environnement. • Quelques exemples d'interactions entre les activités humaines et l'environnement, dont l'interaction être humain - biodiversité (de l'échelle d'un écosystème local et de sa dynamique jusqu'à celle de la planète).	Chapitre 4

Le vivant et son évolution

Attendus de fin de cycle
> Expliquer l'organisation du monde vivant, sa structure et son dynamisme à différentes échelles d'espace et de temps.
> Mettre en relation différents faits et établir des relations de causalité pour expliquer :
– la nutrition des organismes ;
– la dynamique des populations ;
– la classification du vivant ;
– la biodiversité (diversité des espèces) ;
– la diversité génétique des individus ;
– l'évolution des êtres vivants.

Connaissances et compétences associées	Dans le manuel
Relier les besoins des cellules animales et le rôle des systèmes de transport dans l'organisme. • Nutrition et organisation fonctionnelle à l'échelle de l'organisme, des organes, des tissus et des cellules. • Nutrition et interactions avec des micro-organismes.	Chapitre 5
Relier les besoins des cellules d'une plante chlorophyllienne, les lieux de production ou de prélèvement de matière et de stockage et les systèmes de transport au sein de la plante.	Chapitre 6
Relier des éléments de biologie de la reproduction sexuée et asexuée des êtres vivants et l'influence du milieu sur la survie des individus, à la dynamique des populations. • Reproductions sexuée et asexuée, rencontre des gamètes, milieux et modes de reproduction. • Gamètes et patrimoine génétique chez les Vertébrés et les plantes à fleurs.	Chapitre 7
Relier l'étude des relations de parenté entre les êtres vivants, et l'évolution. • Caractères partagés et classification. • Les grands groupes d'êtres vivants, dont *Homo sapiens*, leur parenté et leur évolution.	Chapitre 8
Expliquer sur quoi reposent la diversité et la stabilité génétique des individus. Expliquer comment les phénotypes sont déterminés par les génotypes et par l'action de l'environnement.	Chapitre 9
Relier, comme des processus dynamiques, la diversité génétique et la biodiversité. • Diversité et dynamique du monde vivant à différents niveaux d'organisation ; diversité des relations interspécifiques. • Diversité génétique au sein d'une population ; héritabilité, stabilité des groupes. • ADN, mutations, brassage, gène, méiose et fécondation.	Chapitre 10
Mettre en évidence des faits d'évolution des espèces et donner des arguments en faveur de quelques mécanismes de l'évolution. • Apparition et disparition d'espèces au cours du temps (dont les premiers organismes vivants sur Terre). • Maintien des formes aptes à se reproduire, hasard, sélection naturelle.	Chapitre 10

Le corps humain et la santé

Attendus de fin de cycle

> Expliquer quelques processus biologiques impliqués dans le fonctionnement de l'organisme humain, jusqu'au niveau moléculaire : activités musculaire, nerveuse et cardio-vasculaire, activité cérébrale, alimentation et digestion, relations avec le monde microbien, reproduction et sexualité.

> Relier la connaissance de ces processus biologiques aux enjeux liés aux comportements responsables individuels et collectifs en matière de santé.

Connaissances et compétences associées	Dans le manuel
Expliquer comment le système nerveux et le système cardiovasculaire interviennent lors d'un effort musculaire, en identifiant les capacités et les limites de l'organisme. • Rythmes cardiaque et respiratoire, et effort physique. Mettre en évidence le rôle du cerveau dans la réception et l'intégration d'informations multiples. • Message nerveux, centres nerveux, nerfs, cellules nerveuses.	Chapitre 11
Relier quelques comportements à leurs effets sur le fonctionnement du système nerveux. • Activité cérébrale ; hygiène de vie : conditions d'un bon fonctionnement du système nerveux, perturbations par certaines situations ou consommations (seuils, excès, dopage, limites et effets de l'entraînement).	Chapitre 12
Expliquer le devenir des aliments dans le tube digestif. • Système digestif, digestion, absorption ; nutriments. Relier la nature des aliments et leurs apports qualitatifs et quantitatifs pour comprendre l'importance de l'alimentation pour l'organisme (besoins nutritionnels). • Groupes d'aliments, besoins alimentaires, besoins nutritionnels et diversité des régimes alimentaires…	Chapitre 13
Relier le monde microbien hébergé par notre organisme et son fonctionnement. • Ubiquité, diversité et évolution du monde bactérien. Expliquer les réactions qui permettent à l'organisme de se préserver des micro-organismes pathogènes. • Réactions immunitaires. Argumenter l'intérêt des politiques de prévention et de lutte contre la contamination et/ou l'infection. • Mesures d'hygiène, vaccination, action des antiseptiques et des antibiotiques.	Chapitre 14
Relier le fonctionnement des appareils reproducteurs à partir de la puberté aux principes de la maîtrise de la reproduction. • Puberté ; organes reproducteurs, production de cellules reproductrices, contrôles hormonaux. Expliquer sur quoi reposent les comportements responsables dans le domaine de la sexualité : fertilité, grossesse, respect de l'autre, choix raisonné de la procréation, contraception, prévention des infections sexuellement transmissibles.	Chapitre 15

Croisements entre enseignements

> De par la variété de leurs objets d'enseignements, les sciences de la vie et de la Terre se prêtent à de nombreux rapprochements et croisements avec d'autres disciplines : de la climatologie ou la gestion des risques naturels, avec l'histoire-géographie, aux sciences de la Terre avec la physique-chimie, en passant par la santé de l'organisme qui est liée à l'éducation physique, ou encore les biotechnologies qui mobilisent des connaissances de la discipline technologie.

> Les SVT peuvent aussi établir des liens avec les disciplines artistiques et avec les langues : par exemple identifier les liens entre la manière de résoudre des questions scientifiques et la culture d'un pays ; exploiter une œuvre pour construire un savoir scientifique, ou encore interpréter certains éléments d'une œuvre grâce à sa culture scientifique.

> Les outils des mathématiques et du français quant à eux, sont mobilisés en permanence dans le cours de SVT. Pour les recherches d'informations, le professeur documentaliste est sollicité.

> On donne ci-dessous, pour chaque grande thématique de SVT ou conjointement pour les trois thématiques, quelques exemples de thèmes, non exhaustifs, qui peuvent être explorés avec plusieurs autres disciplines. Les équipes enseignantes sont libres de les reprendre, tout comme d'en imaginer d'autres. Ces exemples de thèmes permettent à la fois de travailler les compétences de plusieurs domaines du socle, et de construire ou (re)mobiliser les connaissances dans différentes disciplines. Ils peuvent fournir des contenus pour les enseignements pratiques interdisciplinaires (EPI) ainsi que pour les parcours (parcours Avenir et parcours d'éducation artistique et culturelle).

Corps, santé, bien-être et sécurité
Aliments, alimentation [...]
Sport et sciences [...]

Sciences, technologie et société / Information, communication, citoyenneté
Santé des sociétés [...]

Transition écologique et développement durable / Sciences, technologie et société
Météorologie et climatologie [...]
Les paysages qui m'entourent [...]
Énergie, énergies [...]
Biodiversité [...]
Biotechnologies [...]

Sciences, technologies et sociétés
Théories scientifiques et changement de vision du monde [...]

Cultures artistiques
Arts et paysages [...]
Sens et perceptions [...]

→ *Se référer au programme pour plus de détails.*

THÈME 1

Attendus de fin de cycle

> Explorer et expliquer certains phénomènes géologiques liés au fonctionnement de la Terre

> Explorer et expliquer certains éléments de météorologie et de climatologie

> Identifier les principaux impacts de l'action humaine, bénéfices et risques, à la surface de la planète Terre

> Envisager ou justifier des comportements responsables face à l'environnement et à la préservation des ressources limitées de la planète

 QUIZ INTERACTIF

Chapitres

1 **Dynamique de la Terre et risques pour l'être humain**

2 **Phénomènes climatiques, météorologiques et action humaine**

3 **L'exploitation des ressources naturelles**

4 **Écosystèmes et activités humaines**

Méthode EPI Réaliser une interview

Parcours avenir

La planète Terre, l'environnement et l'action humaine

Centrale géothermique de Krafla, près du lac Mývatn (Islande).

Dynamique et risques pour

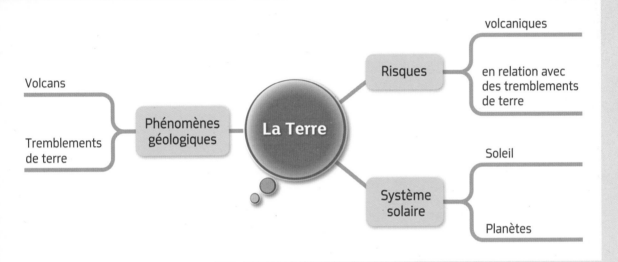

Mes objectifs de fin de cycle

> Expliquer quelques phénomènes géologiques à partir
du contexte géodynamique global
> Relier les connaissances scientifiques sur les risques naturels
aux mesures de prévention, de protection

Activités

1 Le système solaire et l'histoire de la Terre

2 La forme et les mouvements de la Terre

3 Des phénomènes géologiques, témoins de l'activité de la Terre

4 L'organisation géologique de la Terre en surface

5 L'organisation géologique de la Terre en profondeur

6 Le déplacement des plaques lithosphériques

7 Énergie interne et mouvements des plaques

8 Risque volcanique et protection contre les éruptions

9 Risque sismique et prévention des tsunamis

de la Terre
l'être humain

Une éruption du Vésuve,
Pierre-Jacques Volaire, XVIIIe siècle.

Arrivé à Naples en 1767, le peintre français Volaire (1729-1799) se spécialise rapidement dans les représentations des éruptions du Vésuve, fréquentes à cette époque. Dans ce tableau anticipateur du mouvement romantique, l'éruption occupe presque toute la toile, le paysage alentour est juste évoqué. Les silhouettes au premier plan rappellent qu'au XVIIIe siècle, de nombreux voyageurs étaient attirés par ce phènomène géologique.

Activité **1**

Quelle place occupe la Terre dans le système solaire et quelle est son histoire ?

→ **Observer** les caractéristiques des planètes du système solaire

Mercure Vénus Terre Mars

Jupiter Saturne Uranus Neptune

52 000 km

1 **Les planètes du système solaire.** Le Soleil est l'une des 150 milliards d'**étoiles*** de notre galaxie, la Voie lactée. Autour de lui, **gravitent*** notamment huit **planètes***. L'ensemble constitue le système solaire. Les distances entre les planètes ne sont pas respectées sur ce schéma.

Planète / Caractéristique	Planètes telluriques				Planètes gazeuses			
	Mercure	Vénus	Terre	Mars	Jupiter	Saturne	Uranus	Neptune
Diamètre (km)	4 880	12 102	12 756	6 792	142 984	120 536	51 118	49 258
Distance au Soleil (millions de km)	58	108	150	228	775	1 421	2 870	4 503
Surface	Rocheuse	Rocheuse	Rocheuse	Rocheuse	Pas de surface solide, présence de gaz	Pas de surface solide, présence de gaz	Pas de surface solide, présence de gaz	Pas de surface solide, présence de gaz

2 Comparaison de quelques caractéristiques des planètes du système solaire.

Comprendre la formation du système solaire et l'histoire de la Terre

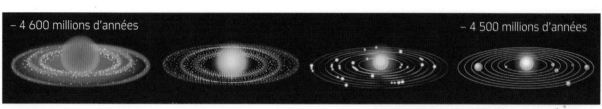

– 4 600 millions d'années — **– 4 500 millions d'années**

Nuage de gaz et de poussières rocheuses en rotation avec le futur Soleil au centre.

Formation du Soleil autour duquel gravitent des poussières et des gaz. Les poussières sont en majorité près du Soleil.

Formation des planètes par agglomération de matière :
– des poussières près du Soleil,
– des gaz loin du Soleil.

Fin de la formation du système solaire.

3 La formation du système solaire.

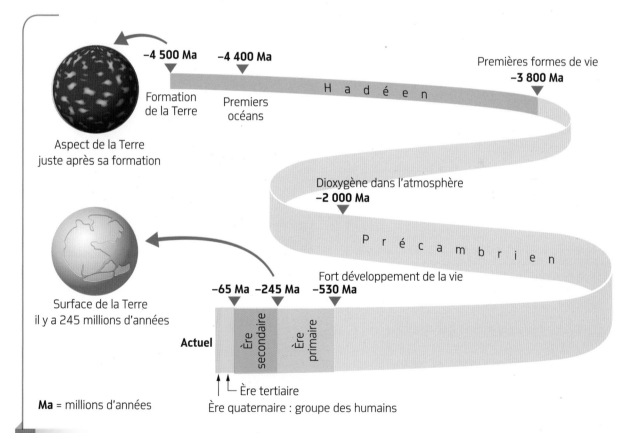

–4 500 Ma **–4 400 Ma**
Formation de la Terre
Premiers océans

Aspect de la Terre juste après sa formation

Premières formes de vie
–3 800 Ma

H a d é e n

Dioxygène dans l'atmosphère
–2 000 Ma

P r é c a m b r i e n

Surface de la Terre il y a 245 millions d'années

Fort développement de la vie
–65 Ma **–245 Ma** **–530 Ma**

Actuel

Ère secondaire

Ère primaire

Ère tertiaire

Ère quaternaire : groupe des humains

Ma = millions d'années

4 **L'histoire de la Terre.** La Terre nouvellement formée est recouverte d'un océan de **magma***. La vie apparaît autour de –3 800 millions d'années et se développe vers –530 millions d'années. Ce sont ces 530 derniers millions d'années d'histoire de la Terre qui sont les mieux connus, ils sont divisés en quatre ères.

> **DICO SCIENCES**
>
> ***Étoile** : astre produisant de la lumière.
> ***Graviter** : tourner autour de quelque chose.
> ***Magma** : roche en fusion contenant des gaz.
> ***Planète** : corps sphérique qui gravite autour d'une étoile.

Activité

2

Comment a-t-on découvert la forme et les mouvements de la Terre ?

➤ Étudier la découverte de la forme de la Terre

1 Observations d'éclipse lunaire.

Dès l'Antiquité, Aristote (384-322 av. J.-C.), philosophe et savant grec, écrit :

❝ Sans cette sphéricité, les éclipses de Lune ne présenteraient pas les segments tels que nous les voyons. [...] Dans les éclipses, la ligne qui la limite est toujours une ligne courbe, de sorte que, s'il est vrai que l'éclipse est due à l'interposition de la Terre, c'est la forme de la surface de la Terre qui, étant sphérique, sera la cause de la forme de cette ligne. ❞

(Aristote, *Traité du Ciel*, II, 14, trad. J. Tricot, Vrin, 1998.)

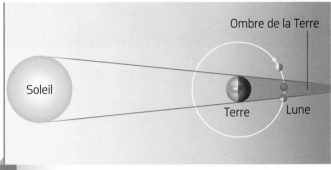

2 **L'origine d'une éclipse lunaire.** Une éclipse lunaire est visible lorsque l'ombre de la Terre se projette sur la Lune, au moment où le Soleil, la Terre et la Lune sont alignés.

Mêmes étoiles observées des deux hémisphères

3 Observations du ciel nocturne.

Selon Aristote :

❝ Il y a certaines étoiles qu'on voit en Égypte et dans le voisinage de Chypre et qu'on n'aperçoit plus dans les régions situées au Nord [...]. Il résulte évidemment de ces faits que non seulement la forme de la Terre est circulaire, mais encore qu'elle est une sphère qui n'est pas très grande, car autrement l'effet d'un si faible changement de position ne serait pas si vite apparent. ❞

(Aristote, *Traité du Ciel*, II, 14, trad. J. Tricot, © VRIN, D. R.)

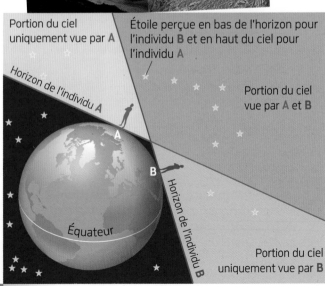

Portion du ciel uniquement vue par A

Étoile perçue en bas de l'horizon pour l'individu B et en haut du ciel pour l'individu A

Portion du ciel vue par A et B

Portion du ciel uniquement vue par B

4 **Ciel observable par deux individus.** Chaque individu ne peut observer que la partie du ciel au-dessus de sa ligne d'horizon.

Étudier la découverte des mouvements de la Terre

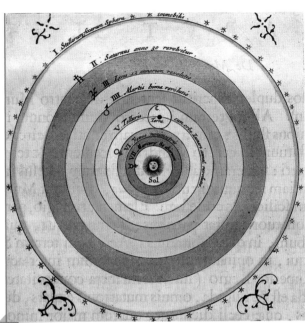

5 Le système héliocentrique* de Copernic (1473-1543). Jusque vers le XVIᵉ siècle, la Terre est supposée immobile et au centre de l'Univers : c'est le système géocentrique. Au XVIᵉ siècle, Copernic émet l'hypothèse qu'elle tourne autour du Soleil. Ses travaux se basent notamment sur les écrits de quelques savants de l'Antiquité.

6 Mise en évidence de la rotation de la Terre sur elle-même. En 1851, Léon Foucault, physicien et astronome français (1819-1868), attache un **pendule*** à la voûte du Panthéon, à Paris. Une fois lâché, le pendule se met à osciller. D'un mouvement à l'autre, l'observateur voit le plan d'oscillation se déplacer de quelques millimètres. En fait, le plan ne change pas : c'est la table sous le pendule qui est en rotation. Foucault interprète ce mouvement comme étant lié à la rotation de la Terre sur elle-même.

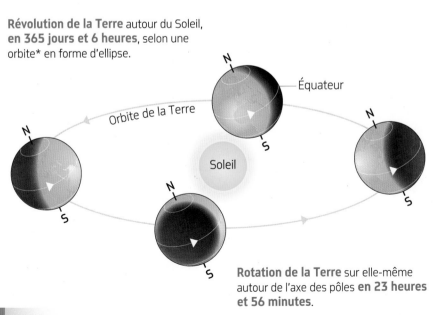

Révolution de la Terre autour du Soleil, **en 365 jours et 6 heures**, selon une orbite* en forme d'ellipse.

Orbite de la Terre

Équateur

Soleil

Rotation de la Terre sur elle-même autour de l'axe des pôles **en 23 heures et 56 minutes**.

7 Les mouvements de la Terre. Les échelles ne sont pas respectées.

DICO SCIENCES

- ***Orbite terrestre** : trajectoire de la Terre autour du Soleil.
- ***Pendule** : masse suspendue à un fil ou un câble.
- ***Système héliocentrique** : modèle selon lequel la Terre et les autres planètes tournent autour du Soleil.

Activité 3

Comment des phénomènes géologiques témoignent-ils de l'activité de la Terre ?

Observer l'activité géologique de surface d'une région

1 **Modification du paysage suite à un séisme* le long d'une route californienne.** Un séisme correspond à la propagation de vibrations dans le sol. Elles sont à l'origine de déformations des paysages.

2 **La faille de San Andreas en Californie.** La Californie est traversée par une faille longue de 1 300 km. Cette zone est régulièrement soumise à des séismes. Les failles sont des cassures dans les roches. Les zones de la surface terrestre qui présentent des failles sont souvent associées à une forte activité sismique.

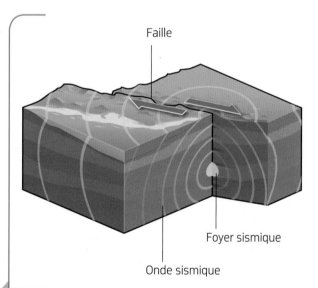

Faille

Foyer sismique

Onde sismique

3 **Mouvement d'une faille provoquant un séisme.** En profondeur, les roches sont soumises à des **contraintes*** et accumulent de l'énergie. Au niveau d'une faille, les roches peuvent se déformer pendant des siècles et rompre brutalement au niveau du foyer sismique. De cet endroit partent des ondes sismiques qui se propagent dans toutes les directions.

Mettre en évidence l'activité géologique profonde d'une région

ANAK KRAKATAU
Localisation du volcan : Indonésie.
Type de volcan : explosif.
Type de lave* : visqueuse riche en gaz.
Matériaux émis : nuage de cendres montant à plusieurs kilomètres d'altitude, **nuée ardente***, bombes volcaniques
Dangerosité : élevée, à de grandes distances autour du volcan à cause des matériaux émis et des **lahars***

Anak Krakatau

ETNA
Localisation du volcan : Sicile
Type de volcan : effusif
Type de lave : fluide pauvre en gaz
Matériaux émis : lave fluide s'écoulant sur les pentes du volcan
Dangerosité : modérée, limitée aux zones où coule la lave

Etna

4 L'éruption de l'Anak Krakatau en mai 2008.

5 L'éruption de l'Etna en mai 2015.

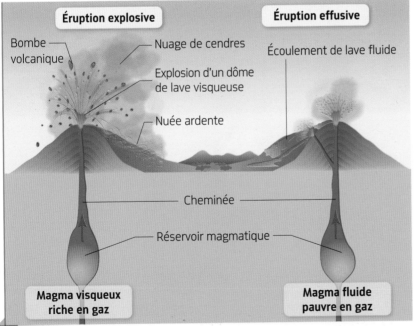

Éruption explosive

Bombe volcanique
Nuage de cendres
Explosion d'un dôme de lave visqueuse
Nuée ardente

Éruption effusive

Écoulement de lave fluide

Cheminée
Réservoir magmatique

Magma visqueux riche en gaz
Magma fluide pauvre en gaz

6 **Le volcanisme, un phénomène géologique d'origine profonde.** Le magma, issu de la **fusion*** de roches en profondeur, remonte et s'accumule dans un réservoir à plusieurs kilomètres de profondeur. L'éruption est provoquée par la remontée du magma vers la surface.

DICO SCIENCES

*Contraintes : ensemble des forces s'exerçant sur les roches.
*Fusion : passage de l'état solide à l'état liquide.
*Lahar : mélange des cendres et d'eau provenant de la fonte rapide des glaciers lors d'une éruption.
*Lave : roche en fusion émise en surface de la Terre.
*Nuée ardente : gaz brûlants transportant des cendres volcaniques, se déplaçant à grande vitesse.
*Séisme : tremblement de terre.

Activité

4

J'enquête

Kilian, qui vit à Nantes, se demande si un tremblement de terre peut se produire dans sa ville. Sa sœur, Anaïs, lui répond que c'est peu probable car Nantes est au milieu d'une plaque tectonique.

CONSIGNE > Présenter à Kilian la répartition des séismes dans le monde et expliquer ce qu'est une plaque tectonique.

LOGICIEL

Le logiciel *SISMOLOG* permet de faire apparaître la répartition mondiale des séismes et celle des volcans sur la carte.

Protocole

• Lancer *SISMOLOG*.

• Dans le menu affichage, choisir la vue *Satellite*.

• Cliquer sur *Dessiner les séismes* et sur *Volcans*.

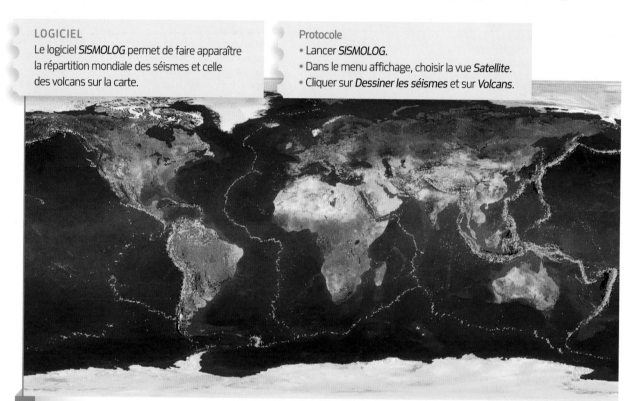

1 **Répartition des séismes à la surface de la Terre.** Les points de couleur représentent les foyers sismiques superficiels (en jaune), intermédiaires (en rouge) et profonds (en noir).

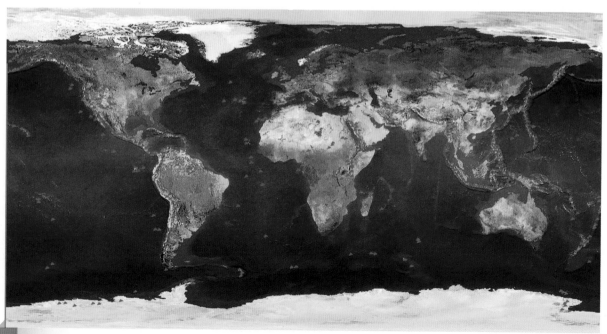

2 **Répartition des volcans à la surface de la Terre.** Le volcanisme sous-marin n'est pas représenté sur cette carte.

Frontière de plaque : chaîne de montagnes.
La chaîne himalayenne s'étend sur 2 400 km de long et comprend les sommets les plus hauts du monde.

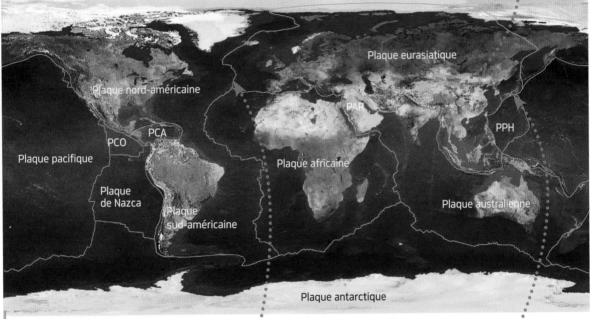

Les scientifiques ont divisé la Terre en une douzaine de plaques tectoniques, ou lithosphériques, séparées par trois types de frontières.

PCA : Plaque des Caraïbes
PCO : Plaque des Cocos
PAR : Plaque arabique
PPH : Plaque des Philippines

Frontière de plaque : dorsale océanique. Une dorsale est une chaîne de montagnes volcaniques et sous-marines de plus de 2 km de haut.

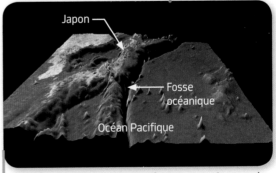

Frontière de plaque : fosse océanique. Une fosse océanique est une dépression allongée pouvant aller jusqu'à 11 km de profondeur.

3 Carte des plaques tectoniques, ou lithosphériques.

5

Comment les ondes sismiques informent-elles sur l'organisation de la Terre en profondeur ?

Étudier les informations apportées par les ondes sismiques

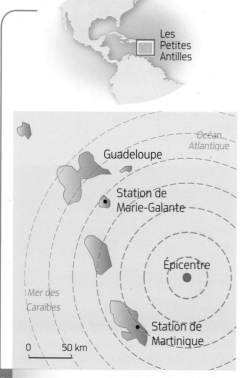

1 **Un sismographe.** Les ondes sismiques produites lors d'un séisme peuvent être enregistrées à des milliers de kilomètres grâce à des sismographes, dans des stations sismiques. Le tracé obtenu est un sismogramme.

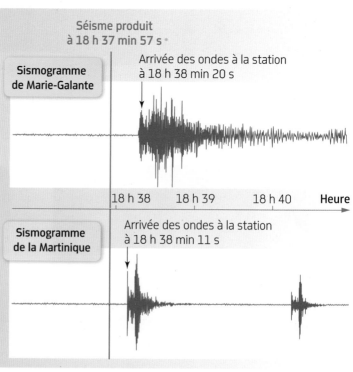

Les Petites Antilles

Océan Atlantique

Guadeloupe

Station de Marie-Galante

Épicentre

Mer des Caraïbes

Station de Martinique

0   50 km

Séisme produit à 18 h 37 min 57 s

Sismogramme de Marie-Galante

Arrivée des ondes à la station à 18 h 38 min 20 s

18 h 38   18 h 39   18 h 40   **Heure**

Sismogramme de la Martinique

Arrivée des ondes à la station à 18 h 38 min 11 s

2 **Sismogrammes du séisme du 6 février 2008 enregistrés à Marie-Galante et en Martinique.**
À 18 h 37 min 57 s, se produit un séisme, dont l'**épicentre*** est situé dans l'océan Atlantique. Ce séisme a été enregistré par deux stations situées sur les îles de Marie-Galante et de la Martinique.

Découvrir l'organisation en profondeur de la Terre

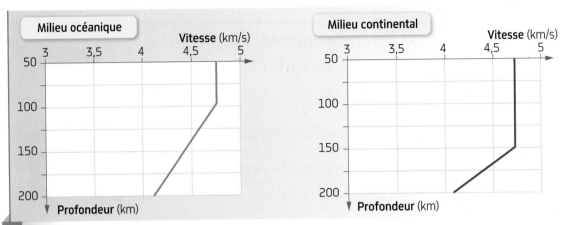

3 **Vitesse des ondes sismiques au niveau d'un océan et d'un continent.** Ces courbes ont été obtenues en analysant la vitesse de propagation d'ondes issues de milliers de séismes et enregistrées au niveau de centaines de stations. La diminution de vitesse observée est liée à une baisse de la rigidité des roches..

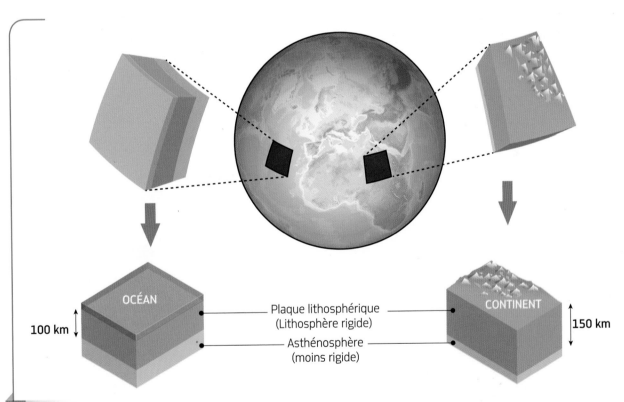

4 **Les caractéristiques géologiques profondes des zones continentale et océanique.** La surface de la Terre est constituée de roches rigides : elles forment la lithosphère. La lithosphère, divisée en une douzaine de plaques, repose sur l'asthénosphère constituée de roches moins rigides.

DICO SCIENCES

*★**Épicentre d'un séisme** : premier point de la surface terrestre touché par les ondes sismiques, situé à la verticale du foyer.

6

Comment mettre en évidence le déplacement des plaques lithosphériques ?

➡ **Mettre en évidence les mouvements des plaques lithosphériques en surface**

1 **Alfred Wegener (1880-1930).** Au début du XXᵉ siècle, l'astronome et climatologue allemand Alfred Wegener étudie notamment la répartition de trois fossiles et propose une théorie scientifique révolutionnaire : un super-continent unique se serait fragmenté dans le passé en plusieurs continents plus petits. Depuis, les continents dériveraient à la surface de la Terre. À l'époque, cette théorie, dite de la dérive des continents, fut largement rejetée par la communauté scientifique.

Fossile
Nom : *Glossopteris*
Classification : plante terrestre
Âge : −240 Ma

Fossile
Nom : *Mesosaurus*
Classification : Reptiles
Taille : 2 m
Régime alimentaire : œufs de poisson, petites larves
Habitat : eau douce
Âge : −260 Ma

Fossile
Nom : *Cynognathus*
Classification : Reptiles
Taille : 2 m
Régime alimentaire : végétaux et petits animaux
Habitat : terrestre
Âge : −240 Ma

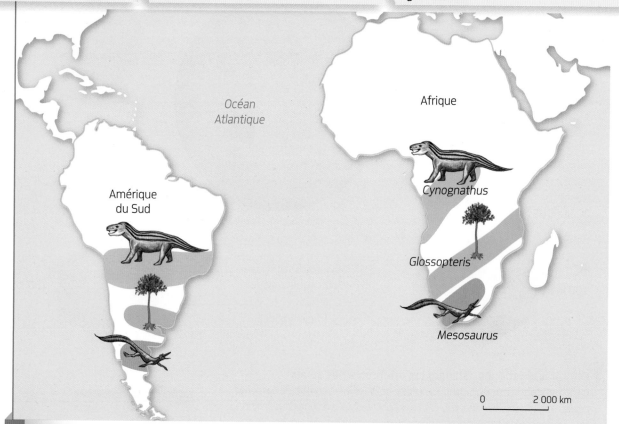

2 Positions actuelles de l'Amérique du Sud et de l'Afrique, et répartition de trois fossiles étudiés par Wegener.

DICO SCIENCES

*****Contexte géodynamique :** situation géologique d'une région déterminée par les mouvements de la lithosphère.

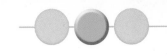
Mettre en évidence les mouvements des plaques lithosphériques en profondeur

LOGICIEL

Protocole

- Ouvrir le logiciel *SISMOLOG*.
- Afficher les séismes.
- Sélectionner une zone au niveau de la côte Ouest de l'Amérique du Sud, semblable à la coupe AB du document ci-contre.
- Tracer la coupe.
- Faire la même chose avec une coupe au niveau de la dorsale Atlantique (coupe CD).

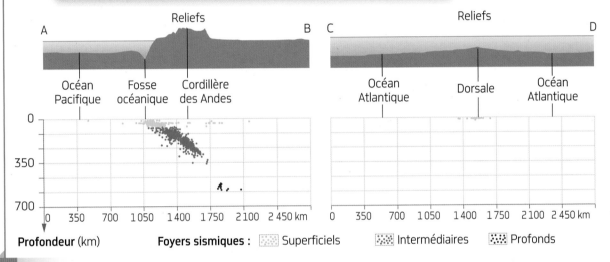

3 Répartition des foyers sismiques en profondeur au niveau de deux zones du globe. Les foyers sismiques ne peuvent prendre naissance que dans les roches rigides de la lithosphère.

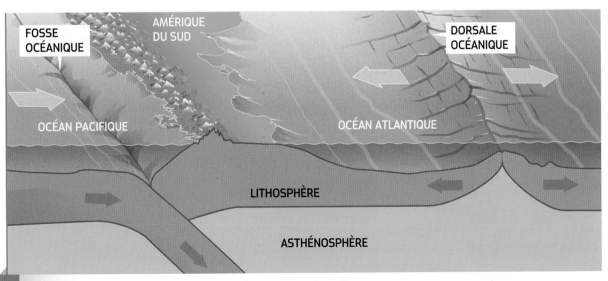

4 Le mouvement des plaques à l'origine du contexte géodynamique*. Au niveau d'une fosse océanique, deux plaques se rapprochent : la plaque océanique s'enfonce sous l'autre plaque, c'est une zone de subduction. Au niveau d'une dorsale, deux plaques s'éloignent l'une de l'autre.

7

Comment les plaques lithosphériques sont-elles mises en mouvement ?

Modéliser une évacuation de chaleur permettant des mouvements en surface

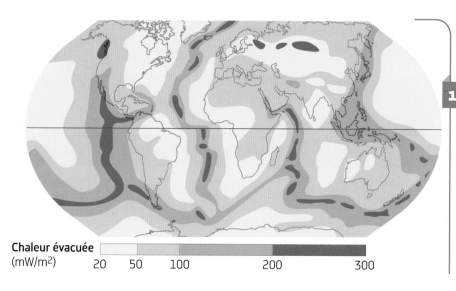

Chaleur évacuée
(mW/m²)   20   50   100   200   300

1 **Évacuation de la chaleur au niveau de la surface de la Terre.** La Terre évacue de la chaleur par sa surface. Cette chaleur peut être mesurée et reportée sur une carte mondiale.

EXPÉRIENCE

Une modélisation peut être réalisée pour comprendre l'origine des mouvements de la surface terrestre.

Protocole
- Prendre un morceau de craie de couleur rouge de 2 cm de long.
- Broyer la craie jusqu'à obtenir une poudre fine.
- Ajouter 20 mL d'huile à la poudre dans un bécher de 100 mL.
- Ajouter délicatement 80 mL d'huile en la faisant glisser le long de la paroi du bécher.
- Chauffer le bécher à l'aide d'une bougie.

2 **Modèle pour comprendre les conséquences d'une remontée de matériel chaud, en profondeur de la Terre.** L'huile rouge, chauffée, remonte vers la surface puis se refroidit. Cette remontée met en mouvement la surface du liquide.

Relier l'énergie interne au déplacement des plaques

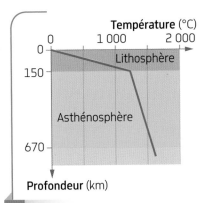

3 Évolution de la température de la Terre en fonction de la profondeur, sous un continent.

4 Une origine de la chaleur interne de la Terre.

L'intérieur de la Terre est fait de roches, contenant des éléments **radioactifs*** tels que l'uranium. Ces éléments ont la capacité de se transformer au cours du temps en d'autres éléments. Ces transformations libèrent de l'énergie, sous forme de chaleur, qui chauffe les roches.

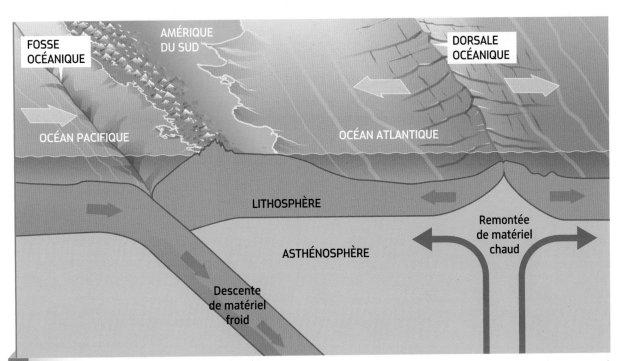

5 **La dynamique* interne du globe à l'origine des mouvements des plaques en surface.** La Terre est plus froide en surface qu'en profondeur. Cette différence de température est à l'origine de transferts de chaleur. Sous une dorsale océanique, une remontée de matériel chaud provoque l'écartement des plaques de part et d'autre de cette dorsale. Au niveau des zones de subduction, la lithosphère est froide : elle plonge alors dans l'asthénosphère plus chaude.

DICO SCIENCES

* Dynamique : étude des mouvements d'un objet, en lien avec les forces qui le provoquent.
* Radioactif : se dit d'un élément chimique qui se transforme spontanément en un autre, en émettant par exemple de la chaleur.

8

J'enquête

Vous êtes volcanologue pour la ville de Latacunga, en Équateur, près du volcan Cotopaxi. La municipalité vous demande de proposer des moyens pour limiter les conséquences d'une éruption volcanique.

CONSIGNE > **Après avoir montré qu'il existe un risque* volcanique à Latacunga, proposez des moyens de limiter les effets d'une éruption.**

• Cotopaxi

1 **Une éruption du volcan Cotopaxi dans la région de Latacunga.** Le 18 août 2015, le volcan explosif Cotopaxi entre en éruption. Un nuage de cendres sort du volcan, ce qui entraîne les autorités à évacuer plusieurs milliers de personnes.

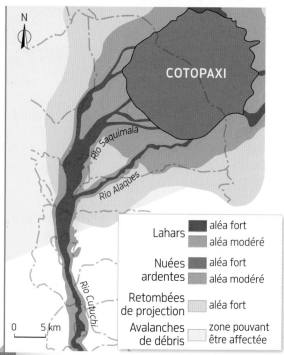

2 **Carte de l'aléa* volcanique dans la région du Cotopaxi.** La dernière éruption majeure du Cotopaxi date de 1877. Il présente, en moyenne, une phase d'activité majeure par siècle.

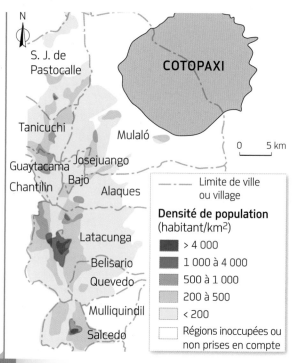

3 **Carte de la densité de population dans la région du Cotopaxi.** Lors d'une catastrophe naturelle, la population, les bâtiments, les infrastructures constituent l'**enjeu***. Certains bâtiments, vieillis et mal entretenus, sont plus vulnérables que d'autres.

4 **Mesure de la température des fumerolles d'un volcan.** Généralement, l'éruption d'un volcan est précédée d'une émission accrue de gaz volcaniques chauds, les fumerolles.

Sakurajima

5 **Une éruption du volcan Sakurajima au Japon.** C'est un volcan particulièrement actif et surveillé par les scientifiques. Diverses mesures ont été adoptées afin de protéger la population : les enfants doivent aller à l'école en portant un casque pour se protéger des éventuelles retombées et, dès qu'une alerte est donnée, ils doivent se mettre à l'abri sous leur bureau.

6 **Abri pour se protéger en cas de retombées de bombes volcaniques près du volcan Sakurajima.**

7 **Barrage anti-lahar près du volcan Sakurajima.** Un barrage de tubes d'acier fait office de tamis. Lorsqu'un lahar dévale la pente du volcan, ce barrage permet de retenir les blocs et les troncs d'arbres charriés par ces coulées de boue.

 **SCIENCES**

* **Aléa** : possibilité de survenue d'une catastrophe naturelle, par exemple une éruption volcanique.
* **Enjeu d'une catastrophe naturelle** : individus, biens, équipements susceptibles d'être affectés par la catastrophe naturelle.
* **Risque** : combinaison d'un aléa et de la vulnérabilité des enjeux.

9

Comment limiter les effets d'un tsunami dans une zone à risque ?

➡️ **Observer** les effets d'un tsunami et son origine

Banda Aceh

1 **La ville de Banda Aceh (province de Aceh), en Indonésie, après le tsunami* du 26 décembre 2004.** Le 26 décembre 2004, le plus puissant des tsunamis jamais connus balaie les côtes de l'océan Indien. Certaines vagues atteignent 35 mètres de haut ! Le bilan humain s'établit à 230 000 morts dont 168 000 pour la seule province d'Aceh.

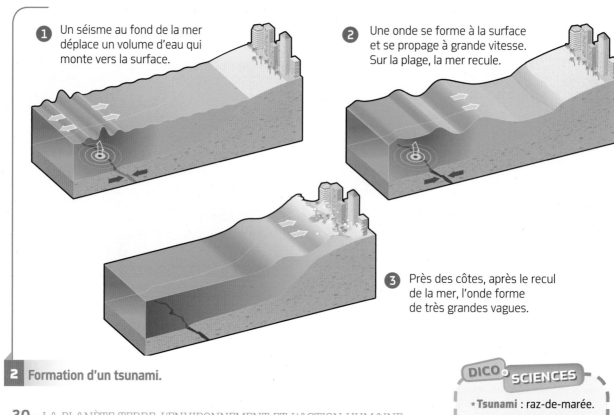

1 Un séisme au fond de la mer déplace un volume d'eau qui monte vers la surface.

2 Une onde se forme à la surface et se propage à grande vitesse. Sur la plage, la mer recule.

3 Près des côtes, après le recul de la mer, l'onde forme de très grandes vagues.

2 Formation d'un tsunami.

DICO SCIENCES

***Tsunami** : raz-de-marée.

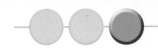

Compétence

➤ Évaluer le risque lié au tsunami et limiter ses effets

3 **Les tsunamis, des aléas fréquents.**

Les tsunamis sont des phénomènes courants. Cependant, la plupart ne sont pas destructeurs car ils affectent des littoraux non habités ou bien leurs vagues sont de faible ampleur. Seuls 10 % des tsunamis provoquent des dégâts.

Entre 1835 et 1996, l'Indonésie fut frappée par 10 tsunamis violents d'origine sismique, le plus meurtrier datant de 1881, avec environ 5 000 victimes. Plus récemment, en 1992, un tsunami dont les vagues atteignaient 26 mètres provoqua la mort de 1 960 personnes.

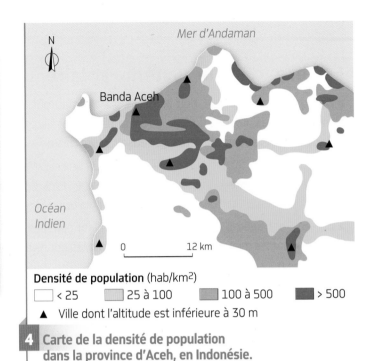

Densité de population (hab/km²)

☐ < 25   ☐ 25 à 100   ☐ 100 à 500   ☐ > 500

▲ Ville dont l'altitude est inférieure à 30 m

4 **Carte de la densité de population dans la province d'Aceh, en Indonésie.**

5 **Une population plus ou moins vulnérable face au tsunami.**

Dans la province d'Aceh, l'attractivité des villes côtières et des problèmes politiques dans l'arrière-pays ont conduit une partie importante de la population des montagnes à s'installer sur le littoral. N'ayant pas de culture de la mer, cette population n'a pas reconnu le signe précurseur du tsunami, le recul rapide de la mer. Au lieu de s'enfuir, ces personnes sont allées chercher les crustacés et les poissons que la mer avait laissés lors de son retrait. Certaines îles voisines, également touchées par le tsunami, ont déploré beaucoup moins de victimes, car leurs populations traditionnelles de pêcheurs ont su adopter les bons réflexes : les personnes sur l'île se sont réfugiées sur les hauteurs dès le retrait de la mer.

6 **Prévenir les tsunamis.** Dès 2005, un système de prévention des tsunamis a été mis en place dans l'océan Indien. Il comprend de nombreuses bouées capables de mesurer la hauteur des vagues de l'océan en temps réel. En cas de tsunami, un centre d'alerte peut prévenir la population.

L'essentiel

par le texte

◉○○ La Terre dans le système solaire, une planète active

> Dans le **système solaire**, huit **planètes** gravitent autour d'une étoile, le Soleil. Les quatre planètes les plus proches du Soleil, dont la Terre, sont faites de roches : ce sont les **planètes telluriques**. Les autres planètes, gazeuses, n'ont pas de surface rocheuse.

> La Terre, qui a la forme d'une sphère, effectue une **rotation** sur elle-même autour de l'axe des pôles, en presque 24 heures. Elle effectue une **révolution** autour du Soleil en une année, selon une **orbite** en forme d'ellipse, quasi-circulaire.

> La Terre est âgée d'environ 4,5 milliards d'années. Les 530 millions d'années les plus récentes sont les mieux connues : les géologues les ont divisées en quatre **ères géologiques**.

> Les **séismes** sont provoqués par une rupture des roches, en profondeur, qui produit des ondes. Les **éruptions volcaniques** ont pour origine une remontée de **magma**.

ACTIVITÉS
1 p. 14
2 p. 16
3 p. 18

◉◉○ La tectonique des plaques et la dynamique interne

> La répartition des séismes et des volcans a permis de comprendre que la surface de la Terre est divisée en **plaques lithosphériques**. Selon la théorie de la **tectonique**, les plaques constituées de roches rigides reposent sur l'**asthénosphère** faite de roches moins rigides.

> Le **contexte géodynamique** global explique la répartition des séismes et des éruptions volcaniques. En effet, au niveau d'une **dorsale océanique**, deux plaques s'écartent. Au niveau d'une **zone de subduction**, une plaque plonge sous une autre plaque.

> Les mouvements des plaques sont liés à des mouvements de matière en profondeur : la **dynamique interne** du globe est à l'origine de la tectonique des plaques.

ACTIVITÉS
4 p. 20
5 p. 22
6 p. 24
7 p. 26

◉◉◉ Des risques liés au contexte géodynamique

> Certaines zones de la Terre sont menacées par des **aléas** sismiques et volcaniques. Des individus et des biens sont susceptibles d'en subir les conséquences, et n'ont pas tous le même degré de **vulnérabilité** : ils représentent les **enjeux**. La combinaison de l'aléa et de la vulnérabilité des enjeux détermine le **risque**.

> Actuellement, il n'est pas possible de **prévoir** la survenue d'un séisme alors que la surveillance des volcans actifs permet de prévoir plus ou moins efficacement les éruptions volcaniques.

> Afin de **prévenir** le risque, il est possible :
– d'éduquer la population, qui saura adopter un comportement adéquat durant un séisme ;
– d'aménager le territoire, par exemple en construisant des abris pour assurer la **protection** des personnes durant une éruption volcanique explosive.

ACTIVITÉS
8 p. 28
9 p. 30

MOTS-CLÉS

Contexte géodynamique • Planète • Plaque lithosphérique • Risque

Dynamique de la Terre et risques pour l'être humain

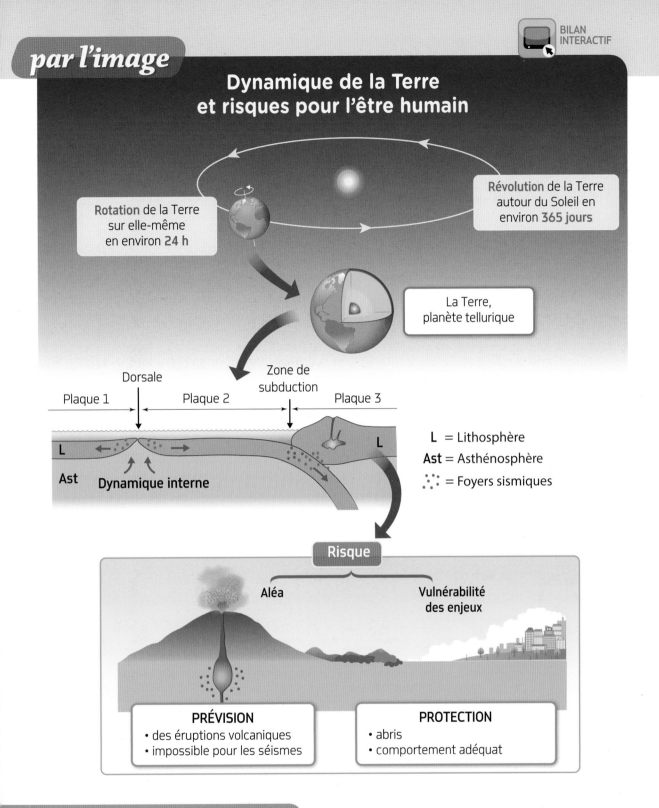

Rotation de la Terre sur elle-même en environ **24 h**

Révolution de la Terre autour du Soleil en environ **365 jours**

La Terre, planète tellurique

Dorsale

Zone de subduction

Plaque 1　　Plaque 2　　Plaque 3

L = Lithosphère
Ast = Asthénosphère
⠿ = Foyers sismiques

L

L

Ast　**Dynamique interne**

Risque

Aléa　　　　Vulnérabilité des enjeux

PRÉVISION
• des éruptions volcaniques
• impossible pour les séismes

PROTECTION
• abris
• comportement adéquat

Mon bilan de fin de cycle

Attendus

> **Pour expliquer certains phénomènes géologiques à partir du contexte géodynamique global :**
• j'explique l'origine des séismes et des éruptions volcaniques et je relie leur répartition aux plaques lithosphériques ;
• j'associe le mouvement des plaques lithosphériques à la dynamique interne de la Terre.

> **Pour relier les connaissances sur les risques naturels aux mesures de prévention, de protection :**
• j'explique la différence entre la prévision sismique et volcanique ;
• je cite des moyens de protéger une population contre le risque ;
• je justifie l'intérêt d'éduquer une population au risque sismique.

QUIZ
INTERACTIF

1 QCM ●○○○

Cocher la bonne réponse.

Par rapport aux planètes du groupe de Jupiter, les planètes comme la Terre sont :

❑ plus petites et plus éloignées du Soleil.

❑ plus grosses et plus éloignées du Soleil.

❑ plus petites et plus proches du Soleil.

❑ plus grosses et plus proches du Soleil.

2 Remue-méninges ○○○●

Écrire une phrase avec chaque liste de mots.

a. aléa – vulnérabilité – risque – enjeux

b. prévenir – protection – construire – éruption – risque

3 MOT CACHÉ ○●○

Reproduire et **compléter** la grille pour retrouver le mot caché.

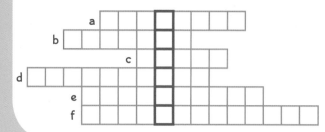

a. Émission de matériaux volcaniques en surface.

b. Montagne sous-marine où deux plaques se séparent.

c. Roches en fusion stockées sous un volcan.

d. Théorie selon laquelle une couche rocheuse rigide, en surface de la Terre, repose sur une couche moins rigide.

e. Zone où une plaque s'enfonce sous une autre.

f. Zone rocheuse, sous la lithosphère.

JE TESTE *mes compétences*

4 Communiquer sur ses démarches, en argumentant ●○○

Vénus est une planète très proche de la Terre et fut pendant longtemps considérée comme sa jumelle.

Caractéristique / Planète	Diamètre (km)	Surface	Température moyenne en surface (°)	Durée de la rotation sur elle-même (jour)
Vénus	12 102	Rocheuse, avec des reliefs	475 °C	243
Terre	12 756	Rocheuse, avec des reliefs	15 °C	1

➡ **Identifier** des arguments qui ont pu laisser croire que Vénus et la Terre étaient des planètes jumelles, puis **montrer** qu'elles présentent des différences.

La surface de Vénus.

5 Lire et exploiter des données présentées sous différentes formes ⚪⚫⚪

La région des îles Aléoutiennes, à la frontière entre deux plaques lithosphériques, présente une forte activité géologique que l'on peut visualiser avec le logiciel *SISMOLOG*.

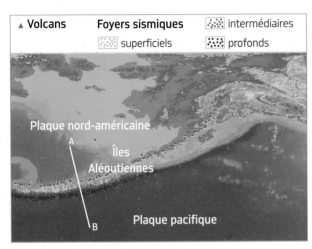

▲ Volcans   **Foyers sismiques**   intermédiaires
          superficiels   profonds

Plaque nord-américaine
Îles Aléoutiennes
Plaque pacifique

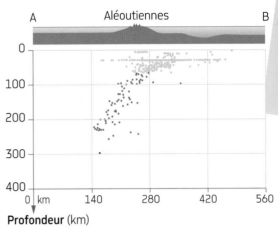

A   Aléoutiennes   B

Profondeur (km)

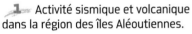 **1** Activité sismique et volcanique dans la région des îles Aléoutiennes.

2 Coupe montrant la répartition des volcans et des foyers sismiques, selon la coupe AB.

➡ **Justifier** que les îles Aléoutiennes correspondent à une frontière de plaques, puis **préciser** de quel type de frontière il s'agit.

6 Proposer une ou des hypothèses pour résoudre un problème ⚪⚪⚫

Le 3 août 2014, un séisme survient dans le sud-est de la Chine. Le bilan est important : près de 600 morts, plus de 2 400 blessés, 80 000 habitations effondrées. L'épicentre est situé près de Longtoushan, une ville de 50 000 habitants.

Plus tard, le 24 août 2014, la Californie est frappée par un séisme. Aucun mort n'est à déplorer, seules trois personnes sont gravement blessées, et une centaine de maisons sont devenues inhabitables. L'épicentre est situé près de Napa, une ville de 75 000 habitants.

Ces deux séismes présentent la même puissance et leur foyer est situé à environ 10 km sous la surface.

La ville de Longtoushan après le séisme du 3 août 2014.

➡ **Proposer** une hypothèse pour expliquer comment deux séismes aux caractéristiques proches peuvent avoir des conséquences différentes.

Phénomènes météorologiques

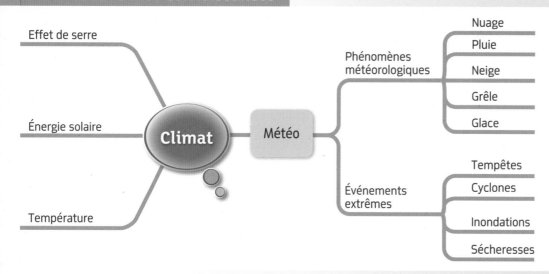

Mes objectifs de fin de cycle

> Expliquer quelques phénomènes météorologiques et climatiques
> Relier les connaissances scientifiques sur les risques naturels ainsi que ceux liés aux activités humaines aux mesures de prévention, de protection, d'adaptation, ou d'atténuation

Activité

1 Climatologie et météorologie

2 La dynamique des masses d'air

3 La dynamique des masses d'eau

4 L'évolution du climat à différentes échelles de temps

5 Le risque climatique

6 Un risque météorologique : les tornades

7 Un risque météorologique : les inondations

climatiques, et action humaine

Bamboo nest towers,
VINCENT CALLEBAUT ARCHITECTE, 2015.
**Tours maraîchères thermodynamiques
enrobées par un maillage en bambou.
Projet** *Paris smart city*
pour le plan Climat Énergie.

Dans sa vision du Paris de 2050, l'architecte Vincent Callebaut propose des bâtiments à énergie positive, c'est-à-dire déconnectés des réseaux d'énergie traditionnelle. La végétation est abondante, ce qui limite les fortes chaleurs urbaines. Ce projet souligne la capacité de l'architecture à proposer des solutions pour limiter les effets du changement climatique.

1

J'enquête

On est à la fin du mois de mai, Lisa va au tournoi de tennis de Roland Garros. Son grand-père lui recommande de prendre un parapluie : « L'année dernière à ce tournoi, il pleuvait ! C'est bien la preuve que le climat se dérègle ! »

CONSIGNE > **Expliquer au grand-père de Lisa qu'un épisode pluvieux en mai ne traduit pas nécessairement un dérèglement du climat.**

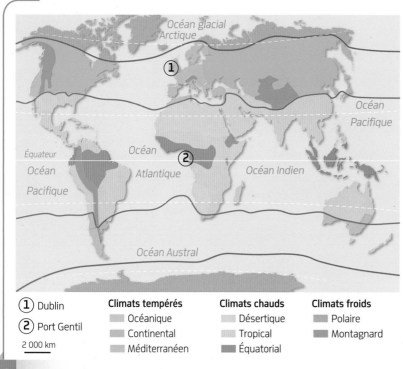

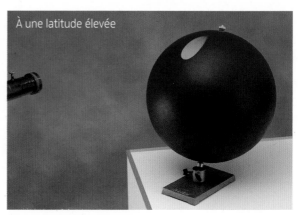

① Dublin

② Port Gentil

2 000 km

Climats tempérés	Climats chauds	Climats froids
Océanique	Désertique	Polaire
Continental	Tropical	Montagnard
Méditerranéen	Équatorial	

1 Les zones climatiques de la Terre et le climat de deux villes.
La climatologie s'intéresse aux valeurs moyennes de paramètres tels que la température ou les **précipitations***. Ces moyennes sont établies grâce à des mesures régulières pendant plusieurs années, à plusieurs centaines d'années.

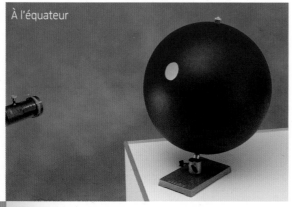

À l'équateur

À une latitude élevée

2 Un modèle pour comprendre la répartition des climats de la Terre. Comme le Soleil est beaucoup plus gros que la Terre, les rayons qu'il envoie sur notre planète sont parallèles entre eux. La Terre étant sphérique, un même rayonnement solaire se répartit sur une plus petite surface au niveau de l'équateur qu'au niveau des pôles. Il fait donc plus chaud à l'équateur qu'aux pôles.

3 **Les prévisions météorologiques sur une chaîne télévisée.** La météorologie étudie et prévoit les phénomènes météorologiques à court terme tels que les précipitations, la température et l'intensité du vent, sur une zone géographique limitée.

4 **Le tournoi de Roland Garros sous la pluie, à Paris, le 30 mai 2013.** Si ce tournoi de tennis a lieu entre la fin du mois de mai et le début du mois de juin, c'est notamment parce que les conditions météorologiques sont généralement favorables. Toutefois, certaines années, comme en 2013, le froid et la pluie ont perturbé le déroulement des matches.

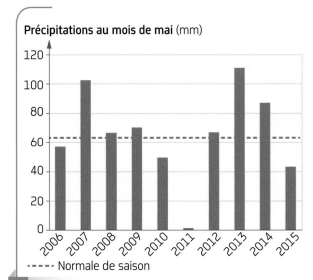

Précipitations au mois de mai (mm)

- - - - Normale de saison

5 **Les précipitations du mois de mai, à Paris, entre 2006 et 2015.** La normale de saison a été calculée en faisant la moyenne des précipitations sur 30 ans, entre 1981 et 2010.

6 **Un ingénieur explique à sa fille la différence entre la climatologie et la météorologie.**

« – Tu connais la différence entre météo et climat, bien qu'il soit question de températures et de pluie dans les deux cas de figure ?
– Heu, je ne suis pas sûre…
– Et tu n'es pas la seule : beaucoup de gens confondent les deux et croient que le climat a changé – ou au contraire disent qu'il ne change pas – sur la base de ce qui s'est passé en un jour donné. C'est pourtant fondamental de bien comprendre la différence. La météo, que tu entends tous les jours à la radio, s'intéresse au « temps qu'il fait » aujourd'hui ou demain, et ça change sans cesse. Le climat, lui, se définit avec des moyennes sur des régions plus vastes (un pays, un continent, ou même la Terre entière) et des durées plus longues (des mois, des années, des siècles, des millénaires parfois). Cela peut paraître curieux, mais ces moyennes donnent une bien meilleure idée de ce qui se passe que les conditions d'un jour donné – par exemple le 6 septembre à l'île d'Ouessant ou dans la forêt des Ardennes. »

Jean-Marc Jancovici, *Le changement climatique expliqué à ma fille*, 2009, © Éditions du Seuil.

SCIENCES

★**Précipitations** : chute d'eau (pluie, neige…) en provenance de l'atmosphère, exprimée en mm : 1 mm de précipitations équivaut à 1 L d'eau par m².

2

Comment montrer que les masses d'air se déplacent et quelle en est la dynamique ?

Mettre en évidence la dynamique des masses d'air

1 **Une tempête de sable dans le Nord-Ouest de l'Inde, en 2013.** Les vents, qui transportent le sable, sont des déplacements de masses d'air.

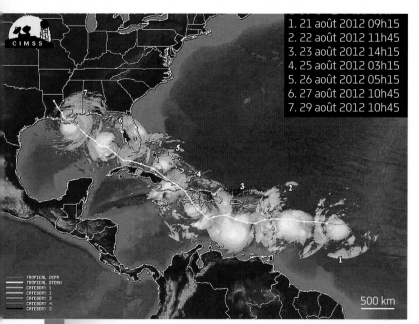

1. 21 août 2012 09h15
2. 22 août 2012 11h45
3. 23 août 2012 14h15
4. 25 août 2012 03h15
5. 26 août 2012 05h15
6. 27 août 2012 10h45
7. 29 août 2012 10h45

500 km

TROPICAL DEPR
TROPICAL STORM
CATEGORY 1
CATEGORY 2
CATEGORY 3
CATEGORY 4
CATEGORY 5

2 **Déplacement de l'ouragan Isaac en 2012.** Le 21 août 2012, une forte tempête, avec des vents tourbillonnants à plus de 130 km/h, se forme dans l'océan Atlantique. Cette image satellitaire est composée de plusieurs clichés, pris par le même satellite, à des moments successifs.

3 **Des éoliennes, en France.** Les éoliennes permettent de convertir l'énergie du vent en une autre forme d'énergie : l'énergie électrique. Elles sont installées dans les zones géographiques où les vents sont les plus importants.

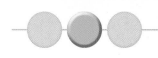

Étudier et expérimenter la dynamique des masses d'air

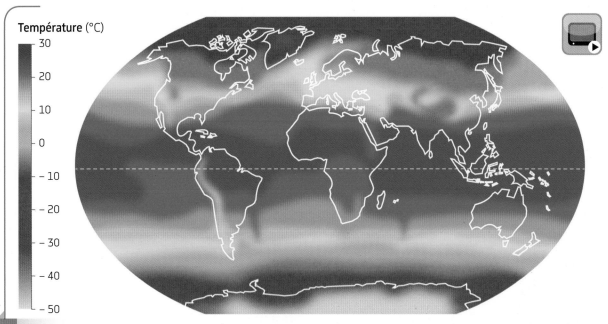

Température (°C)

4 **Carte des températures moyennes de l'air en surface de la Terre.**

EXPÉRIENCE

On cherche à comparer le mouvement de l'air chaud à celui de l'air froid.
La fumée de l'encens permet de visualiser ce mouvement.

Protocole

- Allumer le cône d'encens : il produit un air chaud.
- Placer au-dessus du cône une assiette à température ambiante.
- Placer au-dessus du cône une assiette froide.

Assiette à température ambiante

Assiette froide

5 **Modélisation pour comprendre la dynamique* des masses d'air.**

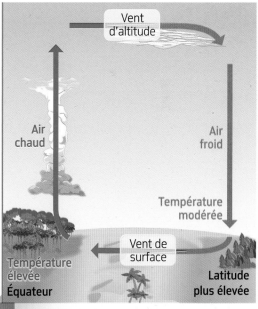

Vent d'altitude

Air chaud

Air froid

Température modérée

Température élevée

Équateur

Vent de surface

Latitude plus élevée

6 **Les mouvements de l'air à la surface du globe.** La circulation de l'air permet de transférer la chaleur depuis l'équateur vers les pôles.

DICO SCIENCES

***Dynamique** : étude du mouvement d'un objet, en lien avec les forces qui le provoquent.

Activité

3

J'enquête

En février 2014, une personne découvre sur une plage de Bretagne une bouteille lancée à la mer au Québec en avril 1998. La bouteille avec le message qu'elle renferme a mis 16 ans pour traverser l'océan Atlantique.

CONSIGNE > **Expliquer comment un objet flottant peut traverser un océan.**

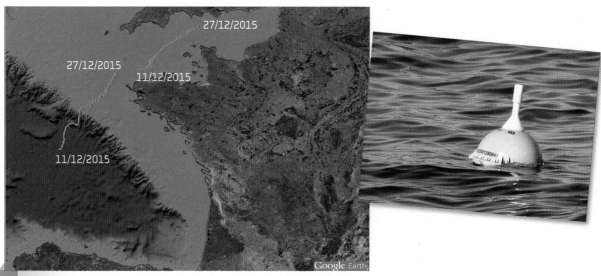

1 **Trajectoires de deux bouées dérivantes, au large de la Bretagne.** Ces bouées, qui se déplacent en suivant les courants marins, sont équipées de plusieurs appareils pour mesurer la température de l'eau et la vitesse du vent.

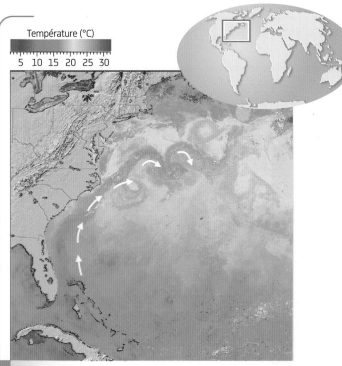

2 **Température des eaux de surface de l'océan Atlantique en mai 2015.** Un courant marin chaud, appelé Gulf Stream, remonte la côte Est de l'Amérique du Nord puis se dirige vers le nord-ouest de l'océan Atlantique à une vitesse comprise entre 100 et 150 km/jour. Il se refroidit alors en se mélangeant aux eaux froides environnantes.

3 **Installation d'une hydrolienne au large de la Bretagne.** Cette hydrolienne est immergée à 50 m de profondeur. Elle permet de convertir l'énergie fournie par les courants marins de surface en énergie électrique.

4 Surface d'un océan lorsqu'il y a du vent.
Sans vent, la surface de la mer n'est pas agitée.

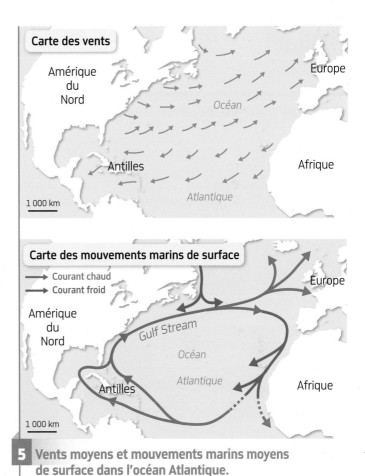

Carte des vents

Amérique du Nord

Europe

Océan

Antilles

Afrique

Atlantique

1 000 km

Carte des mouvements marins de surface

→ Courant chaud
→ Courant froid

Amérique du Nord

Europe

Gulf Stream

Océan

Antilles

Atlantique

Afrique

1 000 km

5 Vents moyens et mouvements marins moyens de surface dans l'océan Atlantique.

EXPÉRIENCE

On peut reproduire un courant à la surface de l'eau d'un récipient et visualiser le mouvement de la surface à l'aide d'un colorant.

Protocole

• Verser de l'eau froide, dans une cuvette. Attendre quelques instants que l'eau devienne calme.
• Verser quelques gouttes d'eau colorée au bord du récipient.
• Souffler délicatement sur le colorant.

Souffle

6 Modélisation de la dynamique des masses d'eau en surface.

Comment le climat évolue-t-il à différentes échelles de temps ?

Mettre **en évidence un changement lent du climat et ses causes**

Steppe avec plantes herbacées* en climat froid

Est de l'Europe : climat tempéré Forêt d'arbres feuillus

1 **Il y a 21 000 ans, l'Est de l'Europe était recouvert d'une steppe avec plantes herbacées, caractéristiques d'un climat froid.** C'est aujourd'hui une forêt d'arbres feuillus.

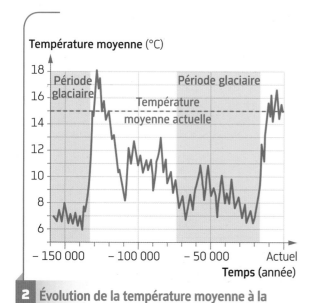

2 Évolution de la température moyenne à la surface de la Terre depuis 150 000 ans.

− 21 000 ans   − 10 000 ans

Énergie solaire reçue par la Terre

3 **Quantité d'énergie solaire reçue par la Terre à deux époques.** La Terre reçoit de l'énergie en provenance du Soleil. La quantité reçue dépend de la position de la Terre dans l'espace. Or cette position varie régulièrement à l'échelle de plusieurs milliers d'années.

Mettre en évidence **un changement rapide du climat et ses causes**

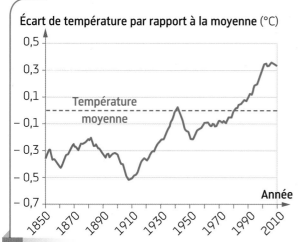

Écart de température par rapport à la moyenne (°C)

Température moyenne

Année

4 **Modification de la température des océans.**
La température moyenne des océans est calculée entre 1961 et 1990. Les scientifiques comparent la température des océans du siècle dernier à cette moyenne.

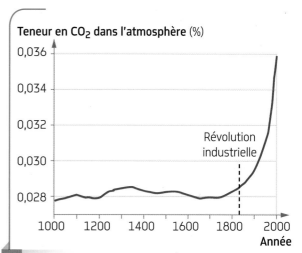

Teneur en CO_2 dans l'atmosphère (%)

Révolution industrielle

Année

5 **Évolution de la teneur atmosphérique en dioxyde de carbone (CO_2) au cours du dernier millénaire.**

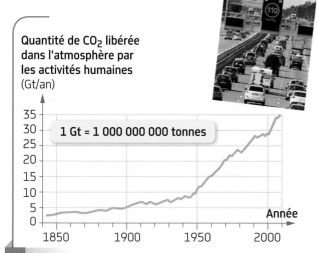

Quantité de CO_2 libérée dans l'atmosphère par les activités humaines (Gt/an)

1 Gt = 1 000 000 000 tonnes

Année

6 **Des activités humaines émettrices de dioxyde de carbone dans l'atmosphère.** La déforestation, ainsi que la combustion des énergies fossiles, comme le pétrole ou le charbon, libèrent massivement du CO_2 dans l'atmosphère.

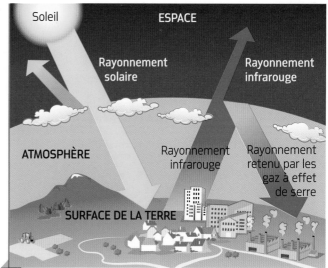

Soleil — ESPACE

Rayonnement solaire

Rayonnement infrarouge

ATMOSPHÈRE

Rayonnement infrarouge

Rayonnement retenu par les gaz à effet de serre

SURFACE DE LA TERRE

7 **L'effet de serre, un phénomène naturel.** La Terre reçoit en permanence de l'énergie lumineuse. Une partie de cette énergie est réémise, en direction de l'espace, sous forme d'un rayonnement différent appelé infrarouge. Dans l'atmosphère, les gaz à effet de serre, tels que dioxyde de carbone (CO_2), méthane (CH_4) ou vapeur d'eau (H_2O), retiennent ce rayonnement et le renvoient vers la Terre. Ces gaz entraînent donc un réchauffement de l'atmosphère.

DICO SCIENCES

*Plante herbacée : végétal dont la tige n'a pas de bois.

5 Comment prévoir les effets du changement climatique et s'en préserver ?

Se représenter le changement climatique et ses effets

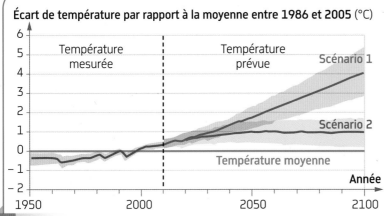

Écart de température par rapport à la moyenne entre 1986 et 2005 (°C)

Température mesurée — Température prévue — Scénario 1 — Scénario 2 — Température moyenne — Année

1 **Des prévisions réalisées par le GIEC.** Pour faire des simulations de l'évolution de la température à la surface de la Terre, le GIEC élabore différents scénarios, en fonction des émissions de gaz à effet de serre : le scénario 2, contrairement au scénario 1, prend en compte une baisse ambitieuse des émissions de GES (gaz à effet de serre).

2 **Qu'est-ce que le GIEC ?**

Le GIEC est le *Groupe d'experts intergouvernemental sur l'évolution du climat.* Créé en 1988, il est composé aujourd'hui d'environ 2 500 scientifiques. Sa mission est d'évaluer de façon claire et objective les risques liés au changement climatique d'origine humaine. Depuis 1990, il réalise des rapports d'évaluation tous les trois à six ans, faisant état des connaissances scientifiques actuelles sur la variabilité du climat.

Terre inondée avec élévation de 1 m du niveau des mers

3 **La montée du niveau des mers, conséquence du changement climatique.** L'augmentation de la température moyenne de la Terre s'accompagne d'une fonte des glaces, à l'origine d'une élévation du niveau des mers. Dans le pire scénario, le GIEC prévoit d'ici 2100 une élévation du niveau des mers de près de 1 mètre.

4 **Une augmentation des phénomènes exceptionnels.** Selon le GIEC, certaines régions du monde pourront être soumises à des épisodes de forte chaleur, facilitant la propagation des incendies. D'autres problèmes seraient l'accès à l'eau et une **surmortalité*** des personnes sensibles. Dans d'autres régions, les inondations et les cyclones pourraient devenir plus fréquents.

 Compétence — Fonder ses choix de comportement responsable vis-à-vis de l'environnement sur des arguments scientifiques

Découvrir des moyens de se préserver du changement climatique

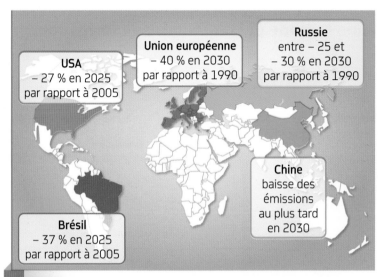

USA
– 27 % en 2025
par rapport à 2005

Union européenne
– 40 % en 2030
par rapport à 1990

Russie
entre – 25 et
– 30 % en 2030
par rapport à 1990

Chine
baisse des
émissions
au plus tard
en 2030

Brésil
– 37 % en 2025
par rapport à 2005

5 **Engagements pris par quelques participants de la COP21*
sur la baisse des GES.** Les politiques d'atténuation s'attaquent aux causes des changements climatiques : elles visent à baisser les émissions de gaz à effet de serre.

Mode	Émission d'un voyageur parcourant 1 km (g de CO_2)
Tramway	3,1
Métro	3,8
Bus	94,7
Voiture particulière	162,0

6 **Émission de dioxyde de carbone,
selon le moyen de transport,
en région parisienne.** Selon le type de voiture utilisé, les émissions de CO_2 diffèrent et vont de 149 g/km pour les véhicules hybrides à 455 g/km pour les voitures tout-terrain.

Température

7 **Thermographie d'une habitation individuelle.** Une perte de chaleur trop importante est liée à une isolation défectueuse. En hiver, pour compenser ces pertes, la puissance du chauffage doit être augmentée, ce qui contribue aux émissions de gaz à effet de serre.

← Digue

8 **Une digue contre l'élévation du niveau de
la mer.** L'archipel des Maldives est constitué de très nombreuses petites îles. Certaines altitudes de l'archipel sont inférieures à 1 m, ce qui le rend particulièrement vulnérable au changement climatique. La capitale, Malé, a pris des mesures d'adaptation, avec la construction d'une digue de 1,80 m de hauteur.

 **SCIENCES**

* **COP21** : 21e conférence réunissant les nations afin d'élaborer un accord permettant de lutter contre le changement climatique. Elle a eu lieu à Paris en décembre 2015.
* **Surmortalité** : augmentation de la mortalité.

6

Quels sont les risques de tornades en France ?

Déterminer la vitesse d'une tornade et comprendre sa formation

LOGICIEL

Protocole

- Ouvrir le ficher Vitesse_Tornade_Nord.kmz avec le logiciel Google Earth.
- Utiliser les outils du logiciel Google Earth pour calculer la vitesse de déplacement de la tornade.

Zone affectée par la tornade

Localisation :
- Département du Nord
- Population : 2, 59 millions d'habitants (département le plus peuplé de France)

Densité de population :
- 450 hab/km² (moyenne de la France : 117 hab/km²)

1 **Trajet de la tornade en Val-de-Sambre le 3 août 2008.** Vers 22 h 30, la région d'Hautmont est traversée par une tornade. Le bilan est important : 3 morts, 18 blessés, un millier d'habitations endommagées. Il s'agit de la tornade la plus violente en France depuis 1967. Lors d'une catastrophe naturelle, la population, les bâtiments, les infrastructures constituent l'**enjeu***. Certains bâtiments, vieillis et mal entretenus sont plus **vulnérables*** que d'autres.

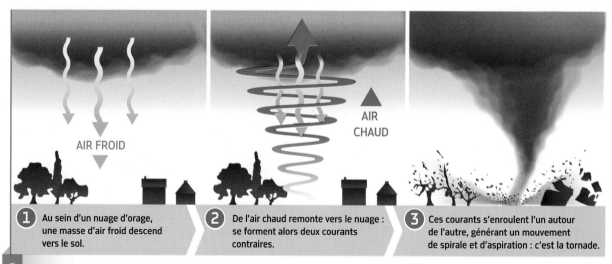

AIR FROID

AIR CHAUD

1 Au sein d'un nuage d'orage, une masse d'air froid descend vers le sol.

2 De l'air chaud remonte vers le nuage : se forment alors deux courants contraires.

3 Ces courants s'enroulent l'un autour de l'autre, générant un mouvement de spirale et d'aspiration : c'est la tornade.

2 **Formation d'une tornade.** Pour qu'une tornade se forme, il faut qu'un nuage d'orage, ou cumulonimbus, soit traversé de mouvements de l'air. Une tornade se déplace au sol sur plusieurs kilomètres, créant un couloir de dégâts, large de quelques dizaines à quelques centaines de mètres. Ce phénomène météorologique ne dure que quelques minutes, et peut générer les vents les plus violents de la planète, d'une vitesse de plus de 320 km/h.

Établir le risque* lié aux tornades en France

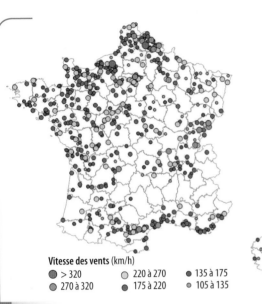

Vitesse des vents (km/h)
- > 320
- 270 à 320
- 220 à 270
- 175 à 220
- 135 à 175
- 105 à 135

3 **Les tornades répertoriées en France entre 1680 et 2013.** Chaque année, on répertorie entre 40 et 50 tornades en France. Cependant, de très nombreuses tornades ne sont pas repérées car elles sont très brèves ou surviennent dans des endroits inhabités.

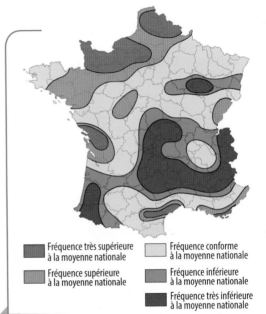

- Fréquence très supérieure à la moyenne nationale
- Fréquence supérieure à la moyenne nationale
- Fréquence conforme à la moyenne nationale
- Fréquence inférieure à la moyenne nationale
- Fréquence très inférieure à la moyenne nationale

4 **Carte de l'aléa* tornade en France.** D'après les données historiques, certaines régions sont plus soumises à l'aléa tornade que d'autres, c'est-à-dire que la fréquence de survenue d'une tornade y est supérieure à la moyenne nationale.

5 **Prévoir les tornades.**

Aux États-Unis, il est possible de détecter une grosse tornade sur des images radar, ce qui permet de prévenir la population quelques minutes avant son arrivée.

En France ce n'est pas le cas : les tornades étant plus petites, leur prévision est quasiment impossible. Les prévisionnistes français peuvent toutefois déterminer si les conditions météorologiques (taux d'humidité, vent, température, etc.) sont favorables à l'apparition d'une tornade. Cependant, même lorsque les conditions sont réunies, l'événement reste très incertain.

En cas de tornade, il est conseillé de s'éloigner des fenêtres, de se réfugier dans un sous-sol ou une cave, de quitter sa voiture qui peut être emportée par les vents.

Prévisionniste de Météo France

DICO SCIENCES

- **Aléa** : possibilité de survenue d'une catastrophe naturelle.
- **Enjeu d'une catastrophe** : individus, biens, équipements susceptibles d'être affectés par la catastrophe naturelle.
- **Risque** : combinaison d'un aléa et de la vulnérabilité des enjeux.
- **Vulnérabilité** : degré des conséquences prévisibles d'une catastrophe naturelle.

Activité 7

Quel est le risque d'inondation par une crue de la Seine à Paris ?

➡️ **Mettre en évidence** un aléa inondation à Paris avec Google Earth

> **LOGICIEL**
>
> Protocole
> - Ouvrir le ficher *Risque_inondation_Paris.kmz* avec le logiciel Google Earth.
> - Utiliser les fonctionnalités du logiciel pour :
>   - mettre en évidence les caractéristiques de la crue historique de 1910 à Paris ;
>   - localiser quelques enjeux ;
>   - mettre en évidence les moyens permettant de diminuer les effets d'une future crue de la Seine.

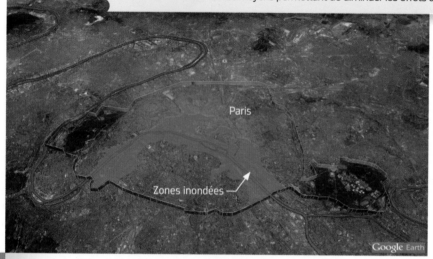

1 **Carte de Paris montrant les zones touchées par l'inondation* de janvier 1910.**
En janvier 1910, suite à une abondante pluviométrie, la région parisienne subit une **crue*** de la Seine et de ses affluents. À Paris, où le niveau de la Seine dépasse de 8 mètres son niveau normal, de nombreuses rues sont inondées. Cette crue est dite centennale, c'est-à-dire qu'elle a une probabilité de 1/100 de survenir chaque année. La précédente eut lieu en 1658.

2 **Rue du Bac, dans le VIIᵉ arrondissement de Paris, lors de la crue de 1910.** Des passerelles de bois permettent aux Parisiens de traverser la rue.

3 **Un quartier près de la Tour Eiffel lors de la crue de 1910.** Bien qu'aucune victime ne soit à déplorer, les dégâts furent énormes, estimés à 1,6 milliard d'euros actuels.

Évaluer les enjeux d'une inondation et leur vulnérabilité

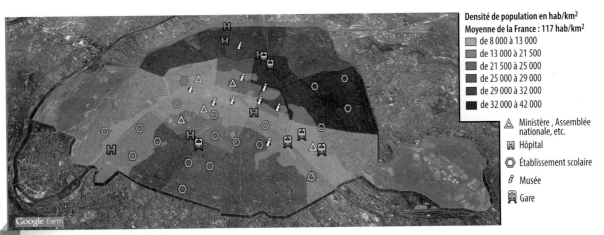

Densité de population en hab/km²
Moyenne de la France : 117 hab/km²
- de 8 000 à 13 000
- de 13 000 à 21 500
- de 21 500 à 25 000
- de 25 000 à 29 000
- de 29 000 à 32 000
- de 32 000 à 42 000

△ Ministère , Assemblée nationale, etc.
Ⓗ Hôpital
⬡ Établissement scolaire
♪ Musée
🚃 Gare

4 Quelques enjeux actuels (humains, culturels et économiques) à Paris.

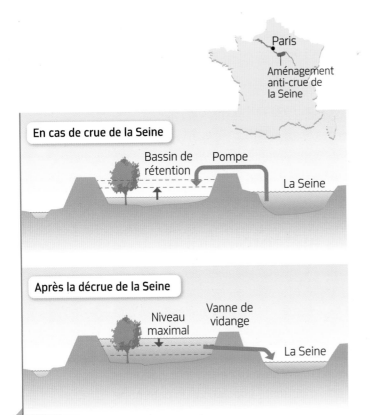

Paris

Aménagement anti-crue de la Seine

En cas de crue de la Seine

Bassin de rétention · Pompe

La Seine

Après la décrue de la Seine

Vanne de vidange

Niveau maximal

La Seine

5 Limiter les inondations provoquées par la Seine. Dès la fin de la crue de 1910, le rehaussement de certains ponts et le creusement du lit de la Seine ont été effectués. Ces travaux permettraient d'abaisser le niveau des eaux d'environ 40 cm pour une crue identique à celle de 1910. Un projet d'aménagement, en amont de Paris, est prévu pour 2021 : il devrait permettre de prélever 55 millions de m³ d'eau de la Seine en cas de crue et de la stocker dans des bassins de rétention. Après la crue, l'eau serait déversée dans le fleuve.

6 Vulnérabilité face à une inondation.

> Depuis, le risque d'inondation de la Seine en Île-de-France a été réduit par les travaux de protection, de construction de barrages en amont et d'aménagement du fleuve, [...]. En revanche, [...] la vulnérabilité qui en résulte [a] été accrue **concomitamment*** par l'urbanisation croissante du premier bassin économique français ainsi que par la construction de nombreuses zones d'activités et d'infrastructures critiques (transport, énergie, communication, eau) le long du fleuve. [...] Le rôle clé de la mobilité des personnes et des échanges pour le dynamisme de l'économie, l'urbanisation et la concentration des populations et des capitaux sont autant de facteurs d'accroissement de la vulnérabilité des sociétés modernes aux chocs. "

OECD (2014), *Étude de l'OCDE sur la gestion des risques d'inondation : la Seine en Île-de-France* 2014. OECD publishing, Paris.

DICO SCIENCES

* **Crue** : augmentation du niveau de hauteur ou du débit d'un cours d'eau, notamment liée à de fortes intempéries.
* **Inondation** : débordement de l'eau sur les terrains aux alentours du cours d'eau, suite à une crue.
* **Concomitamment** : de manière simultanée.

L'essentiel

par le texte

○○○ La différence entre la climatologie et la météorologie

> La **climatologie** étudie des phénomènes météorologiques sur une zone étendue du globe, sur une longue durée. Il existe sur Terre trois grandes zones climatiques, notamment caractérisées par leur température : la zone polaire, la zone chaude et la zone tempérée. L'existence de ces zones climatiques est liée à une inégale répartition de l'énergie solaire à la surface de la Terre. Lorsqu'on étudie le temps qu'il fait à court terme, sur une zone limitée, c'est la **météorologie**.

ACTIVITÉ

1 p. 38

○○○ Le climat : origine, variations et risque

> Les déplacements des masses d'air et d'eau assurent un transfert d'énergie depuis l'équateur vers les pôles. Les vents sont des déplacements de **masses d'air**, sous l'effet de températures différentes, plus élevées à l'équateur qu'aux pôles. Grâce aux vents, les **masses d'eau** se déplacent en surface des océans, provoquant des **courants marins**.

> À l'échelle des temps géologiques, le **climat** évolue, selon la position de la Terre dans l'espace. Il peut aussi évoluer plus rapidement sous l'effet des actions humaines qui libèrent des gaz amplifiant l'effet de serre. D'après les prévisions des climats du futur, les sociétés humaines pourraient être soumises à des phénomènes tels que la montée du niveau des mers ou des incendies plus fréquents. Différentes mesures d'**atténuation** (baisse des émissions de gaz à effet de serre) ou d'**adaptation** (construction de digues) permettent de limiter le changement climatique et ses conséquences.

ACTIVITÉS

2 p. 40
3 p. 42
4 p. 44
5 p. 46

○○○ Le risque lié aux phénomènes météorologiques

> Certaines zones sont menacées par des phénomènes météorologiques naturels : ce sont des **aléas**. Dans les zones où existe un aléa, les individus et les biens susceptibles d'en subir les conséquences sont des **enjeux**. Ils n'ont pas tous le même degré de **vulnérabilité** face à l'aléa. La combinaison de l'aléa et de la vulnérabilité des enjeux détermine le **risque**. C'est ainsi qu'il existe un risque lié aux tornades en France.

> Dans certaines villes, il existe un **aléa** lié aux inondations provoquées par d'importantes précipitations. On doit alors évaluer les enjeux : une importante population, un patrimoine historique ou encore des lieux de pouvoir, etc. À Paris, par exemple, depuis la crue de 1910, des mesures de **prévention** (bassins de rétention) et de **protection** (aménagements de la Seine) ont permis de diminuer le **risque**. Toutefois, le développement de l'urbanisation et la mise en place d'infrastructures le long du fleuve ont augmenté la **vulnérabilité des enjeux**.

ACTIVITÉS

6 p. 48
7 p. 50

MOTS-CLÉS

Climatologie • Météorologie • Risque • Effet de serre • Aléa • Enjeu • Vulnérabilité des enjeux

Phénomènes climatiques, météorologiques et action humaine

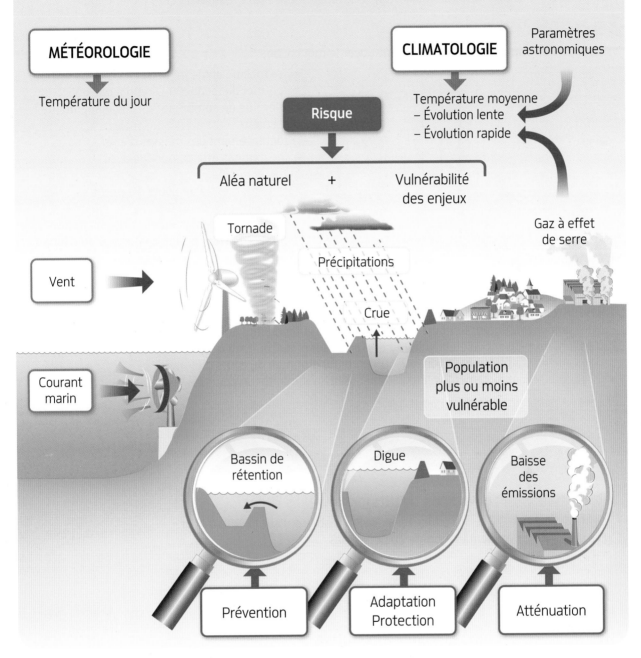

Mon bilan de fin de cycle

Attendus

> **Pour expliquer quelques phénomènes météorologiques et climatiques :**

• j'indique la différence entre climatologie et météorologie et je cite quelques phénomènes météorologiques ;
• je précise à quelles échelles le climat varie et quelles sont les causes de ces variations.

> **Pour relier les connaissances scientifiques sur les risques naturels ainsi que ceux liés aux activités humaines aux mesures de prévention, de protection, d'adaptation, ou d'atténuation :**

• je cite des mesures de prévention, de protection contre les inondations ou les tornades ;
• je cite des mesures d'atténuation et d'adaptation au réchauffement climatique.

JE TESTE *mes connaissances*

1 **Remue-méninges** ●○○

Expliquer en deux phrases au maximum la différence entre la climatologie et la météorologie.

2 MOT CACHÉ ○●○

Recopier et compléter la grille pour retrouver le mot caché.

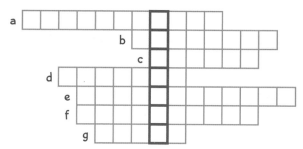

a : se mesure en degré Celsius.

b : permet de récupérer l'énergie du vent.

c : s'évalue en combinant aléa et vulnérabilité des enjeux.

d : déplacement des masses d'eau.

e : ne doit pas être confondue avec la météorologie.

f : débordement d'un cours d'eau sur les terrains aux alentours.

g : ensemble des personnes et des biens susceptibles de subir les conséquences d'un aléa.

3 QCM ○○●

Choisir la bonne réponse.

Dans une zone où existe un risque d'inondation, selon les choix d'aménagement :

❏ les enjeux présentent toujours le même degré de vulnérabilité au cours du temps.

❏ les enjeux peuvent voir leur vulnérabilité augmenter au cours du temps.

❏ les enjeux vont forcément voir leur vulnérabilité diminuer au cours du temps.

❏ les enjeux vont forcément voir leur vulnérabilité augmenter au cours du temps.

JE TESTE *mes compétences*

4 **Reconnaître des situations de proportionnalité** ●○○

Samedi 3 octobre 2015, des pluies torrentielles s'abattent sur la Côte d'Azur. Leurs dégâts provoquent la mort de 20 personnes.

Côte d'Azur

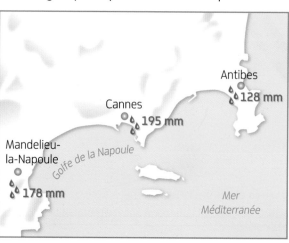

Quantité d'eau tombée sur trois localités de la Côte d'Azur pour la seule journée du samedi 3 octobre 2015. Les précipitations moyennes mensuelles sont de 110 mm pour la région.

➡ **Calculer** la moyenne des précipitations quotidiennes de la région.

➡ **Calculer**, pour chaque localité de la carte, par combien la quantité d'eau tombée le 3 octobre 2015 a été multipliée par rapport à la moyenne quotidienne.

5 Lire et exploiter des données présentées sous différentes formes ○●○

Un cyclone est un ensemble de vents puissants, en rotation à plus de 350 km/h. Ce phénomène météorologique se déplace sur des grandes distances à une vitesse comprise entre 10 et 40 km/h. Il s'accompagne d'abondantes précipitations.

➡ Après avoir rappelé la définition de risque naturel, **montrer**, à partir des documents et de ses connaissances, qu'il existe un risque cyclonique en Guadeloupe.

Date	Zone géographique touchée	Nombre de morts
Septembre 1776	Guadeloupe	6 000
Octobre 1780	Martinique (à moins de 200 km de la Guadeloupe)	9 000
Septembre 1928	Guadeloupe Martinique	1 200 à 1 500
Septembre 1989	Guadeloupe	5

1 Quelques cyclones historiques dans la région des petites Antilles.

Densité actuelle de population (hab/km²)
- ■ Plus de 1 000
- ■ Entre 250 et 1 000
- ■ Entre 100 et 250
- ▢ Entre 50 et 100
- □ Moins de 50

2 Densité de population de la Guadeloupe.

6 Communiquer sur ses démarches en argumentant ○○●

Vous êtes le maire d'un village divisé en deux quartiers, A et B, de part et d'autre d'un cours d'eau. Il n'existe aucune protection contre les crues. Vous avez donc fait élaborer trois simulations sur les conséquences d'une crue, prenant en compte différentes possibilités d'aménagement. Dans le même temps, un promoteur souhaite construire un lotissement sur la rive, juste en face du quartier A. Il souhaite votre avis sur la faisabilité de son projet.

➡ **Rédiger** les arguments que vous présenteriez, en tant que maire, au promoteur, sur la faisabilité de son projet.

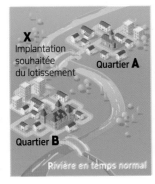
X Implantation souhaitée du lotissement
Quartier **A**
Quartier **B**
Rivière en temps normal

SIMULATION 1
Rivière en crue
| Pas d'aménagement

SIMULATION 2
Rivière en crue
| Aménagement : digue sur chaque rive dans le quartier A

SIMULATION 3
Rivière en crue
| Aménagement : digue sur une seule rive dans le quartier A

Les simulations des effets d'une crue selon l'aménagement du village.

L'exploitation

Je réactive mes connaissances

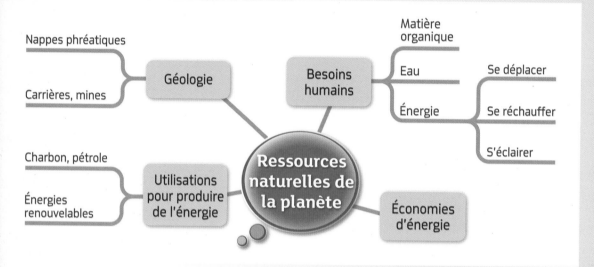

Nappes phréatiques

Carrières, mines

Géologie

Charbon, pétrole

Énergies renouvelables

Utilisations pour produire de l'énergie

Ressources naturelles de la planète

Besoins humains

Matière organique

Eau

Énergie

Se déplacer

Se réchauffer

S'éclairer

Économies d'énergie

Mes objectifs de fin de cycle

> Caractériser quelques-uns des principaux enjeux de l'exploitation d'une ressource naturelle par l'être humain, en lien avec quelques grandes questions de société
> Comprendre et expliquer les choix en matière de gestion de ressources naturelles à différentes échelles

Activités

1 Les enjeux de l'exploitation d'une ressource halieutique
2 L'eau douce, une ressource inégalement disponible sur Terre
3 Les ressources en eau modifiées par les activités humaines
4 Nettoyer l'eau polluée par les activités humaines
5 La gestion de l'eau à différentes échelles
6 L'exploitation du pétrole et les émissions de CO_2
7 Le pétrole face aux énergies renouvelables

des ressources naturelles

The Big Fishes, 2012. Sculptures géantes
en bouteilles de plastique.
Plage de Botafogo, Rio de Janeiro.

Une installation faite de bouteilles en plastique usagées
a été dressée sur la plage de Botafogo, à Rio de Janeiro,
à l'occasion du sommet de Rio. Elle dénonce la consommation excessive et le gaspillage des ressources telles
que le plastique, les poissons, l'eau.

1

Quelles sont les conséquences de l'exploitation d'une ressource de la mer ?

Étudier l'exploitation d'une ressource alimentaire de la mer

1 Le thon rouge, une espèce consommée par l'être humain. Le thon rouge (*Thunnus thynnus*) est l'une des cinq espèces de thons pêchées. C'est un poisson à haute valeur marchande car il sert à préparer des spécialités japonaises telles que les sushis ou les sashimis. C'est surtout depuis les années 1980 que la consommation de ces produits s'est développée, avec un essor dans les années 1990.

2 Les atouts nutritionnels du thon rouge.

- Protéines : teneur élevée
- Lipides : faible teneur
- Glucides : aucun
- Éléments minéraux : phosphore
- Sel : teneur faible, compatible avec un régime hyposodé
- Vitamines : teneur comparable à celle des mammifères

3 La pêche au thon rouge. La pêche au thon peut être réalisée par des bateaux équipés d'un grand filet, dépassant parfois un kilomètre de longueur et 200 mètres de hauteur. En encerclant les bancs de thons, ce filet permet de remonter plusieurs dizaines de tonnes de poissons en une fois.

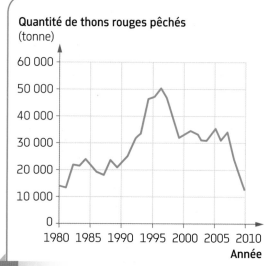

4 Évolution des prises de thons rouges déclarées dans l'Atlantique de l'Est et en Méditerranée entre 1980 et 2010.

Compétence Comprendre les responsabilités individuelle et collective en matière de préservation des ressources de la planète

Réfléchir à la gestion du stock de thons rouges

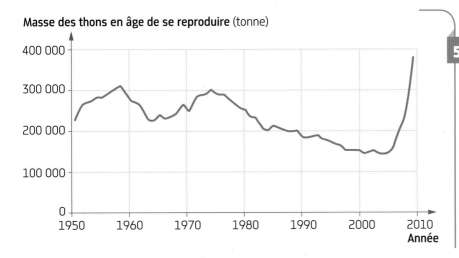

Masse des thons en âge de se reproduire (tonne)

5 **Évolution de la population de thons rouges en âge de se reproduire, dans l'Atlantique de l'Est et en Méditerranée.** En 1996, des scientifiques alertent la communauté internationale : le thon rouge devient une espèce menacée car « surpêchée ».

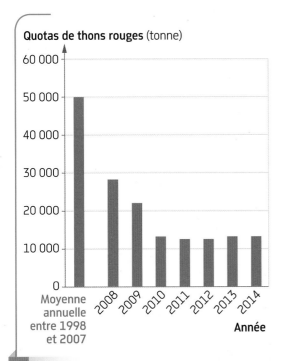

Quotas de thons rouges (tonne)

7 Élevage *versus* pêche ?

Pour que l'élevage du thon rouge puisse remplacer la pêche et ainsi pour préserver cette espèce, il faudrait que le thon rouge puisse se reproduire en captivité. Or ce n'est pas le cas : il est donc nécessaire de pêcher des jeunes thons pour les élever ensuite en fermes aquacoles. Cette pratique diminue le nombre de jeunes en liberté, ce qui ne favorise pas l'espèce. De plus, pour produire un kilogramme de thon rouge, il faut les nourrir avec environ 10 kg d'autres poissons, ce qui augmente la **pression halieutique*** sur d'autres espèces.

Ferme aquacole

6 **Des quotas pour permettre aux thons rouges de se renouveler en Atlantique Est et en Méditerranée.** Dans l'Atlantique de l'Est et la Méditerranée, des **quotas*** de pêche sont mis en place dès 1998 par une commission intergouvernementale. C'est seulement en 2007 que ces quotas sont vraiment respectés. Depuis 2008, l'espèce thon rouge voit son nombre d'individus augmenter.

DICO SCIENCES

*Pression halieutique : influence négative exercée par la pêche sur les ressources aquatiques vivantes.
*Quota : limite à ne pas dépasser.

2

L'accès à l'eau douce, une ressource vitale, est-il le même pour tous ?

Comparer les usages quotidiens de l'eau douce

2 **Une jeune femme dans son bain.** En France, un système de distribution de l'eau assure à chaque individu un accès facile et sans limite à cette ressource. Cela peut entraîner des consommations importantes.

1 **Corvée d'eau quotidienne au Burkina Faso par des jeunes femmes.** Dans la capitale, Ouagadougou, il est nécessaire de parcourir 1,1 km en moyenne pour s'approvisionner en eau douce.

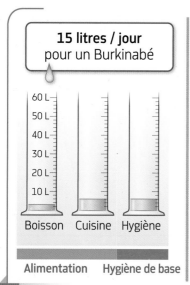

15 litres / jour
pour un Burkinabé

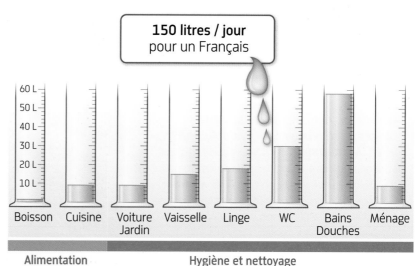

150 litres / jour
pour un Français

Boisson Cuisine Hygiène

Boisson Cuisine Voiture Jardin Vaisselle Linge WC Bains Douches Ménage

Alimentation Hygiène de base

Alimentation Hygiène et nettoyage

3 **Les utilisations quotidiennes de l'eau d'un Burkinabé et d'un Français.**
Pour vivre décemment, l'**OMS*** préconise 50 litres d'eau par jour et par personne. Un confort réel est toutefois atteint à partir de 100 litres par personne et par jour.

Constater la rareté et l'inégale répartition de l'eau douce

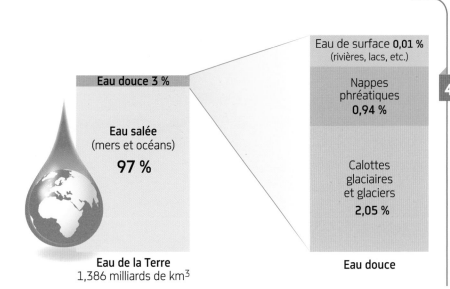

Eau douce 3 %

Eau salée (mers et océans) **97 %**

Eau de la Terre 1,386 milliards de km³

Eau de surface **0,01 %** (rivières, lacs, etc.)

Nappes phréatiques **0,94 %**

Calottes glaciaires et glaciers **2,05 %**

Eau douce

4 **L'eau disponible sur Terre pour les besoins des humains.** Pour ses usages, l'être humain n'utilise que les eaux douces issues des eaux de surface et des **nappes phréatiques***. À l'échelle mondiale, l'obtention d'eau douce à partir du dessalement d'eau de mer reste marginale car les techniques utilisées sont onéreuses et consommatrices de grandes quantités d'énergie.

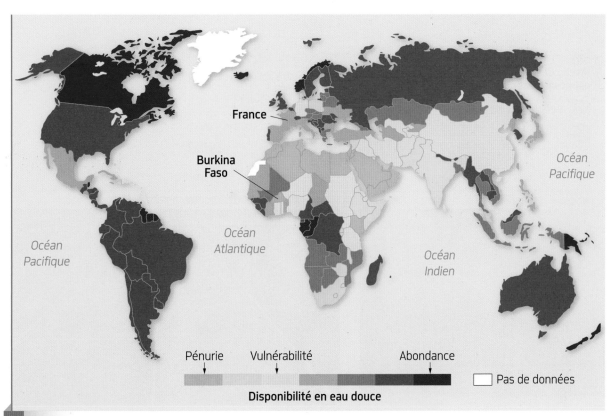

France

Burkina Faso

Océan Pacifique

Océan Atlantique

Océan Indien

Océan Pacifique

Pénurie — Vulnérabilité — Abondance — ☐ Pas de données

Disponibilité en eau douce

5 Disponibilité en eau douce par an et par personne dans le monde en 2007.

DICO SCIENCES

***Nappe phréatique** : eau souterraine, à faible profondeur, dans un terrain poreux.
***OMS** : Organisation mondiale de la santé.

3

Comment l'agriculture modifie-t-elle les ressources en eau et comment limiter ses effets ?

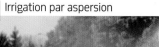 **Identifier les facteurs modifiant les quantités d'eau disponibles**

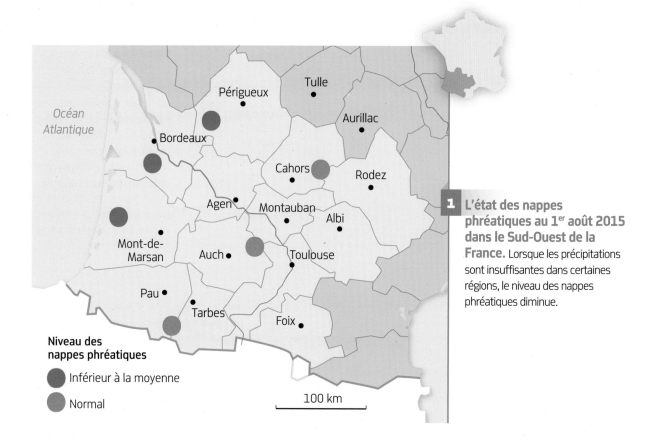

1 **L'état des nappes phréatiques au 1er août 2015 dans le Sud-Ouest de la France.** Lorsque les précipitations sont insuffisantes dans certaines régions, le niveau des nappes phréatiques diminue.

Irrigation par aspersion

Irrigation au goutte à goutte

2 **Deux types d'arrosage d'un champ de maïs.** L'irrigation d'un champ peut nécessiter le prélèvement de l'eau d'une nappe phréatique. La technique d'aspersion entraîne de grandes pertes en eau : une partie de l'eau projetée s'évapore et ne tombe pas au sol. L'irrigation au goutte à goutte permet ainsi d'économiser 20 % d'eau.

DICO SCIENCES

*Afssa : Agence française de sécurité sanitaire des aliments.
*Pesticide : produit chimique permettant de détruire notamment les insectes ravageurs ou les mauvaises herbes d'un champ.

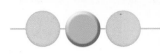

Identifier les facteurs modifiant la qualité de l'eau

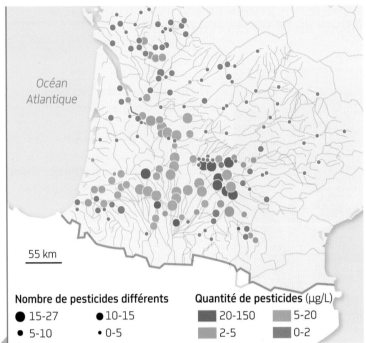

Océan Atlantique

55 km

Nombre de pesticides différents
- 15-27
- 10-15
- 5-10
- 0-5

Quantité de pesticides (µg/L)
- 20-150
- 5-20
- 2-5
- 0-2

3 **Nombre et quantité de pesticides* retrouvés dans les cours d'eau du Sud-Ouest de la France, en 2012.**
Un cours d'eau contenant plus de 5 µg/L de pesticides ne peut pas être utilisé pour produire de l'eau de consommation.

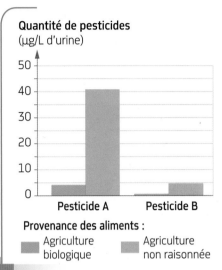

Quantité de pesticides (µg/L d'urine)

Pesticide A Pesticide B

Provenance des aliments :
- Agriculture biologique
- Agriculture non raisonnée

4 **Traces de pesticides dans l'urine d'enfants de moins de 6 ans.** Les pesticides absorbés sont éliminés par l'urine. Une étude a permis de comparer la teneur en différents pesticides de l'urine de jeunes enfants, selon leur alimentation. L'agriculture biologique est un mode de production qui n'utilise pas de produits chimiques de synthèse.

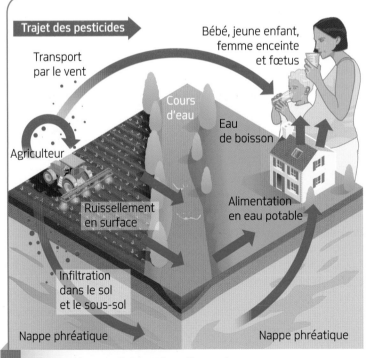

Trajet des pesticides

Bébé, jeune enfant, femme enceinte et fœtus

Transport par le vent

Cours d'eau

Eau de boisson

Agriculteur

Ruissellement en surface

Alimentation en eau potable

Infiltration dans le sol et le sous-sol

Nappe phréatique   Nappe phréatique

5 **L'origine des pesticides dans l'organisme.**

Effets possibles à long terme (plusieurs années)

Effets possibles à moyen terme (plusieurs mois)

Troubles du fonctionnement cérébral

Troubles respiratoires (asthme, allergies)

Diminution de la fertilité, cancer de la prostate (chez l'homme)

Affections de la peau

Cancer de la moelle osseuse

6 **Effets des pesticides sur la santé.**
Selon l'**Afssa***, un individu peut théoriquement tolérer quotidiennement une dose de 0,5 µg/kg d'un pesticide, le chlordécone, sans craindre d'effets néfastes.

Activité

4

J'enquête

Fatou et Bilal ont visité la station d'épuration* de leur ville. De retour en classe, il leur est demandé de simuler par des manipulations les principales étapes du traitement des eaux usées.

CONSIGNE > **Proposer un protocole permettant de simuler les principales étapes de l'épuration de l'eau.**

1 **La station d'épuration* visitée par les élèves.** Toute l'eau rejetée au niveau des habitations par les WC, les éviers, les douches, les machines à laver, etc. et au niveau des industries forme, avec les eaux de pluie, les eaux usées. Ces eaux sont acheminées par des canalisations jusqu'à une station d'épuration.

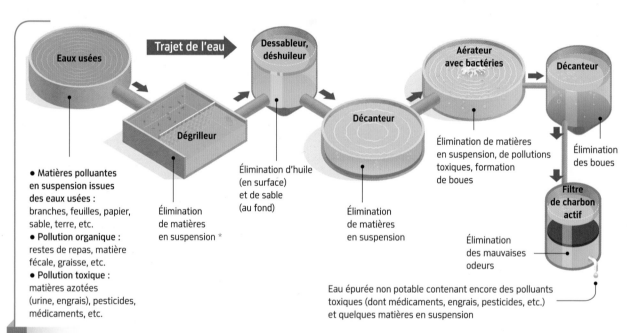

● Matières polluantes en suspension issues des eaux usées : branches, feuilles, papier, sable, terre, etc.
● Pollution organique : restes de repas, matière fécale, graisse, etc.
● Pollution toxique : matières azotées (urine, engrais), pesticides, médicaments, etc.

Élimination de matières en suspension *

Élimination d'huile (en surface) et de sable (au fond)

Élimination de matières en suspension

Élimination de matières en suspension, de pollutions toxiques, formation de boues

Élimination des boues

Élimination des mauvaises odeurs

Eau épurée non potable contenant encore des polluants toxiques (dont médicaments, engrais, pesticides, etc.) et quelques matières en suspension

2 **Les principales étapes d'épuration des eaux usées.** Les eaux épurées doivent respecter des normes, établies pour différents types de polluants, avant d'être rejetées dans un environnement aquatique. Des contrôles sont régulièrement effectués dans les stations d'épuration pour vérifier que les normes sont respectées.

DICO · SCIENCES

***Décantation** : séparation des constituants d'un mélange hétérogène liquide. Les matières les plus lourdes se déposent au fond.
***Épuration** : action de nettoyer.
***Matières en suspension** : matières qui se répartissent à l'intérieur d'un liquide (ou d'un gaz).

Compétence

EXPÉRIENCE

Les étapes à simuler sont : dégrillage ; dessablage/déshuilage ; **décantation*** ; filtration sur charbon actif.

Le mélange reproduisant une eau usée peut être constitué à partir des matières suivantes.

Matériel pour la simulation

- 200 mL d'eau ;
- quelques brindilles de 1 à 2 cm de long ;
- quelques graviers ;
- du sable ;
- de l'argile ;
- de l'huile ;
- du savon ;
- 3 gouttes de fleur d'oranger.

Remuer le mélange pour qu'il soit assez homogène.

3 L'eau au début des manipulations.

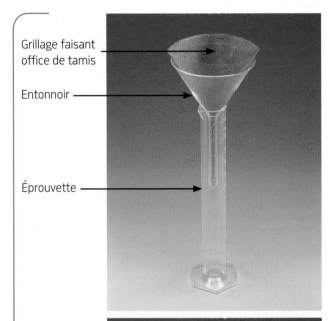

Grillage faisant office de tamis

Entonnoir

Éprouvette

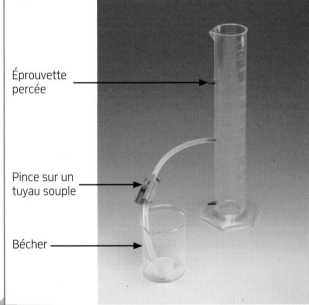

Éprouvette percée

Pince sur un tuyau souple

Bécher

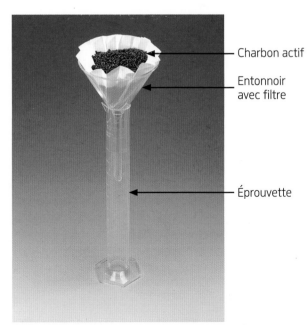

Charbon actif

Entonnoir avec filtre

Éprouvette

4 Matériel nécessaire pour simuler des étapes de l'épuration de l'eau.

Activité 5

Quelles décisions permettent de mieux gérer les ressources en eau ?

S'interroger sur la gestion de l'eau à l'échelle locale

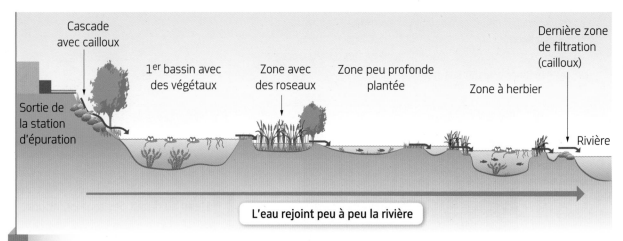

Cascade avec cailloux

1er bassin avec des végétaux

Zone avec des roseaux

Zone peu profonde plantée

Dernière zone de filtration (cailloux)

Zone à herbier

Sortie de la station d'épuration

Rivière

L'eau rejoint peu à peu la rivière

1 **Une zone de transition entre une station d'épuration et une rivière.** Les eaux traitées par la station d'épuration circulent dans une zone aménagée, avant de se déverser dans la rivière.

Polluant / Lieu d'analyse	Azote (provient entre autres des engrais) (mg/L)	Matières en suspension (mg/L)	Médicament antidouleur (paracétamol) (mg/L)	Antibiotique (ciprofloxacine) (µg/L)	Pesticide (AMPA) (µg/L)
Entrée de la zone de transition	4,4	6,4	0,030	0,865	8,869
Sortie de la zone de transition	2,5	3	0,001	0,009	2,338

2 **Analyses des quantités de polluants présents dans l'eau à l'entrée et à la sortie de la zone de transition.** L'organisme humain élimine des médicaments dans l'urine en quantité très faible. Évacuée avec les eaux usées, l'urine arrive dans une station d'épuration.

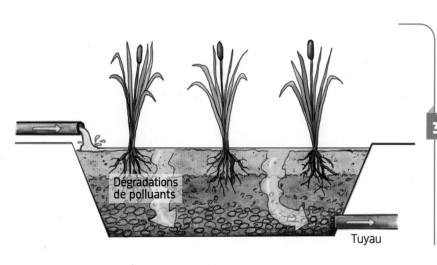

Dégradations de polluants

Tuyau

3 **Une propriété des roseaux utilisés dans la zone de transition.** Les roseaux sont des végétaux dont les racines permettent le développement de certaines bactéries. Celles-ci peuvent dégrader des polluants de l'eau, les rendant inoffensifs.

 Compétence *Comprendre les responsabilités individuelle et collective en matière de préservation des ressources de la planète*

S'interroger sur la gestion de l'eau à l'échelle d'un continent

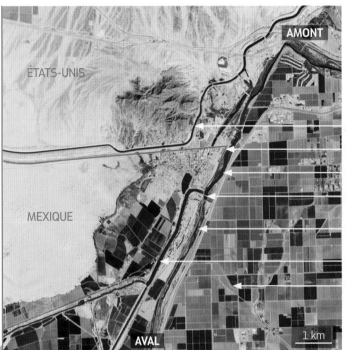

All-American Canal

Frontière entre les États-Unis et le Mexique

Fleuve Colorado en amont du barrage

Barrage de Morelos

Fleuve en aval du barrage

Canal Alamo

Terre agricole

4 **Vue satellitaire de la frontière entre les États-Unis et le Mexique au niveau du fleuve Colorado.** Sur les 18,5 km³ d'eau qui circulent chaque année dans le fleuve, les États-Unis en prélèvent 90 %, principalement pour l'agriculture. Le barrage de Morelos, construit en 1950, permet au Mexique de prélever la plus grande partie de l'eau restante pour alimenter le canal Alamo. Celui-ci sert à l'irrigation des cultures et à l'alimentation de zones de loisirs.

5 **Aspect du sol au niveau du delta du Colorado en 2013 puis en 2014.**
Depuis la création du barrage de Morelos, seulement 10 % des **zones humides*** du delta de ce fleuve subsistaient. Un accord a été signé en 2012 entre les États-Unis et le Mexique pour permettre de faire passer davantage d'eau en aval du barrage. Grâce à des prélèvements réduits pour l'irrigation, des écosystèmes de ce delta ont pu être restaurés.

DICO SCIENCES

*Zone humide : terrain inondé ou gorgé d'eau, riche en biodiversité.

6

Quelles sont les conséquences de l'exploitation du pétrole sur le climat ?

S'informer sur le lien entre l'exploitation du pétrole et les émissions de CO₂

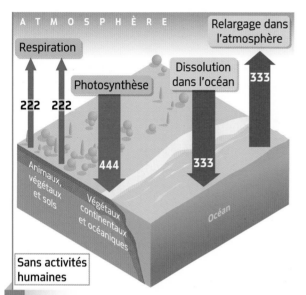

1 **Flux* annuels de CO₂, sans et avec activités humaines (en Gt*).** Le dioxyde de carbone (CO_2) se déplace naturellement entre différents réservoirs. Les activités humaines émettent du CO_2 dans l'atmosphère, modifiant ses flux.

2 **Émissions de CO₂ dans l'atmosphère lors de l'extraction du pétrole.** L'extraction du pétrole fait remonter du gaz en surface. Ce dernier n'étant pas utilisé, il est brûlé : sa combustion libère du dioxyde de carbone. On estime que 0,4 Gt de dioxyde de carbone sont ainsi rejetées chaque année dans l'atmosphère.

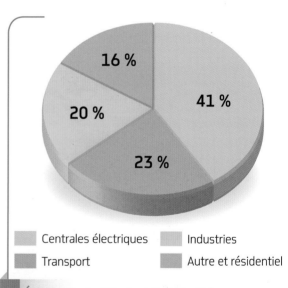

Centrales électriques · Industries · Transport · Autre et résidentiel

3 **Émissions de CO₂ dans l'atmosphère par les différents secteurs utilisant du pétrole.** En 2013, les activités humaines utilisant le pétrole ont libéré 12 Gt de CO_2 dans l'atmosphère.

Argumenter à propos des émissions de CO_2

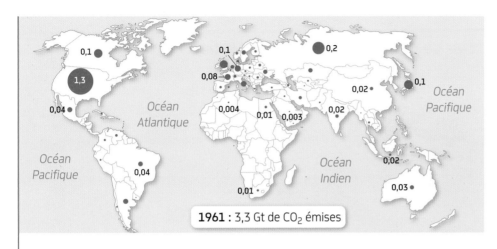

1961 : 3,3 Gt de CO_2 émises

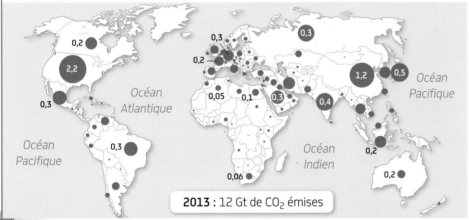

2013 : 12 Gt de CO_2 émises

4 Émissions de CO_2 (en Gt) dues à l'utilisation du pétrole à deux époques.

1990

2010

5 **Shanghai à deux époques, en 1990 et en 2010.** En vingt ans, de grands changements se sont opérés dans de nombreux pays, notamment les pays émergents : construction de nouveaux bâtiments climatisés, d'infrastructures routières, augmentation du nombre de voitures, etc.

DICO SCIENCES

* **Flux** : déplacement d'une quantité de matière.
* **Gt** : gigatonne = 1 milliard de tonnes.

Quelles sources d'énergie pouvons-nous utiliser pour satisfaire nos besoins énergétiques ?

Se représenter ce que signifie énergie fossile

TEMPS GÉOLOGIQUES

- 350 Ma

CO_2

Plancton vivant

Étape 1

Les organismes meurent et s'accumulent au fond de l'eau (océan, lac, etc.) il y a plusieurs centaines de millions d'années.

Étape 2

Une partie de la matière organique est piégée dans les sédiments* et échappe à la décomposition. Elle est ensuite enfouie et se transforme peu à peu en pétrole.

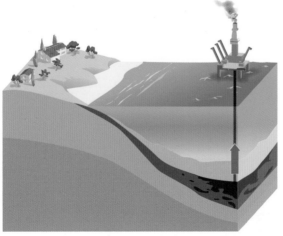

Aujourd'hui

Étape 3

Le pétrole peut être extrait.

---

1 **La formation du pétrole, une ressource énergétique fossile* non renouvelable à l'échelle humaine.**

Le pétrole a pour origine la transformation d'organismes morts. Celle-ci se produit, en plusieurs millions d'années, en profondeur, sous l'effet de la température et de la pression : c'est une énergie fossile. Comme le pétrole est exploité plus vite qu'il ne se forme, il n'est pas renouvelable à l'échelle humaine : certaines estimations prévoient l'épuisement de cette ressource vers 2065.

S'interroger **sur la part des énergies renouvelables**

Énergie éolienne

Source : le vent.
Avantage : ressource inépuisable à l'échelle humaine.
Inconvénient : une éolienne ne produit pas d'électricité lorsque la vitesse du vent est inférieure à 7,5 m/s.
Implantation en 2015 en France : 1 259 parcs éoliens, avec un total de 5 400 éoliennes.

2 Une énergie renouvelable* : l'énergie éolienne.

Énergie géothermique

Source : la chaleur produite par l'activité interne de la Terre.
Avantage : ressource inépuisable à l'échelle humaine.
Inconvénient : une centrale géothermique ne peut être installée que dans certaines zones où la chaleur est produite en grande quantité.
Implantation en 2014 en France : 501 réseaux dont 127 en région parisienne.

3 Une énergie renouvelable : l'énergie géothermique.

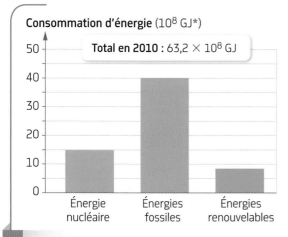

Consommation d'énergie (10^8 GJ*)

Total en 2010 : $63,2 \times 10^8$ GJ

(Énergie nucléaire, Énergies fossiles, Énergies renouvelables)

4 Consommation énergétique en France en 2010.

Consommation d'énergie (10^8 GJ)

Total en 2030 : $51,5 \times 10^8$ GJ

(Énergie nucléaire, Énergies fossiles, Énergies renouvelables)

5 **Prévision de la consommation énergétique en France en 2030.** Pour faire face à la diminution des ressources pétrolières et atténuer les émissions de CO_2 générées par leur utilisation, la France a voté la loi relative à la transition énergétique pour la croissance verte en 2015. Celle-ci prévoit de diminuer la consommation d'énergie totale et de favoriser les énergies renouvelables d'ici 2030.

DICO SCIENCES

* **Énergies fossiles :** énergies dont la source a été formée par l'accumulation d'anciens êtres vivants, elles ne sont pas renouvelables à l'échelle humaine.
* **Énergies renouvelables :** énergies dont la source est théoriquement illimitée.
* **GJ :** gigajoule. Unité de mesure de l'énergie (1 GJ = 1 milliard de joules).
* **Sédiments :** particules issues des roches qui sont transportées puis déposées au fond de l'eau.

L'essentiel

par le texte

Les enjeux de l'exploitation des ressources halieutiques

ACTIVITÉ
1 p. 58

> Pour satisfaire ses besoins en nourriture, l'être humain pêche certaines espèces de poissons, qui constituent des **ressources halieutiques**. Parmi ces ressources, le thon rouge, par exemple, est devenu une espèce de plus en plus rare.

> Des solutions telles que l'instauration de quotas de pêche ont permis à l'espèce de se régénérer.

Les enjeux de l'exploitation et de la gestion des ressources en eau

ACTIVITÉS
2 p. 60
3 p. 62
4 p. 64
5 p. 66

> Pour satisfaire ses activités quotidiennes (boisson, cuisine, hygiène), l'être humain prélève de **l'eau douce**. C'est une ressource inégalement répartie à la surface de la Terre : tous les êtres humains n'ont pas le même accès à l'eau douce.

> L'eau douce est parfois mal utilisée par différents comportements et par certaines techniques d'irrigation des cultures. Des solutions existent pour limiter ce gaspillage, à l'échelle individuelle ou collective.

> L'eau douce est parfois **polluée** par les rejets des habitations, de l'industrie et de l'agriculture non raisonnée. Les stations d'**épuration** permettent de dépolluer partiellement cette eau avant de la rejeter dans des cours d'eau. Il existe des modes d'agriculture utilisant peu ou pas de pesticides qui permettent de limiter cette pollution dangereuse pour la santé.

Les enjeux de l'exploitation des énergies fossiles

ACTIVITÉS
6 p. 68
7 p. 70

> Pour satisfaire ses besoins en énergie liés à ses activités quotidiennes, l'être humain exploite des énergies fossiles, telles que le **pétrole**. Sa production et son utilisation libèrent du dioxyde de carbone (CO_2).

> Le pétrole est une **énergie non renouvelable** à l'échelle humaine et ses réserves diminuent. Certains pays prévoient le remplacement progressif du pétrole par des **énergies renouvelables**. L'utilisation des énergies renouvelables a beaucoup moins d'impact sur les émissions en dioxyde de carbone, et donc sur le changement climatique.

MOTS-CLÉS

Énergies fossiles • Énergies renouvelables • Épuration de l'eau •
Ressource halieutique

L'exploitation des ressources naturelles

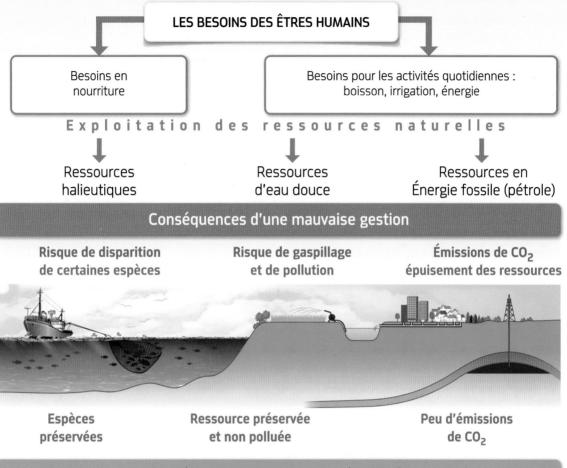

LES BESOINS DES ÊTRES HUMAINS

Besoins en nourriture

Besoins pour les activités quotidiennes : boisson, irrigation, énergie

Exploitation des ressources naturelles

Ressources halieutiques

Ressources d'eau douce

Ressources en Énergie fossile (pétrole)

Conséquences d'une mauvaise gestion

Risque de disparition de certaines espèces

Risque de gaspillage et de pollution

Émissions de CO_2 épuisement des ressources

Espèces préservées

Ressource préservée et non polluée

Peu d'émissions de CO_2

Conséquences d'une gestion équilibrée

Gestion équilibrée des ressources naturelles

Limitation des quantités de poissons pêchés

Modifications des comportements individuels et collectifs : économies d'eau, agriculture biologique, épuration de l'eau

Modifications des comportements individuels et collectifs : économies d'énergie, énergies renouvelables

---

Mon bilan de fin de cycle

Attendus

> **Pour caractériser quelques-uns des principaux enjeux de l'exploitation d'une ressource naturelle par l'être humain, en lien avec quelques grandes questions de société :**
• je cite quelques activités humaines et leurs conséquences sur la quantité ou la qualité d'une ressource halieutique, de la ressource en eau douce et des énergies fossiles.

> **Pour comprendre et expliquer les choix en matière de gestion de ressources naturelles à différentes échelles :**
• je justifie les mesures pour préserver les ressources halieutiques, économiser et traiter l'eau douce ;
• j'identifie des solutions pour limiter le changement climatique.

QUIZ INTERACTIF

1 QCM ●○○

Cocher la bonne affirmation.

La préservation d'une espèce aquatique menacée de surpêche peut se faire :

❏ en utilisant des bateaux de pêche plus puissants.

❏ en instaurant des quantités maximales de pêche à ne pas dépasser.

❏ en instaurant des quantités minimales de pêche.

❏ en instaurant des quantités maximales de pêche à dépasser.

2 Remue-méninges ●●○

Écrire une phrase avec chaque liste de mots.

a. répartition – eau douce – pays – ressource

b. eau douce – comportement – gaspillage

c. pollution – eau douce – station d'épuration – rejet des habitations

d. agriculture biologique – pollution – eau douce

3 Mémoriser le vocabulaire du chapitre ○○●

Associer le mot avec la définition qui lui correspond.

a. Pétrole
b. Géothermie
c. Énergie éolienne

1. Énergie renouvelable, issue du vent.
2. Énergie fossile, non renouvelable à l'échelle humaine.
3. Énergie renouvelable, issue des profondeurs de la Terre.

JE TESTE *mes compétences*

4 Lire et exploiter des données sous la forme d'un graphique ●○○

Depuis le XIXᵉ siècle, la baleine à bosse est chassée pour les besoins en nourriture, mais aussi pour fabriquer de l'huile, des produits cosmétiques et pharmaceutiques. Cette espèce est protégée depuis 1966 à l'échelle planétaire.

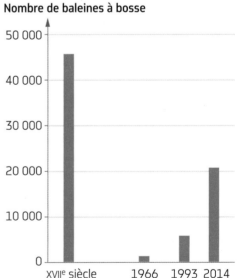

1 Évolution du nombre de baleines à bosse en Atlantique Nord.

➡ **Montrer** quel est l'effet de la protection de la baleine à bosse en Atlantique Nord.

5 Reconnaître des situations de proportionnalité et résoudre les problèmes correspondants ●●○

Pour ses différentes activités, une famille consomme de l'eau au prix d'environ 3,85 € pour 1 000 L. L'installation d'une cuve dans un jardin permet de récupérer une grande partie de l'eau de pluie, réutilisable pour diverses activités. Cela permet de faire des économies.

Volume de pluie tombant sur un toit de 100 m² en une année : **80 000 L**

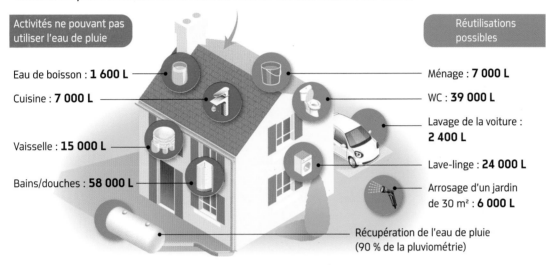

Activités ne pouvant pas utiliser l'eau de pluie
Eau de boisson : **1 600 L**
Cuisine : **7 000 L**
Vaisselle : **15 000 L**
Bains/douches : **58 000 L**

Réutilisations possibles
Ménage : **7 000 L**
WC : **39 000 L**
Lavage de la voiture : **2 400 L**
Lave-linge : **24 000 L**
Arrosage d'un jardin de 30 m² : **6 000 L**
Récupération de l'eau de pluie (90 % de la pluviométrie)

➡ **Calculer** le pourcentage de la facture annuelle d'eau économisée par une famille ayant une cuve de récupération.

6 Fonder ses choix de comportement responsable vis-à-vis de l'environnement sur des arguments scientifiques ○○●

1 Une discussion entre deux amies.

– Eh, Maylis, tu as vu le nouveau smartphone ?
– Oui Anaïs, je vais l'acheter la semaine prochaine !
– Encore ?! Mais ton dernier smartphone est encore neuf !
– Oui, mais tu sais bien que j'en change tous les 6 mois : je me dois d'être à la pointe de la technologie !

2 L'indium, une ressource naturelle.

L'indium est un métal rare, extrait des mines de zinc. L'être humain s'en sert notamment pour fabriquer des écrans tactiles : il faut 1 g pour l'écran d'une tablette tactile et 5 g par panneau photo-voltaïque. Les scientifiques estiment les réserves mondiales en indium à 16 000 tonnes en 2012. Selon eux, cette ressource viendrait à manquer dès 2025.

➡ **Présenter** à Maylis quelques arguments pour la convaincre de changer ses habitudes de consommation.

Écosystèmes humaines

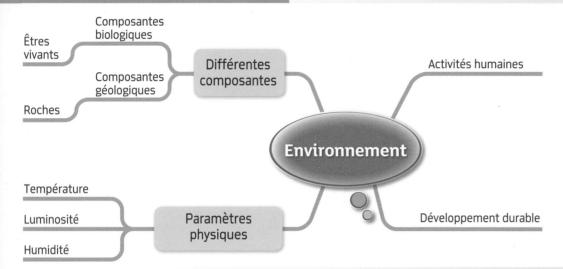

Êtres vivants — Composantes biologiques

Roches — Composantes géologiques — Différentes composantes

Température
Luminosité
Humidité — Paramètres physiques

Environnement

Activités humaines

Développement durable

Mes objectifs de fin de cycle

> Expliquer comment une activité humaine peut modifier l'organisation et le fonctionnement des écosystèmes en lien avec quelques questions environnementales globales

> Proposer des argumentations sur les impacts générés par le rythme, la nature, l'importance et la variabilité des actions de l'être humain sur l'environnement

Activités

1 Des écosystèmes de taille variable

2 La biodiversité de différents écosystèmes

3 Activités humaines : un barrage et ses impacts locaux

4 Activités humaines : l'agriculture et ses impacts

5 Une agriculture respectueuse des écosystèmes

6 Activités humaines et impacts à l'échelle régionale

7 Activités humaines et impacts globaux

8 Impact des décisions politiques sur les écosystèmes

et activités

Caverne du Pont d'Arc,
réplique de la grotte Chauvet-Pont d'Arc, France.
Art pariétal datant de 36 000 ans.
Découverte de la grotte en 1994, classée
au patrimoine mondial de l'UNESCO.

Les peintures retrouvées sur les parois de la grotte Chauvet, en Ardèche, ont été réalisées il y a plus de 30 000 ans. Cette forme d'art suggère que les animaux présents dans l'environnement ont toujours exercé une attractivité sur les humains. Mais à l'époque, ceux qui chassaient ces animaux pouvaient eux-mêmes être chassés !

En quoi une forêt et un tronc d'arbre sont-ils des écosystèmes ?

Découvrir l'écosystème forêt

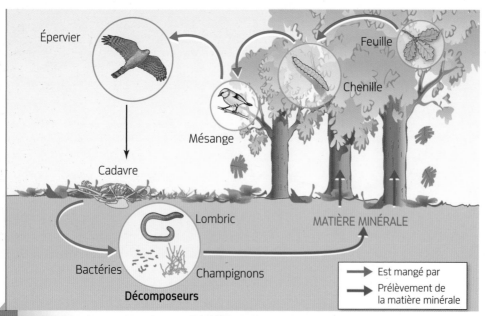

1 **La forêt de Haye, en Lorraine, occupe une surface d'environ 10 000 hectares*.** Les arbres qui la composent appartiennent à plusieurs espèces, majoritairement des hêtres, des chênes et des érables.

2 **Une forêt : des êtres vivants en relation.** Il existe une très grande diversité d'écosystèmes. Ils diffèrent notamment par leur taille et par les espèces qu'ils hébergent. Quel que soit l'écosystème, tous les êtres vivants échangent de la matière à travers des relations alimentaires dans leur milieu. En effet, lorsqu'un animal mange un autre être vivant, la **matière organique*** qu'il consomme lui permet de produire sa propre matière organique. Après sa mort, sa matière organique est transformée en matière minérale par les organismes décomposeurs. Cette matière minérale est prélevée par les végétaux, premier maillon des chaînes alimentaires. Ce recyclage de la matière correspond à la caractéristique principale d'un écosystème.

Découvrir un écosystème de petite taille

a. La **larve*** de l'insecte lucane cerf-volant vit dans les troncs d'arbres morts. Elle y passe plusieurs années en se nourrissant du bois avant de se transformer en adulte.

b. De nombreux champignons se développent sur le tronc des vieux arbres ou des arbres morts. Ils se nourrissent en décomposant la matière organique du bois.

3 Un tronc d'arbre mort dans une forêt : des êtres vivants en relation.

d. Le pic noir trouve sa nourriture favorite, les larves d'insectes, dans les troncs d'arbres morts. Il utilise son bec pour les extraire.

c. Des végétaux sur un tronc d'arbre mort. Ils prélèvent la matière minérale issue de la décomposition de la matière organique du tronc par les décomposeurs.

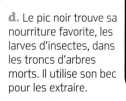

> **DICO SCIENCES**
>
> *****Hectare** : unité de surface. 1 ha = 10 000 m².
> *****Larve** : stade du développement d'un jeune animal de forme différente de celle de l'adulte.
> *****Matière organique** : matière spécifique aux êtres vivants.

Activité 2

J'enquête

Dans le cadre d'un projet de sciences participatives, Juliette fait la liste des espèces présentes dans une zone de la forêt de Fontainebleau. Sur le site Internet du projet, elle se rend compte qu'une autre personne, Lorenzo, qui vit près de chez elle, observe des espèces différentes.

CONSIGNE > **En comparant les données relevées par Juliette et Lorenzo, proposer une explication aux différences de biodiversité* des deux sites.**

Espèces végétales		Espèces animales	
Pin sylvestre	Bouleau	Cicindèle champêtre	Larve de fourmilion
Callune	Corynéphore blanchâtre	Lézard des murailles	Guêpier d'Europe

1 **Principales espèces observées par Juliette.**

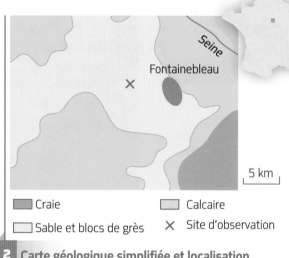

Craie   Calcaire
Sable et blocs de grès   × Site d'observation

2 **Carte géologique simplifiée et localisation du site d'observation de Juliette.** Une carte géologique présente les différentes roches (craie, sable, grès, calcaire, etc.) du **sous-sol*** d'une région. La nature de ces roches détermine en partie les propriétés des sols. Par exemple, lorsque le sous-sol est fait de sable, l'eau de pluie n'est pas retenue par le sol : le sol est perméable.

3 **Le site d'observation de Juliette : un lieu avec ses propres paramètres physiques*.** La végétation, assez rare, se développe sur un sol peu humide. La température est variable en journée, selon les conditions météorologiques. Les rafales de vent sont fréquentes. De nombreux blocs de grès reposent sur de grandes étendues de sable.

Proposer une ou des hypothèses pour résoudre un problème

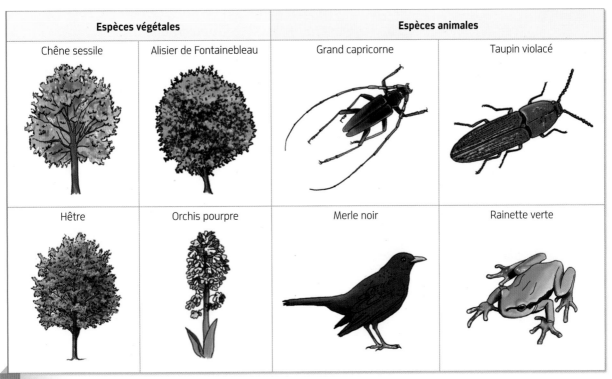

Espèces végétales		Espèces animales	
Chêne sessile	Alisier de Fontainebleau	Grand capricorne	Taupin violacé
Hêtre	Orchis pourpre	Merle noir	Rainette verte

4 Principales espèces observées par Lorenzo sur un autre site.

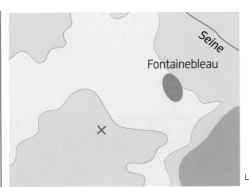

5 km

☐ Craie   ☐ Calcaire

☐ Sable et blocs de grès   ✕ Site d'observation

5 **Carte géologique simplifiée et localisation du site d'observation de Lorenzo.** À ce niveau, le sous-sol est fait de calcaire, qui retient davantage l'eau que le sable.

DICO SCIENCES

* **Biodiversité** : diversité des espèces dans un écosystème.
* **Paramètre physique** : élément mesurable qui caractérise un endroit comme la température, la luminosité, etc.
* **Sous-sol** : zone constituée de roche sous le sol.

6 **Le site d'observation de Lorenzo : un lieu avec ses propres paramètres physiques.** La végétation, très abondante, se développe sur un sol humide. La température varie peu en journée et il y a peu de vent.

Activité

3

J'enquête

Un projet de construction de barrage est envisagé afin de maîtriser le débit d'une rivière et faciliter l'irrigation des cultures. Avant d'autoriser le projet, le Conseil régional commande une étude scientifique sur les impacts du barrage sur les écosystèmes environnants.

CONSIGNE > **Dans le rôle d'un expert scientifique, exposer un point de vue argumenté concernant les impacts du barrage sur les écosystèmes de la région.**

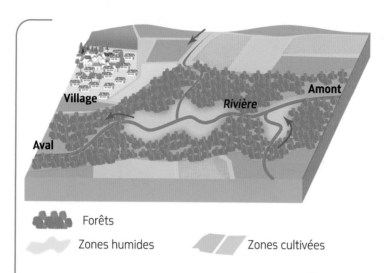

Village
Amont
Rivière
Aval

Forêts

Zones humides   Zones cultivées

Température moyenne de l'eau	12 °C
Agitation de l'eau	Moyenne à importante
Teneur en dioxygène	11 mg/L
Composition du fond de la rivière	Galets, sable et rochers transportés depuis l'amont

1 **Plusieurs écosystèmes existent le long d'une rivière : forêts et zones humides*.** Les zones humides présentent une très riche biodiversité, notamment en oiseaux, amphibiens et poissons. En France, près d'une espèce végétale menacée sur trois est liée aux zones humides.

2 **Quelques caractéristiques de la rivière.**

3 **Œuf et alevin de saumon de l'Atlantique observés dans une partie de la rivière.** Pour se reproduire, les saumons adultes remontent le courant et déposent leurs œufs dans la rivière. En se nourrissant de nombreuses proies et en se cachant dans les galets, les **alevins*** grandissent pendant plusieurs années avant de retourner dans l'océan.

4 **Larve de plécoptère.** Les plécoptères sont des insectes dont les larves vivent dans les cours d'eau. Pour se développer correctement, les larves ont besoin d'une eau dont la teneur en dioxygène dépasse 8,5 mg/L. En dessous de ce seuil, elles risquent de mourir.

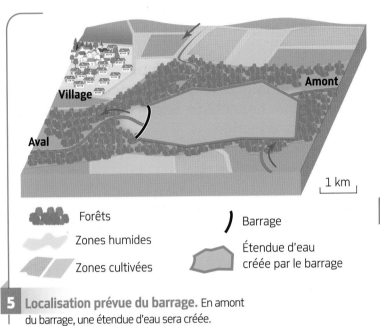

Village

Amont

Aval

1 km

Forêts

Zones humides

Zones cultivées

Barrage

Étendue d'eau créée par le barrage

5 **Localisation prévue du barrage.** En amont du barrage, une étendue d'eau sera créée.

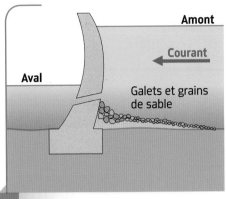

Amont

Courant

Aval

Galets et grains de sable

6 **Des observations faites sur des barrages existants.** En amont du barrage, les galets et les grains de sable s'accumulent au fond de la retenue d'eau. Le courant arrêté, l'eau est calme. Sa température augmente fortement en été : elle peut dépasser 27 °C. En aval, le lit de la rivière se creuse et l'eau emporte les galets et le sable déjà présents.

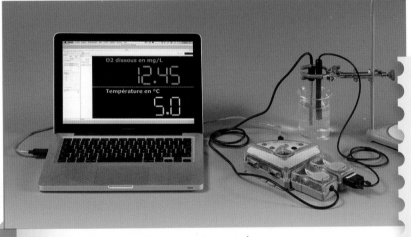

7 **Mise en évidence d'un lien entre la température de l'eau et sa teneur en dioxygène.**

EXPÉRIENCE

On peut mettre en évidence, grâce à un dispositif ExAO, un lien entre la température de l'eau et sa teneur en dioxygène.

Protocole
• Relier les deux sondes, mesurant la température et la teneur en dioxygène, à la console ExAO.
• Placer les sondes dans un bécher rempli d'eau froide.
• Lancer l'enregistrement.
• Recommencer avec de l'eau de plus en plus chaude.

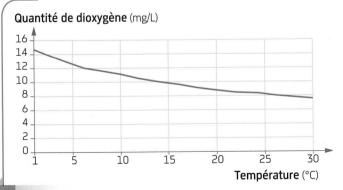

8 **Évolution de la teneur en dioxygène de l'eau en fonction de sa température.**

DICO SCIENCES

★**Alevin** : très jeune poisson.
★**Zone humide** : terrain inondé ou gorgé d'eau, riche en biodiversité.

Activité

4

J'enquête

Depuis plusieurs années, l'agriculture non raisonnée est mise en cause dans la modification des écosystèmes. De nouvelles normes demandent aux agriculteurs de prendre en compte leur impact sur l'environnement.

CONSIGNE > **Après avoir montré en quoi l'utilisation d'engrais dans un champ présente un intérêt, expliquer comment un agriculteur peut réduire son impact sur l'environnement tout en baissant ses coûts de production.**

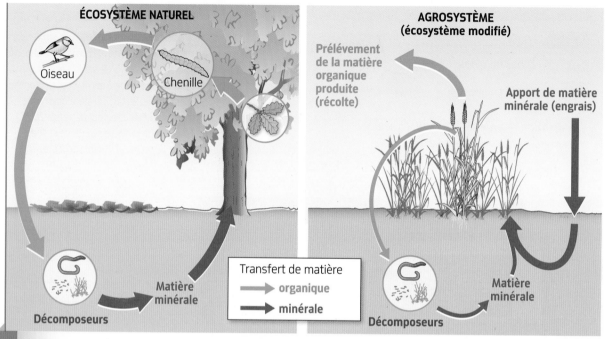

1 Le champ de blé, un écosystème cultivé. L'agriculture modifie fortement les écosystèmes pour subvenir aux besoins des êtres humains. Dans un écosystème agricole, appelé agrosystème, une partie de la matière organique est extraite lors de la récolte.

2 Épandage d'engrais. Dans un écosystème, les substances minérales, produites à partir de la décomposition de la matière organique, sont indispensables à la croissance des végétaux. Dans l'agriculture non raisonnée, les engrais chimiques peuvent fournir aux végétaux les substances minérales.

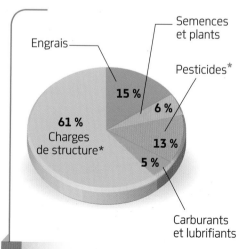

3 Répartition des charges dans une exploitation de blé (en %). La gestion d'une exploitation agricole s'accompagne de dépenses financières.

4 Les marées vertes, une conséquence de l'utilisation excessive d'engrais

Lorsque la quantité d'engrais déversée dans les champs est supérieure aux besoins des végétaux, les éléments minéraux en excès sont emportés avec l'eau qui s'infiltre ou qui ruisselle. Celle-ci s'enrichit alors en éléments minéraux, ce qui déséquilibre les écosystèmes et favorise la prolifération de certaines espèces, comme les algues. Cette prolifération d'algues est à l'origine de « marées vertes ». Outre leur aspect inesthétique, la décomposition de ces algues libère des gaz toxiques et appauvrit les eaux en dioxygène, perturbant ainsi la vie aquatique.

Marée verte dans la baie de Saint Brieuc

EXPÉRIENCE

Pour augmenter le rendement d'une culture, autrement dit augmenter la production de matière, on peut penser qu'augmenter la dose d'engrais est efficace. On peut tester l'influence de la dose d'engrais sur les cultures.

Protocole

- Disposer 20 graines de blé dans 4 béchers identiques.
- Arroser les grains de blé régulièrement, pendant 15 jours, avec le même volume d'eau : eau distillée (culture A), eau distillée contenant 1 dose d'engrais (culture B), eau distillée contenant 3 doses d'engrais (culture C). Utiliser de l'engrais pur pour la culture D. Éclairer les cultures.
- Peser les cultures au temps initial et 15 jours plus tard.

5 Résultats de l'expérience : aspect des cultures après deux semaines.

Culture	A	B	C	D
Quantité d'engrais reçue	0 dose	1 dose	3 doses	Engrais pur
Masse finale	149,2 g	154,1 g	153,9 g	143,6 g

6 Résultats de l'expérience : masses des cultures après 2 semaines. Au départ, les cultures ont la même masse : 130 g.

DICO SCIENCES

- *Charges de structure** : dépenses liées à la location, au chauffage des bâtiments et à l'électricité, etc.
- *Pesticide** : produit destiné à détruire les êtres vivants nuisibles aux cultures.

Activité

5

Comment l'agriculture raisonnée peut-elle préserver les écosystèmes ?

↰ **Anticiper l'évolution des écosystèmes**

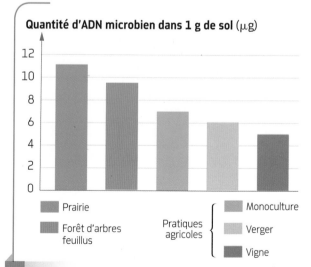

1 La réponse d'un écosystème au climat du futur. Des échantillons de prairie sont prélevés et disposés dans des enceintes hermétiques. L'installation permet de maîtriser différents paramètres physiques tels que : température, humidité, etc. Les scientifiques peuvent ainsi observer la réponse de l'écosystème au changement climatique simulé.

1,5 µm
MEB

2 La biodiversité microbienne des sols. Elle est essentielle au recyclage de la matière organique et permet aussi de filtrer les polluants. Un gramme de sol renferme une très grande biodiversité microbienne : 1 milliard de bactéries, entre 1 m et 3 m de **mycélium*** de champignon, et jusqu'à 200 vers ronds.

Quantité d'ADN microbien dans 1 g de sol (µg)

Légende :
- Prairie
- Forêt d'arbres feuillus
- Pratiques agricoles {
  - Monoculture
  - Verger
  - Vigne
}

3 L'ADN, un indicateur de la biodiversité microbienne des sols. Il est actuellement possible d'extraire l'ADN des différents micro-organismes du sol. Cela permet de déterminer l'abondance des micro-organismes du sol et d'estimer leur diversité.

Compétence

*Comprendre les responsabilités individuelles
et collectives en matière de préservation
des ressources de la planète*

Découvrir des pratiques de l'agriculture raisonnée*

Recours à la lutte biologique.
La pyrale est un papillon dont
la larve ravage les cultures de
maïs. L'utilisation d'un insecte
parasite de la pyrale permet
de lutter efficacement contre
ce ravageur sans utiliser
de pesticides.

 Une ferme autonome,
connectée, préservant
les cours d'eau alentour
et son propre sol.

Utilisation d'énergies renouvelables. L'installation
de nombreux panneaux solaires sur l'exploitation
agricole permet une autonomie en électricité.

Enherbage. Une bande d'herbe de 5 m de large
le long du champ prélève les engrais en excès
et limite leur ruissellement vers les cours d'eau.

Capteur connecté.
Des capteurs
enterrés, connectés
à Internet, peuvent
renseigner l'agri-
culteur à distance
sur la teneur en
minéraux des sols
et lui permettre de
mieux doser l'apport
d'engrais.

DICO SCIENCES

*Agriculture raisonnée : agriculture
prenant en compte la protection de
l'environnement et de la santé.
*Mycélium : ensemble de filaments
produits par des champignons.

Quelles activités humaines peuvent impacter les écosystèmes à l'échelle régionale ?

Décrire les conséquences de l'introduction d'une nouvelle espèce dans un écosystème

Serre tropicale *Le Diamant vert*, Nice

1 **Des échanges d'espèces végétales entre différents pays.** De nombreuses espèces végétales sont exportées à travers le monde. Elles peuvent aussi être échangées, notamment entre les jardins botaniques du monde entier. Ces plantes sont prélevées avec du sol de leur lieu d'origine.

2 **L'introduction d'un ver à Caen.**

2014 : IDENTIFICATION CONFIRMÉE DU VER PLATYDEMUS MANOKWARI !

Le ver dont le nom scientifique est *Platydemus manokwari* a été découvert dans une serre d'un jardin botanique à Caen. Les scientifiques pensent que ce ver nous est parvenu de la région Indo-Pacifique, caché dans le pot d'une plante importée par le jardin botanique. Déjà introduite dans d'autres pays, c'est la première fois que cette espèce est observée en Europe. Partout où ce ver a été introduit, il a notamment eu un impact grave sur la biodiversité des populations d'escargots, par exemple, dans certaines îles du Pacifique.

Nom : ver plat de Nouvelle-Guinée, *Platydemus manokwari*.

Taille : longueur 50 mm, largeur 5 mm.

Particularité : une bouche au milieu du corps.

Régime alimentaire : escargots et vers de terre notamment. Est capable de pister ses proies et d'attaquer en groupe.

Prédateurs : aucun connu en France.

3 **Portrait du ver plat de Nouvelle-Guinée.**

4 **Quelques rôles des vers de terre dans le sol.**

Les vers de terre ou lombrics sont certainement les habitants les plus célèbres du sol. Ils sont entre un million et trois millions sur un hectare de prairie. En creusant des galeries plus ou moins superficielles dans le sol, ils facilitent l'infiltration de l'eau. L'eau atteint alors plus facilement les racines des plantes, favorisant leur croissance. Par ailleurs, les vers de terre contribuent, en tant qu'organismes décomposeurs, au recyclage de la matière organique en matière minérale : ils enrichissent donc les sols en matière minérale.

Expliquer l'importance de la création d'un espace naturel protégé

5 La protection d'un espace naturel. En classant un site « réserve naturelle nationale », on le protège grâce à une réglementation qui permet de préserver les habitats et les espèces. L'**estuaire*** de la Seine est un espace naturel de 8 528 ha composé d'une grande diversité d'écosystèmes (mares, prairies, **vasières***, etc.). Il est classé depuis 1999.

Un vanneau huppé dans son nid.

6 Préserver et augmenter la capacité d'accueil pour les oiseaux. Dans certaines réserves naturelles, des espaces sont voués aux activités agricoles de pâturage et de fauche. Les exploitants agricoles acceptent un cahier des charges afin de concilier élevage et protection des milieux. Ainsi, l'installation de cages de protection des nids d'oiseaux permet de favoriser l'augmentation de leurs effectifs en évitant leur piétinement par des bovins.

Nombre d'individus

Évolution moyenne des effectifs hivernaux du vanneau huppé sur 15 hivers

Année

7 Suivi des effectifs de vanneau huppé depuis la création de la réserve naturelle. Seule la tendance globale a été représentée, car les effectifs peuvent varier selon les conditions hivernales

DICO SCIENCES

• **Estuaire** : embouchure d'un fleuve.
• **Vasière** : zone de l'estuaire recouverte de vase.

Activité

7

Comment les activités humaines perturbent-elles les écosystèmes à l'échelle globale ?

Réfléchir à un impact des activités humaines sur les continents

Mongolie, Chine

1 **Des activités humaines en cause dans le changement climatique.** De nombreuses activités humaines libèrent dans l'atmosphère du dioxyde de carbone : trafic routier, activités industrielles, etc. Ce gaz, ainsi que d'autres gaz amplifient l'effet de serre. Cela provoque une augmentation de la température. Entre 1972 et 2009, dans la moitié nord de la France, la température hivernale a augmenté de 1,1 °C.

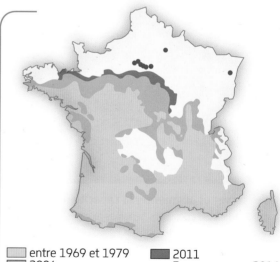

entre 1969 et 1979   2011
2006   ● Foyer connu en 2014

2 **Chenille processionnaire du pin.** Ces chenilles se déplacent l'une derrière l'autre en très grand groupe. Elles se nourrissent d'aiguilles de différentes espèces de pins. Les pins s'affaiblissent et deviennent plus fragiles aux autres parasites. Cette chenille peut aussi provoquer, par ses poils **urticants***, de graves troubles chez les êtres humains et les animaux. Cette espèce d'origine méditerranéenne se développe de manière optimale entre 20 °C et 25 °C. Durant l'hiver, la moindre augmentation de température augmente ses chances de survie.

3 **Progression de l'habitat de la chenille processionnaire du pin de 1979 à 2014 en France.**

DICO SCIENCES

*Urticant : se dit d'une substance provoquant une sensation de brûlure.

Réfléchir à un impact des activités humaines dans les océans

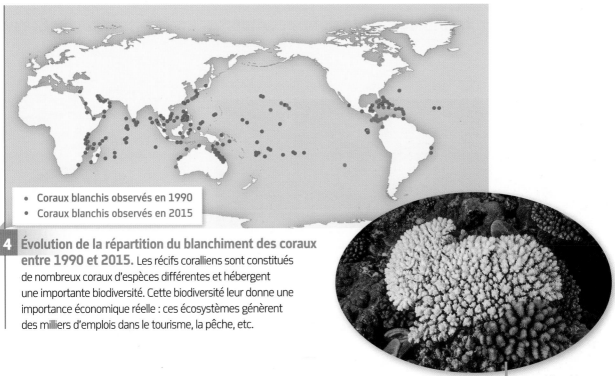

- Coraux blanchis observés en 1990
- Coraux blanchis observés en 2015

4 Évolution de la répartition du blanchiment des coraux entre 1990 et 2015. Les récifs coralliens sont constitués de nombreux coraux d'espèces différentes et hébergent une importante biodiversité. Cette biodiversité leur donne une importance économique réelle : ces écosystèmes génèrent des milliers d'emplois dans le tourisme, la pêche, etc.

Coraux blanchis

1 individu du corail

Algue

2 mm

5 Des algues observées dans du corail. La couleur jaune brun des coraux est due à la présence, dans leurs cellules, d'algues unicellulaires : les zooxanthelles. Ces algues pratiquent la photosynthèse en utilisant les éléments minéraux qu'elles prélèvent dans les cellules du corail. En retour, les algues fournissent aux cellules du corail de la matière organique et du dioxygène. Sans cette association avec l'algue, le corail devient fragile, blanchit et sa survie est menacée.

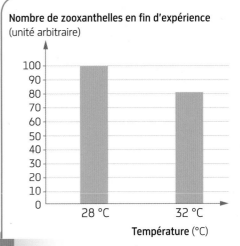

Nombre de zooxanthelles en fin d'expérience (unité arbitraire)

Température (°C)

6 Influence de la température sur le nombre de zooxanthelles d'un fragment de corail. Pour mieux comprendre les facteurs impliqués dans le blanchiment des coraux, des fragments de corail, contenant initialement la même quantité de zooxanthelles, sont placés dans différentes conditions de température, à la lumière, pendant 12 heures.

Activité

8

Comment les écosystèmes peuvent-ils être impactés par des décisions politiques ?

Identifier les impacts de la déforestation sur un écosystème du Brésil

1 **La déforestation, une réduction d'environ 20 % de la surface de la forêt amazonienne entre 1970 et 2008.** Les forêts sont des puits de carbone, c'est-à-dire que les végétaux renferment une grande quantité de carbone sous forme de matière organique. La déforestation libère ce carbone dans l'atmosphère sous forme de dioxyde de carbone, un gaz à effet de serre impliqué dans le changement climatique. Le Brésil héberge deux tiers de la forêt amazonienne.

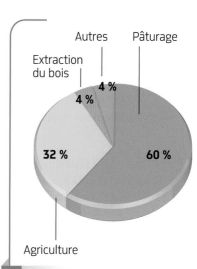

2 **Causes principales de la déforestation en Amazonie.** L'agriculture et l'élevage jouent un rôle fondamental dans l'économie du Brésil. Le pays est devenu en quelques années le plus grand exportateur mondial de soja, de sucre et de bœuf. Ces résultats économiques ont nécessité l'extension des surfaces agricoles.

Êtres vivants	Nombre d'espèces
Espèces végétales	Environ 40 000, dont 6 000 espèces d'arbres rares
Poissons	2 200
Oiseaux	1 294
Amphibiens	428
Reptiles	378
Mammifères	427
Insectes	Environ 2,5 millions

3 **La biodiversité exceptionnelle de la forêt amazonienne.**

Le conure de Pinto, une espèce **endémique*** du Brésil.

➤ Mettre en évidence une modification du rythme de déforestation par une décision politique

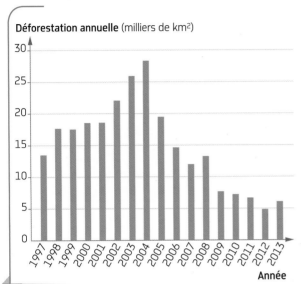

Déforestation annuelle (milliers de km²)

4 Évolution de la déforestation de la forêt amazonienne au Brésil. Depuis 2005, des mesures ont été mises en place par le gouvernement brésilien : lutte intensive contre les exploitations forestières illégales, aucun prêt d'argent public aux industries peu respectueuses de l'environnement. De plus, une aide financière internationale, provenant de différents pays européens, finance des projets de préservation de la forêt, de lutte contre le déboisement et aide les paysans pauvres.

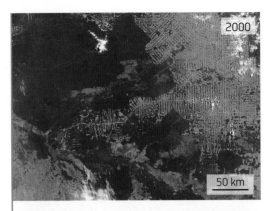

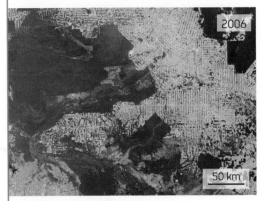

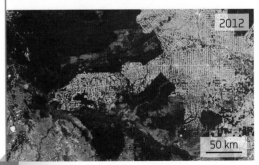

5 Images satellitaires de la forêt amazonienne, au sud du Brésil. On peut observer la forêt, en vert, et les zones déforestées, claires. Le programme de surveillance de la forêt par satellites a débuté en 1999 et se poursuit encore actuellement : le 5e satellite a été lancé en décembre 2014.

6 La présidente de la République fédérative du Brésil, Dilma Rousseff, à l'ONU, en septembre 2015. Dans son discours devant l'Assemblée générale des Nations unies du 28 septembre, Mme Rousseff a présenté les engagements de son pays dans la lutte contre le changement climatique : l'un des éléments en est la fin de la déforestation illégale.

DICO SCIENCES

*Endémique : se dit d'une espèce qui ne se rencontre que sur une zone géographique limitée.

L'essentiel

par le texte

⬤○○○ Un monde vivant organisé en écosystèmes

> Le monde vivant est organisé en **écosystèmes**. Même si tous n'ont pas la même taille, leur fonctionnement est identique. Les êtres vivants sont en étroite **relation** les uns avec les autres dans leur milieu, ce qui permet un recyclage de la matière organique qu'ils produisent. Les **paramètres physiques** peuvent changer d'un écosystème à l'autre, expliquant alors la diversité des espèces rencontrées.

> Les connaissances sur le fonctionnement des écosystèmes permettent de prévoir les conséquences possibles des activités humaines.

ACTIVITÉS

1 p. 78
2 p. 80
3 p. 82

⬤⬤○○ Activités humaines et impacts locaux

> En modifiant les écosystèmes, les humains peuvent subvenir à leurs besoins alimentaires. Ainsi, de nombreuses techniques utilisées dans les **agrosystèmes** permettent d'augmenter le rendement des cultures, mais ont des **impacts négatifs** sur l'environnement (pollutions par exemple).

> D'autres activités humaines, l'introduction d'une nouvelle espèce par exemple, peuvent modifier profondément l'organisation d'un écosystème.

> Depuis plusieurs années, l'être humain a pris conscience de l'importance des écosystèmes et essaie de les **préserver**, en modifiant ses pratiques culturales par l'agriculture raisonnée et en créant des réserves naturelles.

ACTIVITÉS

4 p. 84
5 p. 86
6 p. 88

⬤⬤⬤○ Activités humaines et impacts globaux

> Aujourd'hui, les activités humaines sont mises en cause dans des modifications **globales** et **rapides** des écosystèmes. En effet, les scientifiques notent depuis quelques dizaines d'années une augmentation de la température terrestre en relation avec l'augmentation des émissions de **gaz à effet de serre** par les activités humaines. Cette élévation des températures a des répercussions sur les écosystèmes du monde entier.

> Des décisions politiques peuvent modifier le rythme des activités humaines, et impacter positivement ou négativement l'environnement.

ACTIVITÉS

7 p. 90
8 p. 92

MOTS-CLÉS

Écosystème • Agriculture raisonnée • Agrosystème • Gaz à effet de serre • Déforestation

Écosystèmes et activités humaines

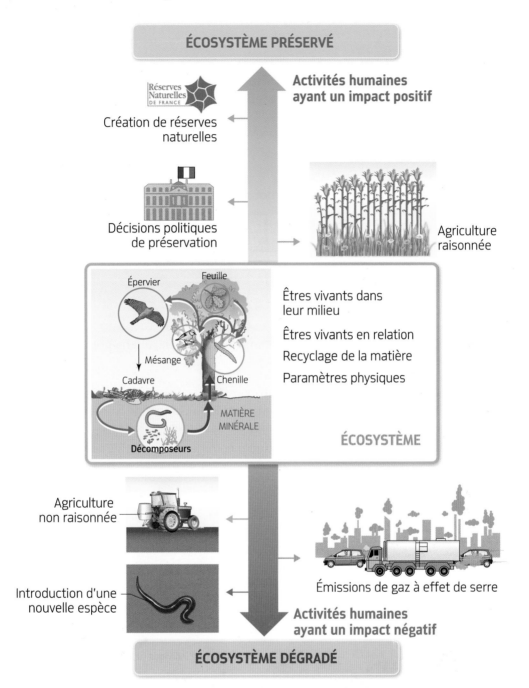

ÉCOSYSTÈME PRÉSERVÉ

Activités humaines ayant un impact positif

Réserves Naturelles DE FRANCE

Création de réserves naturelles

Décisions politiques de préservation

Agriculture raisonnée

Épervier
Feuille
Mésange
Cadavre
Chenille
MATIÈRE MINÉRALE
Décomposeurs

Êtres vivants dans leur milieu

Êtres vivants en relation

Recyclage de la matière

Paramètres physiques

ÉCOSYSTÈME

Agriculture non raisonnée

Introduction d'une nouvelle espèce

Émissions de gaz à effet de serre

Activités humaines ayant un impact négatif

ÉCOSYSTÈME DÉGRADÉ

Mon bilan de fin de cycle

Attendus

> Pour expliquer comment une activité humaine peut modifier l'organisation et le fonctionnement des écosystèmes :

• j'explique les conséquences de l'introduction d'une nouvelle espèce et de l'agriculture non raisonnée sur un écosystème ;
• je cite les conséquences globales du changement climatique sur des écosystèmes.

> Pour proposer des argumentations sur les impacts générés par le rythme, la nature, l'importance et la variabilité des actions de l'être humain sur l'environnement :

• j'explique comment, au cours du temps, l'action humaine peut évoluer sur un écosystème ;
• je montre que les activités humaines peuvent être nuisibles ou bénéfiques à un écosystème.

JE TESTE *mes connaissances*

1 QCM ●○○

Choisir la bonne réponse.

Les écosystèmes :
- ❏ ont tous les mêmes paramètres physiques.
- ❏ sont tous de la même taille.
- ❏ sont tous constitués d'un ensemble d'êtres vivants en étroite relation entre eux.
- ❏ possèdent tous les mêmes populations d'êtres vivants.

2 Remue-méninges ○●●

Construire une phrase avec les mots suivants :

a. introduction – perturbation – espèce – écosystème

b. réserve naturelle – activité humaine – écosystème – préserver

3 MOT CACHÉ ○○●

Recopier et **compléter** la grille pour trouver le mot caché.

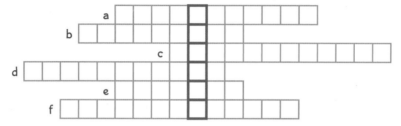

a : Phénomène observé sur les coraux lorsque la température de l'eau augmente.
b : Se dit d'une réserve préservant des écosystèmes.
c : Diversité des espèces dans un écosystème.
d : Écosystème modifié par l'être humain pour subvenir à ses besoins alimentaires.
e : Élément minéral ajouté à une culture pour augmenter le rendement de celle-ci.
f : Activité humaine qui consiste à remplacer la forêt par des terres cultivées.

➡ Après avoir trouvé le sens du mot caché, **expliquer** comment les activités humaines peuvent le modifier.

JE TESTE *mes compétences*

4 Lire et exploiter des données sous différentes formes ●○○

Des scientifiques mesurent les effectifs de deux populations d'êtres vivants microscopiques dans une mare pour mieux comprendre leur lien alimentaire au sein de l'écosystème.

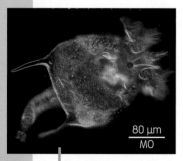

Brachionus quadridentus

Synura uvella

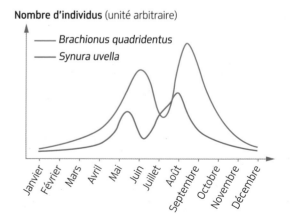

Suivi des effectifs des deux espèces.

➡ **Exploiter** les courbes pour trouver des arguments qui suggèrent une relation du type proie/prédateur entre ces deux espèces.

5 Identifier les impacts des activités humaines sur l'environnement, à l'échelle régionale ◐◐○

Le lynx est un animal carnivore qui participe à la régulation des populations de nombreux herbivores. Ce félin, chassé pour sa fourrure, a progressivement vu sa population décliner en France. L'urbanisation a accéléré le phénomène. Dès les années 1900, plus aucun lynx n'est observé dans les massifs montagneux français.

À partir des années 1970, un programme permet la réintroduction d'une vingtaine de lynx en Suisse, puis dans les Vosges et les pays limitrophes.

➡ **Montrer** que la réintroduction du lynx a été bénéfique pour son espèce.

➡ À l'aide de ses connaissances et des documents, **montrer** l'importance du lynx dans l'écosystème forêt.

2 Place du lynx dans l'écosystème forestier. Lorsque les chevreuils sont trop nombreux, ils détruisent de jeunes arbrisseaux et mangent les jeunes pousses des arbres, provoquant ainsi des dégâts.

■ Zone d'observation du lynx

1 Suivi des observations de lynx en France.

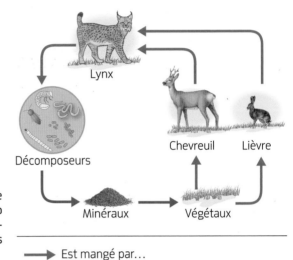

⟶ Est mangé par…

6 Interpréter des résultats et en tirer des conclusions ○○◐

De nombreuses substances d'usage courant telles que savon, dentifrice, etc. contiennent des antibactériens et des antifongiques, qui détruisent les bactéries et les champignons. Évacués dans les eaux usées, ces polluants se retrouvent dans les cours d'eau.

Une étude scientifique est réalisée pour déterminer les effets de ces polluants sur les espèces aquatiques. Des individus de l'espèce *Potamopyrgus antipodarum* sont placés dans des cages, en amont et en aval d'une rivière traversant une ville.

Potamopyrgus antipodarum

1 Lieux de dépôt des cages dans la rivière. Ces deux lieux présentent les mêmes caractéristiques hormis la teneur en polluants.

➡ En utilisant les documents, **montrer** l'impact des rejets de la ville sur l'espèce étudiée.

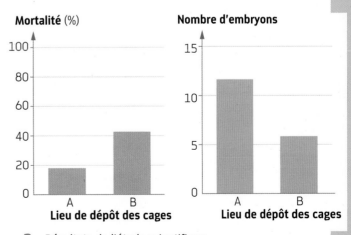

2 Résultats de l'étude scientifique.

Réaliser une interview

Méthode

DOMAINES DU SOCLE

1. S'exprimer en utilisant la langue française à l'écrit et à l'oral
2. Médias, démarches de recherche et de traitement de l'information
3. Responsabilité, sens de l'engagement et de l'initiative
4. Conception, création, réalisation

Réaliser l'interview d'un-e professionnel-le permet de recueillir des informations spécifiques sur un sujet, selon le point de vue de la personne interrogée.

> Choisir le sujet et le type d'interview

● Choix du sujet

BOÎTE À THÈME EPI

– Mesures de prévention, prévention, adaptation.
– Gestion de risques climatiques.
– Modalités de réalisation des cartes de prévention et des PPRI des collectivités (Plan particulier aux risques d'inondation).

● Choix du type d'interview

Réfléchir à l'objectif de l'interview, c'est à dire, déterminer quelles informations il faut collecter auprès de la personne interrogée.

L'interview peut, par exemple :
– apporter une explication scientifique ou technique sur un point précis du sujet étudié ;
– présenter un parcours professionnel et un métier ;
– valider des informations.

Imaginer sous quelle forme l'interview sera réalisée : s'agira-t-il d'un questionnaire à envoyer ? d'une interview téléphonique ? ou encore, d'un face à face ?

Les principaux types de questions

Question fermée	Réponse par oui ou non
Question à choix multiples	La question présente l'ensemble des réponses possibles
Question semi-ouverte	Réponse courte La question commence par : Qui ? Quand ? Où ?
Question ouverte	Réponse détaillée

> Préparer l'interview

● Préparer le questionnaire

Se préparer et se documenter sur le sujet permet de poser des questions pertinentes. Maîtriser le sujet est une étape fondamentale pour la réussite de l'interview.

Au brouillon, commencer par écrire différents types de questions sans perdre de vue la personne à qui elles s'adressent (est-ce une ingénieure ? un professionnel de santé ? une agricultrice ?), en gardant à l'esprit l'objectif fixé.

Gérer un rétroplanning

Pour mener à bien un projet, la réalisation d'un rétroplanning peut s'avérer nécessaire. Pour cela, la première date à fixer est celle de l'interview : c'est la fin du projet. Il faut ensuite planifier les étapes précédentes (choix du type d'interview, préparation, etc.) en remontant le temps.

● Contacter un-e professionnel-le

Chercher les coordonnées de deux ou trois professionnel-le-s en utilisant, par exemple, le site Internet www.pages-jaunes.fr. La première personne que vous contacterez ne pourra peut-être pas vous répondre.

Au téléphone, commencer par vous présenter : indiquer rapidement en quoi consiste l'interview et demander à la personne si elle accepte d'être interrogée. Si oui, proposer une date et un horaire pour la rencontrer.

Veiller à bien gérer l'emploi du temps : il sera difficile d'organiser une rencontre pendant les heures de cours.

> Réaliser l'interview

● Avant l'interview

Préparer de quoi prendre des notes durant l'interview : cahier, ordinateur, etc.

Si les propos ne sont pas enregistrés, prendre des notes à plusieurs permet de retranscrire le plus fidèlement les propos de votre interlocuteur.

● Pendant l'interview

Commencer l'interview par une question ouverte permettra à votre interlocuteur de se présenter et de rapidement faire le lien avec le sujet.

Poursuivre avec des questions semi-ouvertes permet de demander des précisions.

Terminer l'interview par des questions fermées pour clarifier des propos.

Ne pas hésiter à reformuler les propos pour faire ressortir les éléments importants ou à faire répéter les réponses.

> Restituer l'interview

● Quelques supports

L'interview peut se présenter sous différentes formes :
– article dans la gazette du collège ;
– interview vidéo mise en ligne sur l'ENT ;
– enregistrement audio sur le site du collège.

● Un exemple

Interview de **Guillaume Cotentin,** ingénieur météorologue.

En quoi consiste le métier de météorologue ?

G. C. : Il s'agit d'étudier les données terrestres et atmosphériques relevées par les stations météo. Cette analyse permet ensuite d'établir les bulletins de prévisions météorologiques.

Ceux que l'on regarde à la télévision ?

G. C. : Oui, mais pas seulement. Ces prévisions servent aussi aux professionnels travaillant dans les transports aériens et maritimes, par exemple.

Quelles études doit-on faire pour devenir météorologue ?

G. C. : La majorité des techniciens et ingénieurs météorologues sont formés à l'ENM (*École nationale de la météorologie*), à Toulouse.

Il faut donc être bon en sciences ?

G. C. : Évidemment, mais pas seulement. Il faut aussi maîtriser l'anglais.

Pourquoi l'anglais ?

G. C. : Car il s'agit de la langue internationale de la météo !

Est-ce un métier difficile ?

G. C. : Oui, les horaires sont souvent contraignants : on travaille parfois de nuit et les jours fériés.

Mais c'est un métier passionnant !

Parcours avenir
DES MÉTIERS

Technicien/technicienne forestier

C'est un métier diversifié qui comprend une activité liée à la forêt mais aussi une activité commerciale. Ce métier peut procurer **un sentiment de liberté** à travailler régulièrement en extérieur.

Principales activités
- Décider des arbres devant être abattus puis les marquer.
- Encadrer une équipe lors des opérations de reboisement ou d'élagage.
- Réaliser des enquêtes et des plans précis.
- Organiser la vente du bois dans un but de rentabilité.
- Sensibiliser le public à la protection de la nature.

Compétences requises
- Bonne résistance physique, le métier se pratiquant souvent en extérieur.
- Sens des relations humaines pour la gestion des équipes.
- Compétences en gestion pour maitriser les coûts.

Études nécessaires
- Niveau Bac : Bac professionnel *Forêt*.
- Niveau Bac + 2 : BTSA *Gestion forestière*.

Sapeur-pompier

Les jeunes de 11 à 18 ans peuvent suivre une formation, sur quatre ans, pour obtenir le brevet national de jeune **sapeur-pompier**. Ce brevet constitue **un atout** pour devenir sapeur-pompier volontaire ou professionnel.

Principales activités
- Intervenir rapidement sur le lieu d'un appel d'urgence.
- Prodiguer les premiers soins à des personnes blessées ou accidentées.
- Évacuer des personnes victimes de tremblement de terre, d'inondation, etc.
- Assurer des actions de prévention.

Compétences requises
- Disponibilité pour intervenir à tout moment du jour ou de la nuit.
- Courage et altruisme dans les situations dangereuses et humainement difficiles.
- Excellente condition physique.

Études nécessaires
- Il existe différentes conditions d'accès à ce métier. Les sapeurs-pompiers professionnels sont, par exemple, recrutés sur concours.

Agriculteur/agricultrice

Le métier d'**agriculteur-trice** est réservé aux passionné-e-s des animaux et de la nature. Il faut **avoir les nerfs solides** car il arrive que plusieurs mois de travaux soient anéantis par des aléas météorologiques.

Principales activités
- Gérer les parcelles pour produire des cultures, assurer l'alimentation et la reproduction des animaux.
- Entretenir et réparer les engins agricoles.
- Assurer la gestion administrative et financière de l'exploitation.

Compétences requises
- Amour de la nature, du travail en plein air.
- Importante capacité de travail (il y a peu de vacances).
- Compétences en gestion et commerce.
- Connaissances techniques liées à son domaine.

Études nécessaires
- Plusieurs parcours permettent de devenir agriculteur.
Le minimum requis est un Bac professionnel *Conduite et gestion de l'exploitation agricole* ou un Bac technologique *Sciences et technologies de l'agronomie et du vivant*.

Météorologiste

Principales activités
- Effectuer des relevés de température, taux d'humidité, vitesse des vents, etc.
- Analyser les relevés et en faire des prévisions à court terme.
- Communiquer les prévisions au grand public ou à des professionnels.
- Anticiper les risques climatiques en prévenant les autorités.

Compétences requises
- Bonnes connaissances scientifiques, notamment en mathématiques et informatique.
- Grande rigueur et patience pour rester calme en situation de stress.
- Être capable de bien s'exprimer en anglais, qui est la langue mondiale de la météo.

Études nécessaires
- Bac scientifique puis concours pour entrer à l'*École Nationale de la météorologie*, à Toulouse.

Chaque année, environ quarante étudiants réussissent le concours d'entrée à l'*École Nationale de la météorologie*. La **sélection** est donc très **rude**.

Agent de développement en énergies renouvelables

Principales activités
- Gérer la consommation énergétique des bâtiments communaux.
- Participer et suivre la mise en place de projets d'urbanisme mettant en jeu des énergies renouvelables.
- Convaincre des partenaires impliqués dans les projets d'urbanisme.

Compétences requises
- Compétences dans les énergies renouvelables (coûts, rentabilité, etc.).
- Savoir argumenter et convaincre lors de réunions.
- Maîtrise des outils informatiques et bureautique.

Études nécessaires
- Plusieurs diplômes permettent d'accéder à ce métier :
- Niveau Bac + 2 : BTS *Fluides, énergies, environnement*.
- Niveau Bac + 5 : Diplôme d'ingénieur-e généraliste.

Même si les projets proposés par l'**agent de développement en énergies renouvelables** aux collectivités mettent des années à voir le jour, **il joue un rôle fondamental** dans l'avenir des territoires.

Filière d'avenir
La filière verte

La filière verte regroupe des activités et des services liés directement ou indirectement à la protection de l'environnement. Les métiers de cette filière concernent un grand nombre de secteurs économiques et ne sont pas uniquement liés à la nature. Ils visent à :
- diminuer les consommations d'énergie, de matières premières et d'eau ;
- réduire les émissions de gaz à effet de serre ;
- minimiser ou à éviter totalement toutes les formes de déchets et de pollution ;
- protéger et restaurer les écosystèmes et la biodiversité.

■ Si on se limite aux sciences de la vie et de la Terre, ces métiers concernent : l'agroécologie, la gestion et le recyclage des déchets, la gestion des ressources naturelles et des énergies renouvelables.

La protection de l'environnement et le développement durable sont au cœur des enjeux actuels. Les métiers verts sont en pleine expansion et les formations se diversifient.

Des exemples de métiers
▶ Ambassadeur-drice du tri.
▶ Conducteur-trice de travaux d'entretien du patrimoine naturel et paysager.
▶ Garde technicien-ne de réserve naturelle.
▶ Technicien-ne chargé-e de la police de l'eau.

 Rester connecté
http://infos.emploipublic.fr/metiers/les-secteurs-qui-recrutent/
http://www.metiers-biodiversite.fr/metiers/fiches
http://www.dimension-bts.com/

Attendus de fin de cycle

> Expliquer l'organisation du monde vivant, sa structure et son dynamisme à différentes échelles d'espace et de temps

> Mettre en relation différents faits et établir des relations de causalité pour expliquer :
• la nutrition des organismes
• la dynamique des populations
• la classification du vivant
• la biodiversité (diversité des espèces)
• la diversité génétique des individus
• l'évolution des êtres vivants

QUIZ
INTERACTIF

Chapitres

Méthode EPI   Organiser une exposition

Parcours avenir

Le vivant et son évolution

Éléphant d'Afrique et zèbres, Parc national de Chobe, Botswana.

Nutrition et des animaux

Je réactive mes connaissances

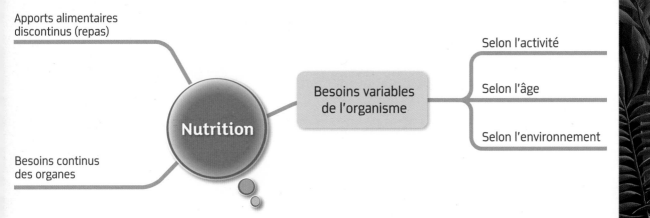

Apports alimentaires discontinus (repas)

Besoins continus des organes

Nutrition

Besoins variables de l'organisme

Selon l'activité

Selon l'âge

Selon l'environnement

Mes objectifs de fin de cycle

> Relier les besoins des cellules animales et le rôle des systèmes de transport dans l'organisme

Activités

1 Les rôles de la nutrition des animaux

2 Les besoins nutritifs des organes et des cellules

3 L'approvisionnement en dioxygène

4 L'approvisionnement en aliments, sources de nutriments

5 L'approvisionnement des organes en dioxygène et en nutriments

6 Les systèmes de transport

7 L'élimination des déchets de la nutrition

8 Micro-organismes et nutrition des animaux

organisation

Le lion, ayant faim, se jette sur l'antilope,
HENRI ROUSSEAU, 1898/1905.
Huile sur toile, 200 × 301 cm.
Fondation Beyeler, Riehen/Bâle, Suisse.

Dans ce tableau, Henri Rousseau dit le Douanier Rousseau (1844-1910), pionnier de l'art Naïf, représente une végétation luxuriante et totalement inventée. Il met en scène la destinée cruelle d'une antilope prise à la gorge par un lion. Le lion, comme la panthère cachée, doit chasser les autres animaux pour s'alimenter et pour rester en vie.

1

J'enquête

La nutrition consiste à prélever de la matière dans le milieu extérieur pour satisfaire ses propres besoins.

CONSIGNE > **Indiquer, en anglais, comment les animaux assurent leur nutrition et à quoi sert la matière prélevée.**

1 **Un loir muscardin en hibernation* et un loir au cours de l'été.** En été et en automne, cet animal mange énormément et constitue ses réserves de graisses. Cela lui permet, durant l'hibernation, de produire l'énergie nécessaire à ses fonctions vitales (circulation sanguine, fonctionnement du cerveau, etc.) qui, bien que ralenties, s'effectuent toujours.

2 **Alimentation et activité physique.** Le Marathon des Sables, au Maroc, dure une semaine. L'eau est fournie au départ de chaque étape, tandis que les participants ont leur nourriture pour toute la compétition. Cela nécessite une gestion correcte sous peine d'abandon par manque d'énergie.

3 **Respiration et activité physique.** Les baleines respirent dans l'air pour produire l'énergie nécessaire à leurs activités. Cela les oblige à remonter à la surface toutes les 20 minutes. L'air passe par un orifice situé en arrière de la tête, l'évent. Pour produire cette énergie, les baleines doivent aussi s'alimenter.

4 **Un poisson-clown et son petit.** La consommation de **plancton*** par le jeune poisson-clown lui permet de produire de l'énergie pour assurer le fonctionnement de son organisme, grandir et atteindre peu à peu sa taille adulte. Pour produire cette énergie, le poisson doit aussi respirer dans l'eau.

5 **Un panda et son petit.** Les pandas se nourrissent presque exclusivement de bambous : plus de 20 kg par jour pour un adulte. Cette plante, bien que peu nutritive, permet au panda d'avoir toute l'énergie nécessaire pour que la croissance et le fonctionnement de son organisme soient assurés.

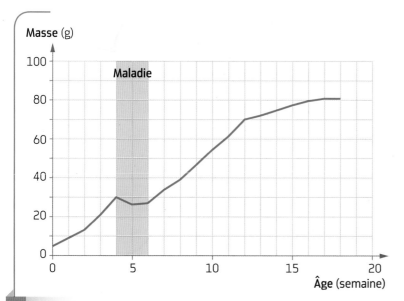

6 **Évolution de la masse d'une souris en fonction de son âge.** L'animal a été malade quelques jours pendant lesquels il a cessé de s'alimenter.

DICO · ANGLAIS

- ***Respirer** : to breathe.
- ***Manger** : to eat.
- ***Aliment** : aliment.
- ***Énergie** : energy.
- ***Grandir** : to grow.
- ***Fonctionnement de l'organisme** : body functions.

DICO · SCIENCES

- ***Hibernation** : vie ralentie d'un organisme pendant l'hiver.
- ***Plancton** : ensemble des organismes aquatiques dérivant au gré des courants.

2 Quels sont les besoins nutritifs des organes et des cellules des animaux ?

Découvrir **les besoins nutritifs d'un organe, le muscle**

Échelle
d'un organe

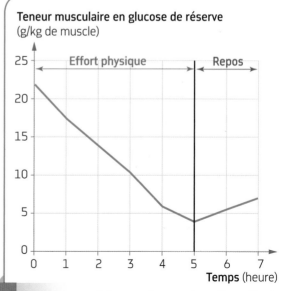

1 Mise en évidence du besoin du muscle en dioxygène. Un dispositif ExAO permet de suivre la teneur en dioxygène de l'air d'une enceinte contenant un muscle frais d'animal. La même expérience est reproduite sans organe.

2 Teneur en dioxygène de l'air d'une enceinte hermétique contenant un muscle frais d'animal et d'une enceinte vide.

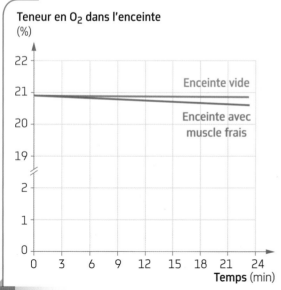

3 Teneur musculaire en glucose, lors d'un effort physique d'endurance. Le glucose est un **nutriment*** issu de l'alimentation.

Mettre en évidence les besoins nutritifs à l'échelle des tissus et des cellules

Échelle cellulaire

Avant effort

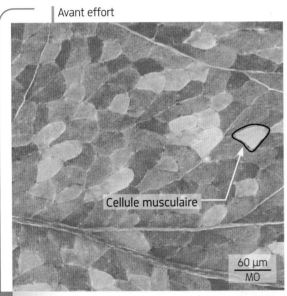

Cellule musculaire

60 µm
MO

Après effort

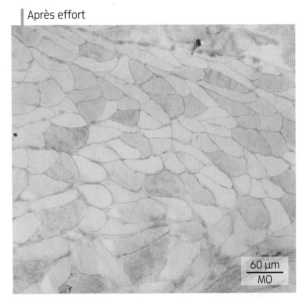

60 µm
MO

4 **Localisation du glucose de réserve dans le tissu* musculaire avant et après l'effort.**
Le glucose mis en réserve peut être mis en évidence par une coloration. Plus la couleur rose est intense, plus la teneur des cellules en glucose est importante.

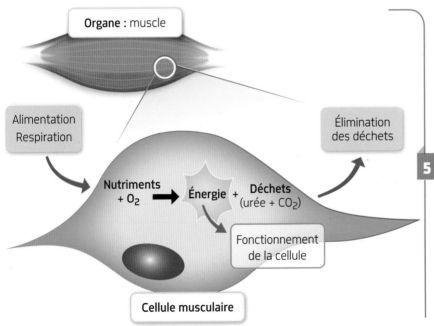

Organe : muscle

Alimentation
Respiration

Élimination
des déchets

Nutriments
+ O₂ → Énergie + Déchets
(urée + CO₂)

Fonctionnement
de la cellule

Cellule musculaire

5 **Utilisation des nutriments et du dioxygène pour le fonctionnement des cellules des organes.** Des transformations chimiques* se déroulent dans toutes les cellules de tous les organes d'un animal. Elles conduisent à la formation de différents déchets : dioxyde de carbone (CO_2) et urée.

DICO SCIENCES

* **Nutriment** : petite particule issue de la digestion des aliments.
* **Tissu** : ensemble de cellules qui ont une même organisation et la même fonction.
* **Transformation chimique** : transformation de la matière au cours de laquelle ses constituants sont modifiés.

3

Comment l'organisme s'approvisionne-t-il en dioxygène ?

Comprendre comment un animal s'approvisionne en dioxygène (O₂) dans l'eau

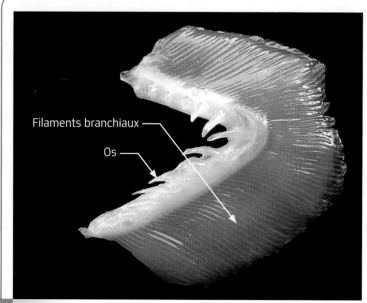

Filaments branchiaux

Os

1 Une branchie de truite. C'est un organe constitué d'un os sur lequel sont fixés de nombreux filaments.

EXPÉRIENCE

La dissection des branchies d'une truite permet d'observer son système respiratoire.

Protocole

• Repérer l'**opercule*** sur le côté de la tête de l'animal.

• Soulever l'opercule à l'aide d'une pince fine.

• Découper la base de l'opercule en se rapprochant le plus possible de la bouche et de l'œil.

• Découper les éléments filamenteux rouges appelés branchies et les déposer dans une boîte de Pétri dans un fond d'eau.

• Observer une branchie à la loupe.

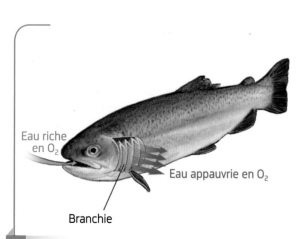

Eau riche en O₂

Eau appauvrie en O₂

Branchie

2 La respiration d'un poisson, la truite. Un mouvement d'eau traverse les branchies des poissons : elle entre par la bouche et sort par les opercules.

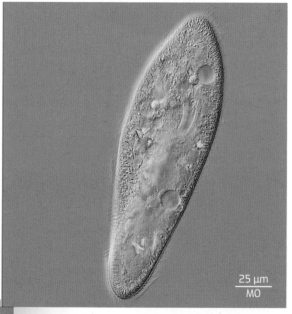

25 μm
MO

3 Une paramécie. Les paramécies sont des animaux unicellulaires d'eau douce. Le dioxygène dissous dans l'eau passe directement à travers la membrane de la cellule.

Comprendre **comment un animal s'approvisionne en dioxygène (O$_2$) dans l'air**

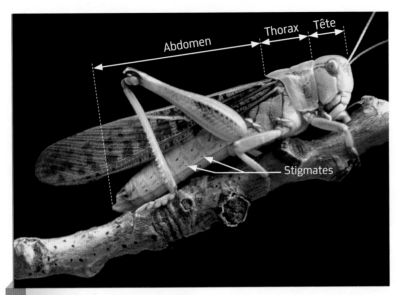

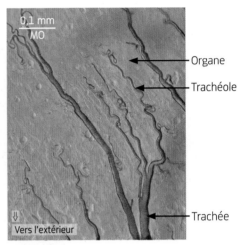

Abdomen — Thorax — Tête

Stigmates

0,1 mm
MO

Organe
Trachéole
Trachée

Vers l'extérieur

4 **Le système respiratoire du criquet.** Chez les insectes, l'air entre et sort par des petits orifices situés sur le côté de l'abdomen, ce sont les stigmates. L'air arrive au niveau des organes grâce à des conduits, les trachées, puis d'autres conduits plus petits, les trachéoles.

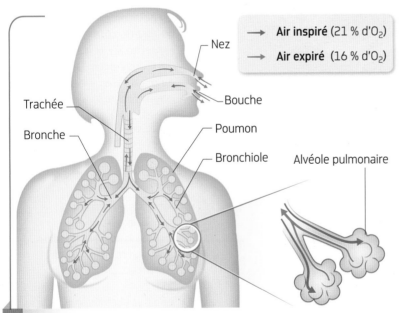

Nez

→ **Air inspiré** (21 % d'O$_2$)

→ **Air expiré** (16 % d'O$_2$)

Bouche

Trachée

Poumon

Bronche

Bronchiole

Alvéole pulmonaire

5 **Le système respiratoire d'un mammifère, l'être humain.** Le système respiratoire est composé de plusieurs conduits qui **se ramifient*** et vont dans les poumons. L'extrémité de ces conduits correspond aux alvéoles pulmonaires.

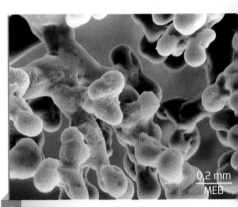

0,2 mm
MEB

6 **Les alvéoles pulmonaires vues au microscope.** Chaque poumon humain renferme 300 millions d'alvéoles. Chaque alvéole a un diamètre de 0,2 mm et une paroi très fine de 0,3 **micromètre***.

DICO SCIENCES

* **Micromètre** : 1 millionième de mètre.
* **Opercule** : chez le poisson, plaque en arrière de la tête, délimitant une cavité renfermant les branchies.
* **Se ramifier** : se diviser en éléments plus fins.

Activité

4

Comment l'organisme s'approvisionne-t-il en aliments, qui sont sources de nutriments ?

Observer **l'ingestion des aliments et leur trajet dans l'organisme**

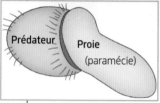

60 µm
MEB

Prédateur Proie (paramécie)

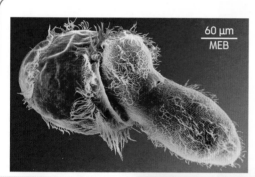

1 **Une paramécie se faisant ingérer par un autre micro-organisme unicellulaire.**

2 **Un poisson en train de se nourrir de corail.** Les animaux doivent trouver leurs aliments dans leur environnement. Les aliments sont captés grâce à la bouche et se retrouvent alors dans le système digestif.

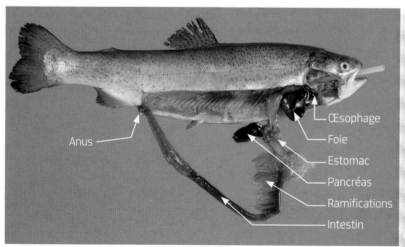

Anus

Œsophage

Foie

Estomac

Pancréas

Ramifications

Intestin

EXPÉRIENCE
Protocole

- Déposer le poisson au fond d'une cuvette, sur le côté.
- Découper la peau et les muscles du poisson en partant de l'anus à l'opercule.
- Découper depuis l'anus vers le dos sur quelques centimètres. Faire de même au niveau de l'opercule.
- Découper de façon à rejoindre ces deux incisions puis retirer le morceau découpé.
- Dérouler le système digestif.

3 **Dissection du système digestif de la truite.** Le système digestif est composé de différents organes qui assurent la transformation des aliments en nutriments utilisables pour le fonctionnement de l'organisme et sa croissance.

Comparer des systèmes digestifs à l'origine des nutriments

4 Un vautour venant de se nourrir. Sous le cou du vautour, on distingue le jabot, saillant. C'est un organe creux en forme de poche qui se gonfle suite à un copieux repas.

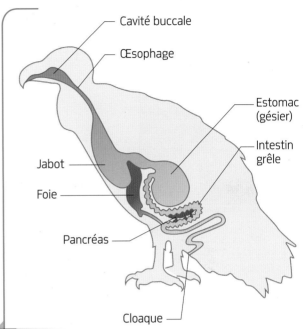

5 Le système digestif du vautour. Le jabot est une poche appartenant à l'œsophage. Grace à cet organe, les aliments sont stockés avant d'être transformés en nutriments.

6 Une araignée en train de se nourrir. Une fois la proie capturée, l'araignée l'entoure dans de la soie puis lui injecte un liquide ayant des propriétés digestives. Quelque temps plus tard, elle n'a plus qu'à aspirer le liquide riche en nutriments issus de la digestion de sa victime.

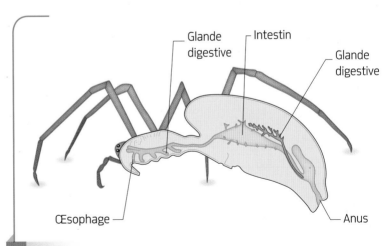

7 Le système digestif d'une araignée. Les nutriments sont directement aspirés et arrivent dans le système digestif de l'araignée.

5

Comment s'effectue le transport du dioxygène et des nutriments vers les organes consommateurs ?

Comprendre l'approvisionnement des liquides circulants en dioxygène et en nutriments

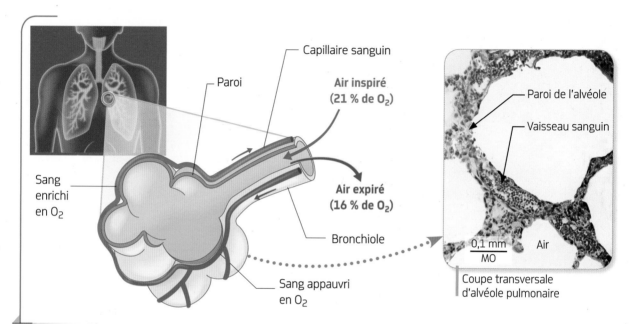

Capillaire sanguin

Paroi

Air inspiré (21 % de O₂)

Air expiré (16 % de O₂)

Sang enrichi en O₂

Sang appauvri en O₂

Bronchiole

Paroi de l'alvéole

Vaisseau sanguin

0,1 mm
MO

Air

Coupe transversale d'alvéole pulmonaire

1 **Les alvéoles pulmonaires : une surface de contact entre l'air et le sang.** Les alvéoles sont en contact avec des vaisseaux sanguins très fins, les capillaires. Chez un humain, cette surface de contact est égale à 75 m² par poumon soit le tiers de la surface d'un terrain de tennis. L'air et le sang ne sont alors séparés que par la paroi très fine des alvéoles et celle des capillaires.

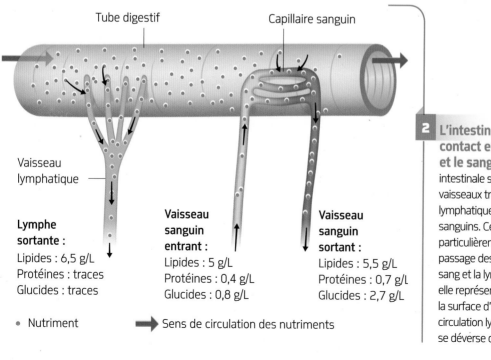

Tube digestif

Capillaire sanguin

Vaisseau lymphatique

Lymphe sortante :
Lipides : 6,5 g/L
Protéines : traces
Glucides : traces

Vaisseau sanguin entrant :
Lipides : 5 g/L
Protéines : 0,4 g/L
Glucides : 0,8 g/L

Vaisseau sanguin sortant :
Lipides : 5,5 g/L
Protéines : 0,7 g/L
Glucides : 2,7 g/L

• Nutriment

➡ Sens de circulation des nutriments

2 **L'intestin : une surface de contact entre les nutriments et le sang.** Les cellules de la paroi intestinale sont en contact avec des vaisseaux très fins, les vaisseaux lymphatiques et les capillaires sanguins. Cette surface de contact, particulièrement fine, permet le passage des nutriments dans le sang et la lymphe. Chez un humain, elle représente environ 250 m² soit la surface d'un terrain de tennis. La circulation lymphatique riche en lipides se déverse dans la circulation sanguine.

⮡ Comprendre **la distribution du dioxygène
et des nutriments aux organes**

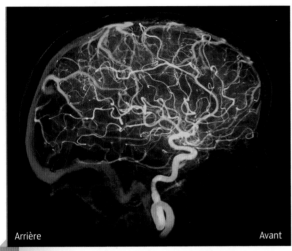

Arrière — Avant

3 **L'irrigation sanguine d'un organe, le cerveau
humain.** À chaque instant, près de 20 % de l'ensemble
du sang de l'organisme circule dans les vaisseaux sanguins
du cerveau.

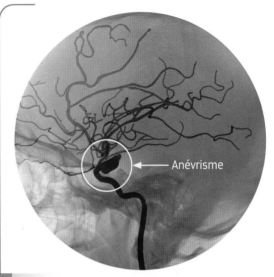

Anévrisme

4 **Un anévrisme*, dans un vaisseau sanguin
cérébral.** Un accident vasculaire cérébral (AVC) peut
être provoqué par la rupture d'un anévrisme : la partie du
cerveau initialement irriguée meurt car sa nutrition n'est plus
assurée. Cela peut entraîner de graves conséquences allant
jusqu'au décès de l'individu.

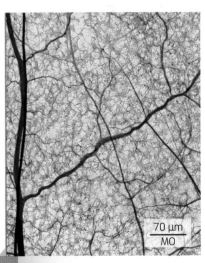

70 μm
MO

6 **Capillaires sanguins dans
l'intestin d'un petit mammifère.**

5 **Des vaisseaux sanguins dans les oreilles d'un lièvre.** Les organes
sont tous associés à un réseau de vaisseaux sanguins dense. Le passage des
nutriments et du dioxygène vers les organes consommateurs est assuré grâce
à des vaisseaux sanguins très fins, les capillaires sanguins.

DICO SCIENCES

*Anévrisme : dilatation anormale
d'un vaisseau sanguin.

Activité

6

J'enquête

Manon et Shun ont schématisé la circulation sanguine dans le corps humain. Chaque schéma comporte des éléments exacts et des éléments faux.

CONSIGNE > **Trouver des arguments issus des documents permettant de mettre en évidence les éléments corrects et les erreurs des schémas de la circulation sanguine.**

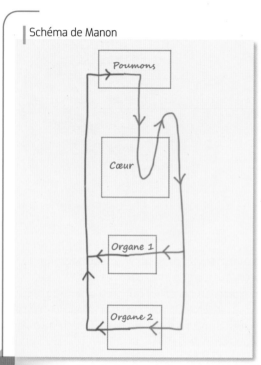

Schéma de Manon

Schéma de Shun

1 **L'organisation de la circulation sanguine selon Manon et Shun.**

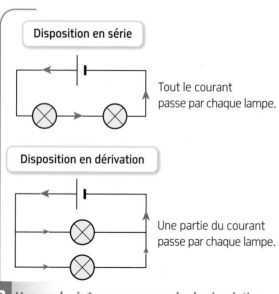

Disposition en série

Tout le courant passe par chaque lampe.

Disposition en dérivation

Une partie du courant passe par chaque lampe.

2 **Une analogie* pour comprendre la circulation sanguine.** Dans un circuit électrique, le courant électrique peut circuler dans tous les **dipôles***, en une boucle simple : il s'agit d'un circuit en série. Lorsque le circuit présente plusieurs boucles, il s'agit d'un circuit en dérivation.

	Organe 1		Organe 2	
	Sang entrant	Sang sortant	Sang entrant	Sang sortant
Dioxygène (mL/100 mL)	20,4	15,3	20,6	15,5
Glucose (g/L)	1,04	0,98	1,05	0,99

3 **Mesure des teneurs sanguines en dioxygène et glucose à l'entrée et à la sortie de deux organes.**

DICO SCIENCES

***Analogie** : comparaison entre deux choses qui possèdent des points communs.
***Dipôle** : composant électrique possédant deux bornes.

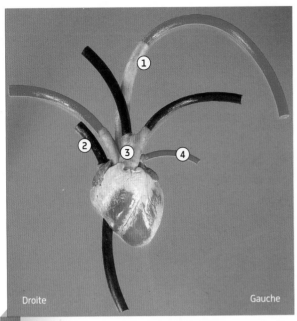

EXPÉRIENCE

Afin de comprendre comment le sang circule dans le cœur, on injecte de l'eau dans différents vaisseaux et on regarde par où elle ressort.

Protocole

Manipulation \ Observation	Lieu d'injection de l'eau	Résultats
A	Dans le vaisseau 2	L'eau ressort par le vaisseau 3
B	Dans le vaisseau 1	L'eau n'entre pas dans le cœur
C	Dans le vaisseau 3	L'eau n'entre pas dans le cœur
D	Dans le vaisseau 4	L'eau sort par le vaisseau 1

4 **Expériences d'injection d'eau dans les vaisseaux sanguins associés au cœur d'un mouton.** Le cœur est associé à deux types de vaisseaux sanguins : des veines et des artères.

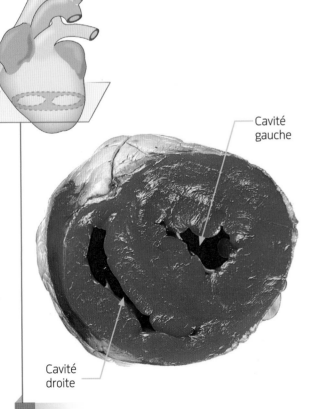

5 **Coupe transversale dans un cœur de mouton.** La coupe transversale met en évidence deux cavités, séparées par une cloison.

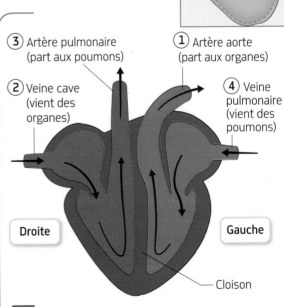

③ Artère pulmonaire (part aux poumons)

① Artère aorte (part aux organes)

② Veine cave (vient des organes)

④ Veine pulmonaire (vient des poumons)

Droite   Gauche

Cloison

■ Sang riche en dioxygène

■ Sang pauvre en dioxygène

6 **Schéma du cœur vu en face ventrale.** Le cœur est une pompe qui met le sang en mouvement : il permet donc d'alimenter les organes en nutriments et en dioxygène. Tous les jours, chez un humain, cet organe propulse près de 8 000 litres de sang en se contractant plus de 100 000 fois.

Activité 7

Comment s'effectue l'élimination des déchets issus de la nutrition ?

↪ **Observer** l'élimination du dioxyde de carbone par le système respiratoire

Eau de chaux

Enceinte témoin

1 Aspect de l'eau de chaux dans une enceinte contenant des criquets au bout d'une heure. L'eau de chaux est un liquide incolore qui se trouble en présence de dioxyde de carbone. Il n'y a pas de criquet dans l'enceinte témoin.

Trachée

Organe

CO_2

CO_2

CO_2

Stigmate

2 L'élimination du dioxyde de carbone par les trachées chez le criquet. Le dioxyde de carbone produit par l'activité des cellules des organes est éliminé grâce aux trachées.

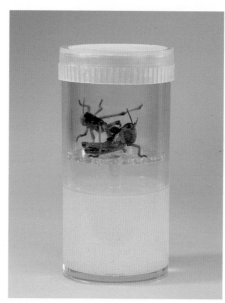
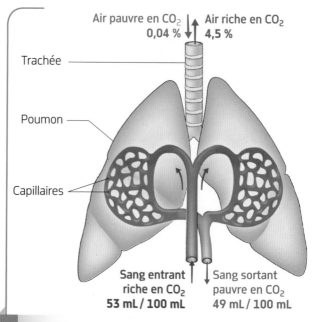

Air pauvre en CO_2 0,04 %   Air riche en CO_2 4,5 %

Trachée

Poumon

Capillaires

Sang entrant riche en CO_2 53 mL / 100 mL   Sang sortant pauvre en CO_2 49 mL / 100 mL

3 L'élimination du dioxyde de carbone par les poumons des mammifères.

Comprendre l'élimination de l'urée par le système urinaire

4 **Enfant en train d'uriner.** Le besoin d'uriner se fait sentir en moyenne entre 4 à 6 fois par jour.

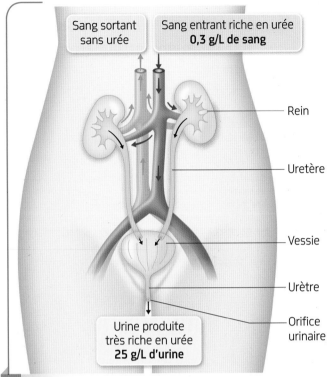

Sang sortant sans urée

Sang entrant riche en urée
0,3 g/L de sang

Rein

Uretère

Vessie

Urètre

Orifice urinaire

Urine produite très riche en urée
25 g/L d'urine

5 **Le système urinaire humain.** Les reins produisent entre 0,5 et 2 L d'urine par jour. L'urine est stockée dans la vessie, dont la capacité est comprise entre 300 mL et 600 mL.

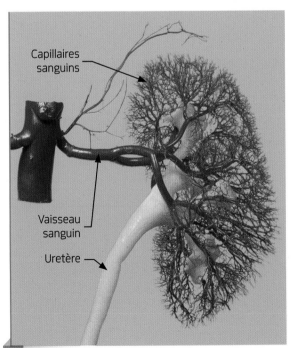

Capillaires sanguins

Vaisseau sanguin

Uretère

6 **Moulage en résine représentant la circulation sanguine et urinaire au niveau d'un rein humain.** La surface de contact entre le sang et l'urine est de 1 m² au total.

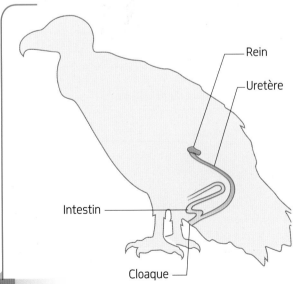

Rein

Uretère

Intestin

Cloaque

7 **L'appareil urinaire des oiseaux.** Chez les oiseaux, l'appareil urinaire ne comporte pas de vessie. Les déchets filtrés par les reins débouchent dans la même cavité que les excréments, c'est le cloaque.

Activité 8

Comment des micro-organismes peuvent-ils modifier la nutrition des animaux ?

➜ **Mettre en évidence** une perturbation de la nutrition par un micro-organisme

Nom de la maladie : paludisme (ou malaria)
Régions où elle sévit : zones intertropicales
Cause : un animal unicellulaire, *Plasmodium*, transmis par la piqûre d'un moustique
Nombre de cas dans le monde : plus de 214 millions en 2015
Nombre de morts : 438 000 en 2015
Symptômes : fièvre, fatigue et troubles digestifs

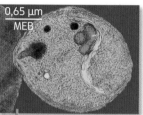

Plasmodium pénétrant dans un globule rouge

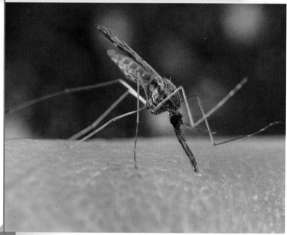

1 **Le moustique, voie de transmission du paludisme.**

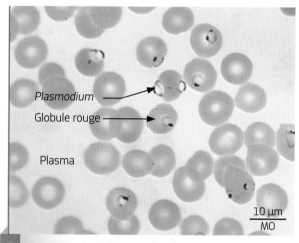

Plasmodium
Globule rouge
Plasma

2 **Sang d'un individu atteint de paludisme.**
Plasmodium pénètre dans les globules rouges. Il s'y multiplie, les faisant éclater.

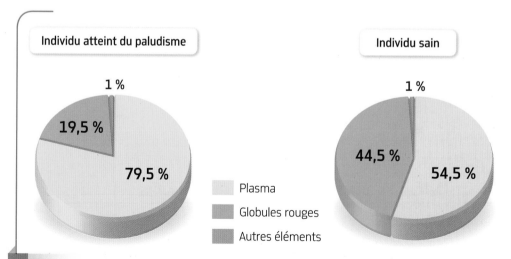

Individu atteint du paludisme
1 %
19,5 %
79,5 %

Individu sain
1 %
44,5 %
54,5 %

Plasma
Globules rouges
Autres éléments

3 **Composition du sang chez un individu sain et chez un individu infecté par le paludisme.**
Les globules rouges assurent le transport du dioxygène indispensable à la nutrition des cellules.

Mettre en évidence **le bénéfice de certains micro-organismes dans la nutrition**

Micro-organisme d'un termite

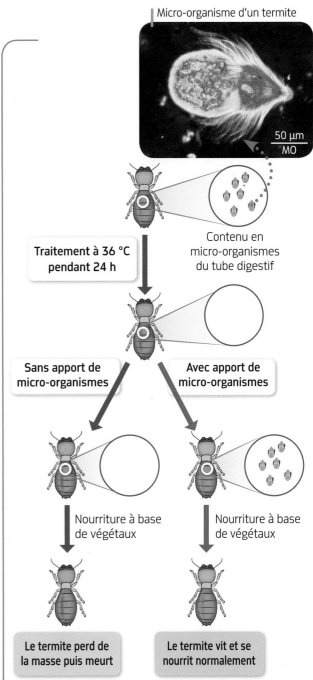

4 **Termites se nourrissant de bois.** Les termites sont des insectes qui vivent en colonies de plusieurs millions d'individus. Ils construisent des termitières qui peuvent atteindre 6 m de haut et 25 m de diamètre à la base. Les termites se nourrissent du bois qu'ils trouvent dans les forêts ou dans les habitations qu'ils envahissent.

50 µm
MO

Contenu en micro-organismes du tube digestif

Traitement à 36 °C pendant 24 h

Sans apport de micro-organismes

Avec apport de micro-organismes

Nourriture à base de végétaux

Nourriture à base de végétaux

Le termite perd de la masse puis meurt

Le termite vit et se nourrit normalement

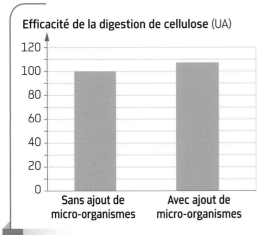

Efficacité de la digestion de cellulose (UA)

120
100
80
60
40
20
0

Sans ajout de micro-organismes

Avec ajout de micro-organismes

5 **Expériences montrant le rôle des micro-organismes dans la nutrition du termite.**

6 **La digestion de la cellulose* chez la vache.** Les végétaux consommés par une vache sont riches en cellulose. Le système digestif d'une vache renferme de très nombreux micro-organismes qui transforment la cellulose en glucose, la vache digère ensuite ces micro-organismes. Certains éleveurs peuvent ajouter à l'alimentation de leur troupeau des compléments contenant des micro-organismes vivants.

DICO SCIENCES

*Cellulose : glucide des cellules végétales.

L'essentiel

par le texte

◦◦◦ Les besoins nutritifs des animaux

> Les animaux doivent produire de l'**énergie** pour assurer le fonctionnement de leur organisme et leur croissance. Pour cela, ils prélèvent de la matière dans leur milieu : c'est la **nutrition**.

> Les besoins des organismes animaux sont liés à ceux de leurs organes : pour fonctionner, les organes utilisent du **dioxygène** et des **nutriments**.

> Les animaux prélèvent le dioxygène dans leur milieu grâce à leur **système respiratoire** : poumons ou trachées en milieu aérien, et branchies en milieu aquatique. Ils prélèvent des aliments qu'ils transforment en nutriments dans leur **système digestif**.

ACTIVITÉS

1 p. 106
2 p. 108
3 p. 110
4 p. 112

◦◦◦ Le rôle de la circulation sanguine dans la nutrition des animaux

> Les éléments nécessaires au fonctionnement des organes animaux passent dans le **sang**, au niveau du système respiratoire pour le dioxygène, et au niveau de l'intestin pour les nutriments. Dans de nombreux groupes comme les mammifères ou les oiseaux, la **circulation du sang**, dans un système clos de vaisseaux sanguins, assure la distribution du dioxygène et des nutriments aux organes. Le sang est mis en mouvement par le **cœur**.

> Dans un organe, les cellules, organisées en tissus, utilisent ces éléments pour produire, au cours d'une **transformation chimique**, de l'énergie nécessaire à leur fonctionnement. Dans les cellules, cette transformation chimique produit des déchets : le **dioxyde de carbone** et l'**urée**, rejetés dans le sang. Grâce à la circulation sanguine, le dioxyde de carbone est éliminé vers le milieu extérieur au niveau du **système respiratoire**. Chez les mammifères, l'urée passe dans l'urine au niveau des **reins**, puis est rejetée dans le milieu extérieur.

ACTIVITÉS

2 p. 109
5 p. 114
6 p. 116
7 p. 118

◦◦• Le rôle des micro-organismes dans la nutrition des animaux

> Certains **micro-organismes** peuvent faciliter ou au contraire perturber la nutrition des animaux. Leur action passe par une modification de l'apport en dioxygène et/ou en nutriments.

ACTIVITÉ

8 p. 120

MOTS-CLÉS

Système respiratoire • Système digestif • Micro-organisme • Nutrition • Réaction chimique • Rein

Nutrition et organisation des animaux
(exemple des mammifères)

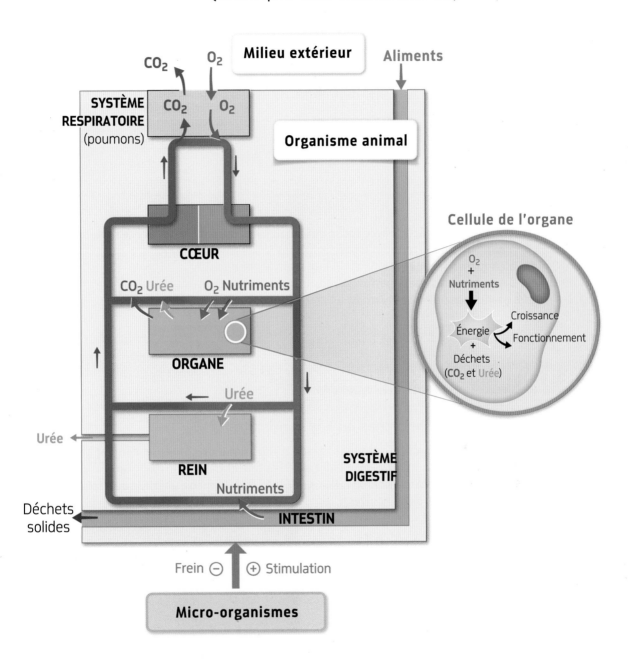

Mon bilan de fin de cycle

> **Pour relier les besoins des cellules animales et le rôle des systèmes de transport dans l'organisme :**
* je présente les éléments nécessaires au fonctionnement des cellules animales et les déchets produits ;
* j'explique comment l'organisme s'approvisionne en ces éléments et comment il élimine les déchets ;
* je décris le trajet de ces éléments depuis leur lieu d'entrée dans l'organisme jusqu'aux cellules qui les consomment.

1 Vrai ou Faux ○○○

	V	F
Les insectes respirent par la bouche.		
Les poumons se terminent par de petits sacs appelés alvéoles.		
Le système digestif comprend de nombreux organes dont l'intestin, le foie et le cœur.		
Les éléments prélevés par un animal dans le milieu extérieur permettent de produire de l'énergie.		
Les mammifères respirent grâce à leurs branchies.		

2 Remue-méninges ○○○

Écrire une phrase avec les mots suivants :

a. sang – air – alvéole pulmonaire

b. nutriment – organe – vaisseau sanguin – dioxygène

c. poumon – autre organe – cœur – sang appauvri en dioxygène – sang riche en dioxygène

3 QCM ○○○

Cocher la bonne affirmation.

Certains animaux sont en interaction avec des micro-organismes qui ont une influence sur leur nutrition :

❏ Ces micro-organismes nuisent toujours à la nutrition des animaux.

❏ Ces micro-organismes facilitent toujours la nutrition des animaux.

❏ Ces micro-organismes facilitent parfois la nutrition des animaux.

❏ Ces micro-organismes ne nuisent jamais à la nutrition des animaux.

JE TESTE *mes compétences*

4 Communiquer sur ses démarches en argumentant ○○○

Les grenouilles sont des animaux qui respirent grâce à leurs poumons, mais également grâce à leur peau. En effet, le dioxygène de l'air traverse leur peau très fine et passe dans leur sang.

Une grenouille de l'espèce *Barbourula kalimantanensis* de la forêt de Bornéo a un mode de respiration différent de celui des autres espèces de grenouilles.

Des expériences ont été menées afin de comprendre en quoi cette respiration est originale.

Grenouille de Bornéo

Espèce / Organe	Grenouille verte	Grenouille de Bornéo
cœur	présence	présence
poumons	présence	absence
Intestins	présence	présence
reins	présence	présence

1 Comparaison de l'anatomie de deux espèces de grenouille.

➡ **Exploiter** les documents pour expliquer en quoi le mode de respiration de la grenouille de la forêt de Bornéo est original.

Membrane imperméable — Eau de chaux troublée

Grenouille Verte — Grenouille de Bornéo

2 Expériences sur la respiration chez deux espèces de grenouille. Les gaz ne traversent pas la membrane imperméable.

5 Proposer une hypothèse pour résoudre un problème ○ ● ○

La maladie bleue apparaît dès la naissance : le nouveau-né, lorsqu'il s'agite, présente une peau d'un aspect bleuté, notamment au niveau du visage et des lèvres. Cette coloration traduit un défaut de l'oxygénation du sang, à l'origine d'une mauvaise oxygénation des organes.

➡ **Expliquer** l'origine du défaut de l'oxygénation du sang des enfants atteints de la maladie bleue.

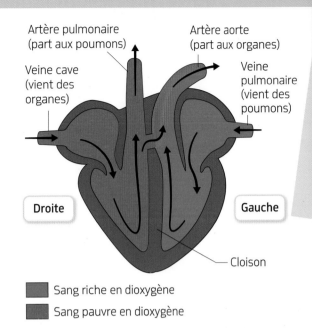

Artère pulmonaire (part aux poumons)

Artère aorte (part aux organes)

Veine cave (vient des organes)

Veine pulmonaire (vient des poumons)

Droite

Gauche

Cloison

■ Sang riche en dioxygène

■ Sang pauvre en dioxygène

1 Schéma d'une coupe de cœur d'un enfant atteint de maladie bleue.

6 Lire et exploiter des données ○ ○ ●

La sangsue est un animal qui aspire le sang de ses proies. Dans son système digestif, le sang aspiré est digéré en nutriments, utilisables par les cellules de la sangsue. Son système digestif contient certaines bactéries appelées *Aeromonas*.

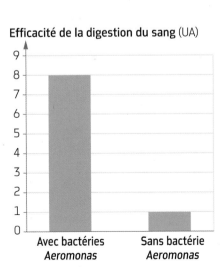

Efficacité de la digestion du sang (UA)

2 Efficacité de la digestion du sang dans l'intestin d'une sangsue.

1 Une sangsue se nourrissant du sang d'un poisson.

➡ **Montrer** l'intérêt de la présence de bactéries *Aeromonas* dans le système digestif de la sangsue.

Nutrition des plantes

Je réactive mes connaissances

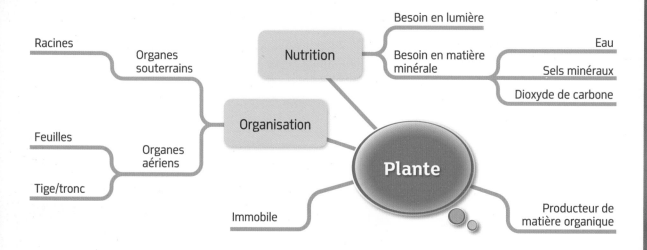

Mes objectifs de fin de cycle

> Relier, à l'échelle de l'organisme et à l'échelle des cellules :
  • les besoins des végétaux chlorophylliens
  • les lieux de production, de prélèvement et de stockage de matière
  • les systèmes de transport de cette matière

Activités

1 Localisation de la production de matière organique dans le végétal
2 Le prélèvement du dioxyde de carbone de l'air
3 Le prélèvement de l'eau et des sels minéraux dans le sol
4 L'utilisation de la matière organique
5 Des flux de matières dans la plante
6 Un exemple de nutrition en lien avec des micro-organismes

et organisation

Puppy, 1992. Jeff Koons
Acier inoxydable, terreau et plantes en fleur.
1 234,4 × 1 234,4 × 650,2 cm
Musée Guggenheim, Bilbao, Espagne.

Cette sculpture végétale de la fin du XXe siècle (artiste né en 1955) représente un chiot, de race west highland terrier. Elle se trouve à l'extérieur du musée, comme si ce chiot en était le gardien. Des plantes et des fleurs remplissent sa structure, dotée d'un système d'irrigation.

1

Comment montrer que la matière organique est produite dans les feuilles d'une plante ?

Vérifier expérimentalement que la matière organique est produite dans les feuilles

Échelle
des organes

Cache
opaque

1 **Une expérience pour localiser la production de la matière organique.** Un plant de pélargonium est placé plusieurs heures à la lumière, paramètre indispensable à la production d'**amidon*** par **photosynthèse***. Le pélargonium possède des feuilles panachées : elles sont vertes seulement en leur centre. Sur une feuille, on pose un cache, opaque à la lumière. Un autre plant de pélargonium est placé à l'obscurité.

Feuille avec cache, éclairée

Feuille à l'obscurité

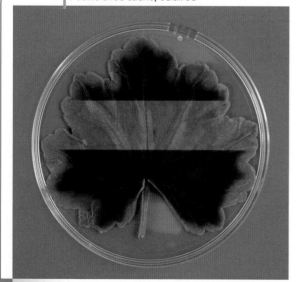
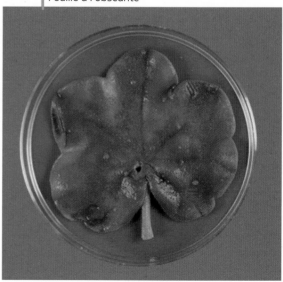

2 **Aspect des feuilles de pélargonium après traitement et immersion dans de l'eau iodée.** Une feuille de chaque plant du document 1 a été prélevée, puis traitée. Les deux feuilles ont ensuite été immergées quelques minutes dans un réactif : l'eau iodée. L'eau iodée permet de mettre en évidence l'amidon : elle colore en bleu-noir les zones possédant de l'amidon.

Identifier la zone de production de la matière organique à l'échelle cellulaire

Échelle cellulaire

EXPÉRIENCE

L'élodée du Canada est un végétal aquatique. Ses feuilles, particulièrement fines, constituent un matériel de choix pour observer leur structure au microscope.

Protocole

- Placer une élodée du Canada à l'obscurité et une autre plusieurs heures à la lumière.
- Couper avec des ciseaux une fine feuille de chaque élodée du Canada.
- Déposer chaque feuille sur une lame.
- Ajouter une goutte d'eau sur chaque préparation puis les recouvrir d'une lamelle.
- Observer les préparations au microscope.
- Refaire les mêmes préparations après avoir laissé les feuilles 5 minutes dans de l'eau iodée.

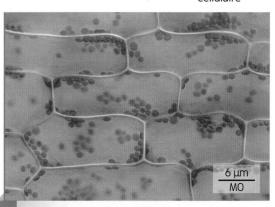

6 µm / MO

3 **Observation microscopique d'une feuille d'élodée placée à la lumière.** La feuille d'élodée placée à l'obscurité présente le même aspect.

Lumière

Obscurité

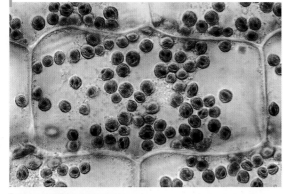
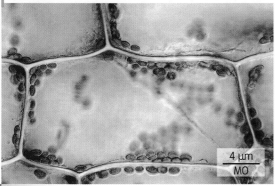

4 µm / MO

4 **Observation microscopique des feuilles d'élodée après un séjour dans l'eau iodée.**

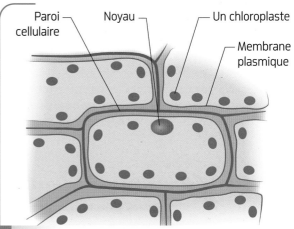

Paroi cellulaire — Noyau — Un chloroplaste — Membrane plasmique

5 **Organisation d'une feuille d'élodée à l'échelle cellulaire.** Dans un **organe***, il existe de nombreuses cellules de types différents. Celles qui ont les mêmes caractéristiques constituent un **tissu***. Les cellules végétales sont délimitées par une paroi cellulaire rigide. Dans les organes verts, leur cytoplasme renferme de nombreux petits « compartiments » verts, les chloroplastes.

DICO · SCIENCES

- ***Amidon** : substance constituant la matière organique, qui appartient à la famille des glucides (sucres).
- ***Organe** : ensemble bien délimité de plusieurs tissus.
- ***Photosynthèse** : production de matière organique par une plante placée à la lumière.
- ***Tissu** : ensemble de cellules qui ont la même organisation et la même fonction.

Activité 2

Par où le dioxyde de carbone nécessaire à la production de matière organique entre-t-il dans la plante ?

Déterminer expérimentalement l'organe permettant l'entrée du dioxyde de carbone (CO_2)

Échelle des organes

1 **Dispositif expérimental pour savoir par quel organe le CO_2 entre dans la plante.** On réalise une expérimentation assistée par ordinateur (ExAO) qui consiste à mesurer, pendant plusieurs minutes, la teneur en dioxyde de carbone de l'air d'une enceinte éclairée. Les mesures sont faites avec une enceinte contenant des fragments de feuilles, puis des fragments de racines. Une enceinte vide sert de témoin.

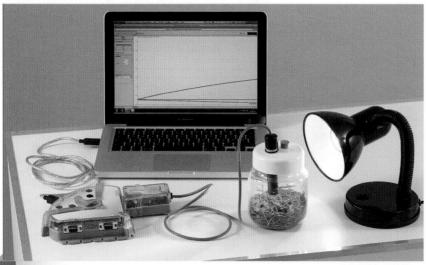

Teneur en dioxyde de carbone de l'air de l'enceinte (%)

- Fragments de racine
- Enceinte vide
- Fragments de feuilles

Temps (minute)

2 **Résultats de l'ExAO.**

Nombre moyen de feuilles à l'arbre

1 an — 2 ans

3 **Évolution du nombre de feuilles chez un acacia.** Des acacias âgés d'un an ont été plantés. Leur nombre de feuilles, un an plus tard, a été multiplié par près de 26, ce qui représente une surface d'environ 9 m².

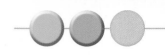

Formuler et tester une hypothèse sur le lieu d'entrée du CO₂ à l'échelle cellulaire

Échelle cellulaire

EXPÉRIENCE

Afin d'observer les structures d'une feuille qui permettent l'entrée de dioxyde de carbone dans la plante, il est possible de réaliser une observation de l'**épiderme***
d'une feuille de tulipe.

Protocole

- Réaliser une incision dans la feuille d'une tulipe.
- À l'aide d'une pince fine, prélever une couche très fine de l'épiderme de la feuille, en commençant à l'endroit de l'incision.
- Déposer le fragment d'épiderme sur une lame (face supérieure sur le dessus) et ajouter une goutte d'eau.
- Recouvrir d'une lamelle et observer au microscope.

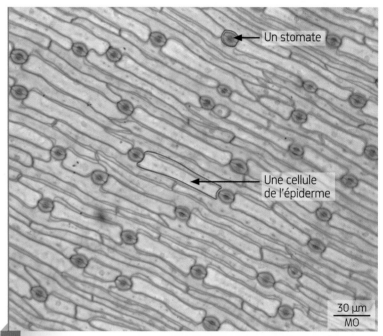

Un stomate

Une cellule de l'épiderme

$\frac{30\ \mu m}{MO}$

4 **La face supérieure de l'épiderme* d'une feuille de tulipe.**

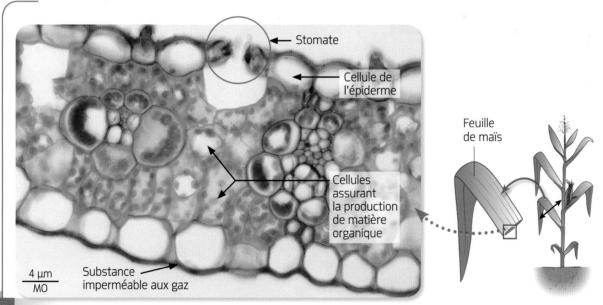

Stomate

Cellule de l'épiderme

Cellules assurant la production de matière organique

Feuille de maïs

$\frac{4\ \mu m}{MO}$

Substance imperméable aux gaz

5 **Une feuille de maïs, en coupe transversale.** Un stomate est constitué d'une ouverture entourée par deux cellules.

DICO SCIENCES

***Épiderme** : chez un végétal, couche de cellules qui recouvre la surface des organes.

Activité

3

Par où l'eau et les sels minéraux, nécessaires à la production de matière organique, entrent-ils dans la plante ?

↳ **Déterminer l'organe permettant l'entrée de l'eau et des sels minéraux**

Échelle des organes

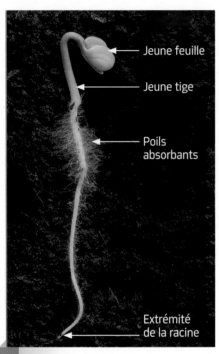

Jeune feuille

Jeune tige

Poils absorbants

Extrémité de la racine

1 **Une jeune plante.** Lors de la germination, une jeune plante, appelée plantule, se développe à partir d'une graine. En quelques jours, une zone de la racine se couvre de poils absorbants.

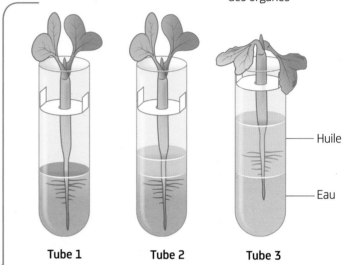

Tube 1   Tube 2   Tube 3

Huile

Eau

2 **Mise en évidence du lieu de prélèvement de l'eau et des sels minéraux par une jeune plante.** Le flétrissement* est lié à un manque d'eau. Les sels minéraux étant dissous* dans l'eau, une plante qui prélève de l'eau prélève également des sels minéraux.

Longueur totale des racines mises bout à bout	622 km
Nombre de poils absorbants	14 milliards
Longueur totale des poils absorbants mis bout à bout	10 620 km
Surface de contact entre les poils absorbants et le sol	400 m²

3 Quelques caractéristiques racinaires d'un plant de seigle.

Compétence

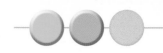

Observer **le lieu d'entrée de l'eau et des sels minéraux à l'échelle cellulaire**

Échelle
cellulaire

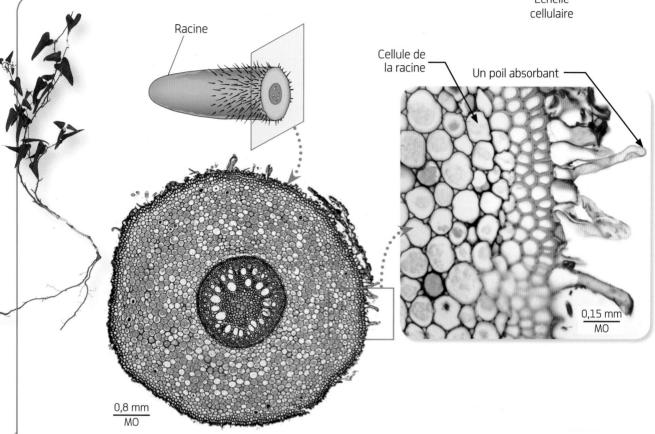

Racine

Cellule de
la racine

Un poil absorbant

0,15 mm
MO

0,8 mm
MO

4 **Une racine d'un jeune plant
de salsepareille, en coupe transversale.**

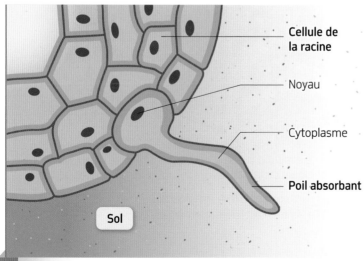

Cellule de
la racine

Noyau

Cytoplasme

Poil absorbant

Sol

5 **Croquis d'interprétation d'une racine
au niveau d'un poil absorbant.**

DICO SCIENCES

* **Dissous dans l'eau** : se dit
d'une substance présente dans
l'eau mais non visible.
* **Flétrissement** : perte de rigidité des organes d'une plante,
suite à un manque d'eau.

Activité

4

Que devient la matière organique produite par la plante ?

Découvrir ce que devient la matière organique à l'échelle de la plante

Échelle
des organes

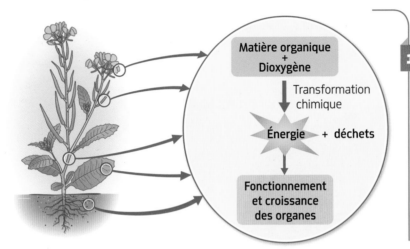

Matière organique
+
Dioxygène

Transformation
chimique

Énergie + déchets

Fonctionnement
et croissance
des organes

1 Utilisation de la matière organique pour le fonctionnement des organes.
Dans tous les organes d'une plante (feuilles, racines, tige, fleurs, fruits, etc.), une partie de la matière organique produite est utilisée, avec le dioxygène de l'air, pour libérer de l'énergie. Cette énergie est indispensable au fonctionnement des organes de la plante et à la croissance des feuilles ou celle des racines.

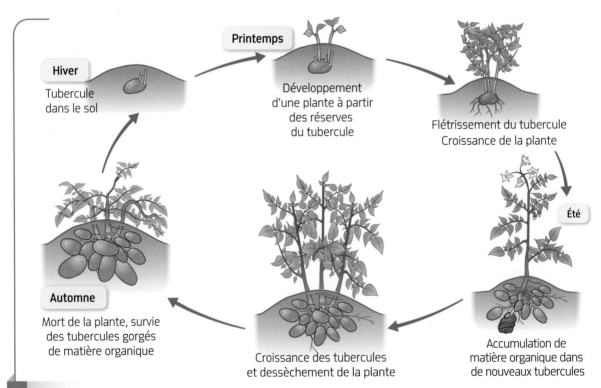

Printemps

Hiver
Tubercule
dans le sol

Développement
d'une plante à partir
des réserves
du tubercule

Flétrissement du tubercule
Croissance de la plante

Été

Automne
Mort de la plante, survie
des tubercules gorgés
de matière organique

Croissance des tubercules
et dessèchement de la plante

Accumulation de
matière organique dans
de nouveaux tubercules

2 Le cycle de vie de la pomme de terre. Le tubercule* de la pomme de terre est gorgé de matière organique. Cet organe de réserve permet la survie de la plante durant l'hiver. Au printemps, les réserves du tubercule sont utilisées pour la croissance de la plante.

DICO SCIENCES

*Protéine : substance riche en azote constituant la matière organique.
*Tubercule : organe souterrain de certaines plantes, riche en matière organique, capable de résister à l'hiver.

Échelle
cellulaire

Découvrir ce que devient la matière organique à l'échelle cellulaire

EXPÉRIENCE

On peut observer la matière organique d'un morceau de tubercule de pomme de terre.

Protocole
- Réaliser une coupe très fine à l'extrémité d'un cube de pomme de terre crue.
- Déposer la coupe sur une lame, verser une goutte d'eau iodée et recouvrir d'une lamelle.
- Observer au microscope.

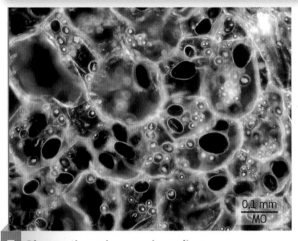

3 **Observation microscopique d'une coupe de tubercule de pomme de terre, colorée à l'eau iodée.** L'eau iodée colore en bleu-noir les zones riches en amidon.

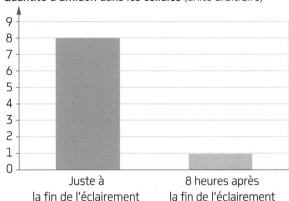

Quantité d'amidon dans les cellules (unité arbitraire)

Juste à la fin de l'éclairement : 8

8 heures après la fin de l'éclairement : 1

4 **Teneur en amidon de cellules de feuilles.** Un plant de pomme de terre a été éclairé plusieurs heures. On mesure la quantité d'amidon dans les cellules de ses feuilles à deux moments : juste à la fin de l'éclairement ou 8 h après.

Amas de matière organique dans la cellule

0,03 mm
MO

5 **Stockage d'une autre forme de matière organique dans des graines.** Le ricin commun se reproduit grâce à des graines, toxiques, contenues dans ses fruits. Les cellules de la graine de ricin contiennent des réserves de matière organique, notamment des **protéines***. Ces réserves sont utilisées lors de la germination.

Comment les matières prélevées par les racines et produites par les feuilles circulent-elles dans la plante ?

➜ **Mettre en évidence** une circulation de matières dans la plante

Échelle
des organes

1 **Récolte de la sève brute de bouleau.** On peut récolter un liquide, la sève brute, après avoir entaillé l'arbre. La sève brute du bouleau peut ensuite être consommée.

2 **Le recueil de la sève élaborée.** Le puceron est un insecte qui se nourrit en piquant le végétal. Il enfonce son **stylet*** dans la plante et absorbe un liquide appelé sève élaborée. En coupant le stylet, la sève élaborée s'écoule en petite quantité et peut être analysée.

Stylet

Sève Constituant	Brute	Élaborée
Eau	99 %	80 %
Sels minéraux	1 %	5 %
Matière organique	Rare	15 %

3 **Composition de la sève brute et de la sève élaborée.** Toutes les plantes possèdent les deux types de sève.

4 **Mise en évidence d'une circulation de matière dans la plante.** Un poireau, dont la base a été sectionnée, est mis dans un récipient contenant un colorant rouge. Quelques heures plus tard, on en observe une coupe.

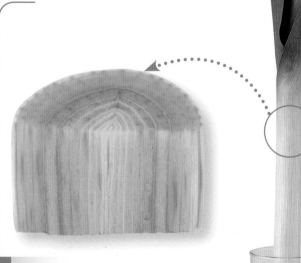

Observer des systèmes assurant la circulation des matières dans la plante

EXPÉRIENCE

Une tige de céleri a été placée quelques jours dans un récipient contenant un liquide coloré.

Protocole

• Couper un morceau de la tige du céleri d'environ 1 cm de longueur.
• Repérer les fibres colorées et retirer une fibre à l'aide d'une pince.
• Déposer la fibre sur une lame et **dilacérer*** la fibre avec une aiguille.
• Ajouter une goutte d'eau et recouvrir d'une lamelle.
• Observer au microscope.

Échelle
cellulaire

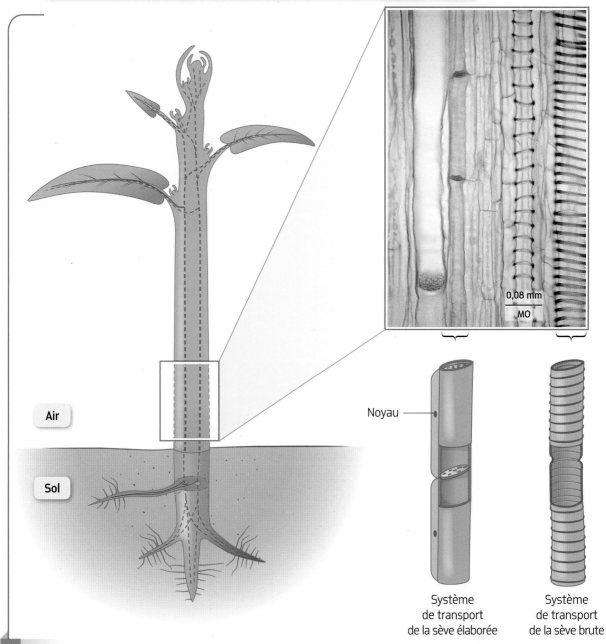

Air

Sol

0,08 mm

MO

Noyau

Système
de transport
de la sève élaborée

Système
de transport
de la sève brute

5 **La circulation des sèves dans une plante.** Chaque sève est prise en charge par un système de transport spécifique, constitué d'une superposition de cellules.

Activité

6

J'enquête

Kenza parle avec un jardinier en train d'appliquer de la bouillie bordelaise sur un cerisier. Il lui explique que cela détruit les microbes responsables de maladies chez le végétal. Kenza se demande alors s'il existe des microbes qui procurent un bénéfice aux plantes.

CONSIGNE > **Expliquer à Kenza qu'il existe des micro-organismes bénéfiques à certaines plantes**

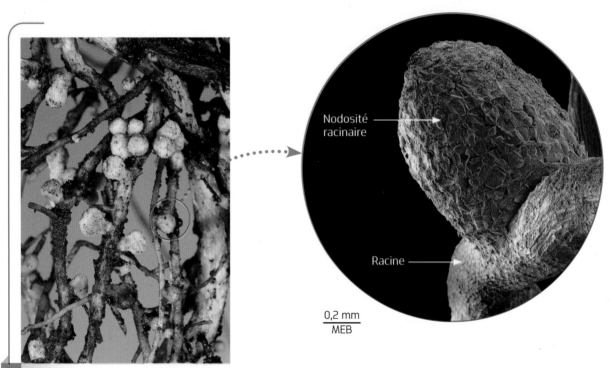

0,2 mm
MEB

1 **Nodosités sur les racines d'une plante.** Les racines de certains végétaux possèdent de petites excroissances : ce sont des nodosités.

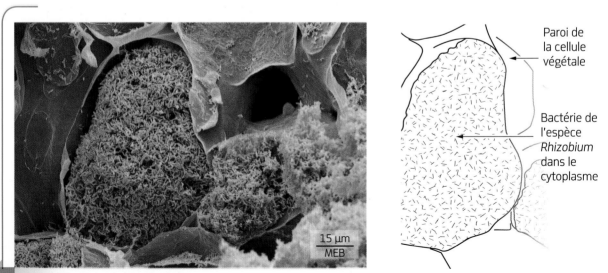

15 µm
MEB

Paroi de la cellule végétale

Bactérie de l'espèce *Rhizobium* dans le cytoplasme

2 **Le tissu végétal d'une nodosité.** Le cytoplasme des cellules végétales d'une nodosité renferme de nombreuses bactéries (*Rhizobium*). Ces bactéries, naturellement présentes dans le sol, pénètrent dans la racine qui se déforme : une nodosité apparaît.

3 **Une expérimentation menée sur trois parcelles semées de graines de lupin.**

On sème la même quantité de graines de lupin sur trois parcelles, initialement dépourvues de bactéries *Rhizobium*. La parcelle 1 ne subit aucun traitement. La parcelle 2 est **inoculée*** par la bactérie *Rhizobium*, permettant la formation de nodosités sur les végétaux de la parcelle. La parcelle 3 reçoit un engrais azoté. Plusieurs semaines après germination et croissance des plantes, on mesure la quantité de graines produites dans chaque parcelle. La quantité de graines récoltées permet de mesurer la production de matière organique.

Champ de lupin jaune
(*Lupinus luteus*)

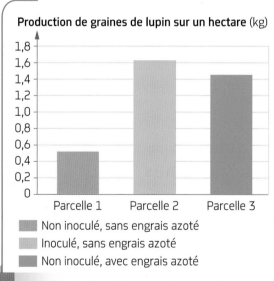

Production de graines de lupin sur un hectare (kg)

Non inoculé, sans engrais azoté
Inoculé, sans engrais azoté
Non inoculé, avec engrais azoté

4 **Résultats de l'expérimentation menée dans trois parcelles semées de lupin (doc 3).**

NH_4^+

Favorise la production de matière organique

Lumière

N_2

Bactérie *Rhizobium*
$N_2 \longrightarrow NH_4^+$

Plante
Production de matière organique

Matière minérale

Meilleure croissance

Matière organique

5 **L'association entre les bactéries *Rhizobium* et la plante.** Pour produire les protéines, les végétaux ont besoin d'**azote*** contenu dans l'ion ammonium NH_4^+. Les bactéries *Rhizobium* peuvent convertir le diazote N_2 de l'air du sol en ammonium, puis le fournir à la plante. En retour, la plante fournit aux bactéries des molécules organiques qui stimulent leur croissance. L'association des cellules végétales et des bactéries, dans les nodosités, procure ainsi un avantage à chacun des partenaires : c'est une **symbiose***.

DICO SCIENCES

* **Azote** : élément chimique de symbole N (son ancien nom était *nitrogenium*).
* **Inoculer** : introduire volontairement un micro-organisme dans un milieu.
* **Symbiose** : association durable entre deux espèces dans laquelle chaque partenaire trouve un avantage.

L'essentiel

par le texte

⬤○○○ La nutrition des plantes à l'échelle de l'organisme

> Les plantes chlorophylliennes sont des organismes qui réalisent la **photosynthèse** : elles produisent, en présence de lumière, leur **matière organique** au niveau d'organes chlorophylliens tels que les **feuilles**. Pour cela, les feuilles prélèvent le **dioxyde de carbone** de l'air. Les plantes ont également besoin d'eau et de sels minéraux qu'elles puisent dans le sol par leurs **racines**.

> L'eau et les sels minéraux prélevés par les racines atteignent les feuilles en circulant dans la **sève brute**, grâce à un **système de transport**. Une partie de la matière organique produite dans les feuilles atteint des **organes de réserve**, en circulant dans la **sève élaborée** grâce à d'autres vaisseaux. Cette matière organique sera nécessaire pour le développement de certaines plantes, à partir d'un organe de réserve, l'année suivante.

ACTIVITÉS
1 p. 128
2 p. 130
3 p. 132
4 p. 134
5 p. 136

⬤⬤○○ La nutrition des plantes à l'échelle des cellules

> Au niveau des feuilles, le dioxyde de carbone entre par les **stomates**. Les racines prélèvent l'eau du sol grâce à leurs très nombreux **poils absorbants**. Feuilles et poils absorbants permettent de prélever les éléments nécessaires à la **photosynthèse**, qui se déroule dans les cellules chlorophylliennes des feuilles. La photosynthèse permet le stockage, en journée, de matière organique dans les **chloroplastes** des cellules chlorophylliennes.

> La **sève brute** est composée d'eau et de sels minéraux. Elle est issue des racines et circule vers les feuilles dans un système de transport constitué d'un enchaînement de cellules. La **sève élaborée** est constituée de matière organique et d'eau. Elle est issue des feuilles et circule vers les parties non chlorophylliennes dans un autre système de transport composé d'un enchaînement de cellules.

ACTIVITÉS
1 p. 129
2 p. 131
3 p. 133
4 p. 135
5 p. 137

⬤⬤⬤○ La nutrition en lien avec des micro-organismes

> Chez certaines plantes, des bactéries s'associent aux racines, formant des **nodosités**. Les bactéries permettent à la plante un meilleur approvisionnement en azote, et la plante fournit aux bactéries des molécules organiques. Cela permet une meilleure croissance de la plante et un meilleur développement des bactéries. Cette association confère un avantage aux deux partenaires : c'est une **symbiose**.

ACTIVITÉ
6 p. 138

MOTS-CLÉS

Stomate • Poil absorbant • Nodosité • Symbiose

par l'image

Nutrition et organisation des plantes

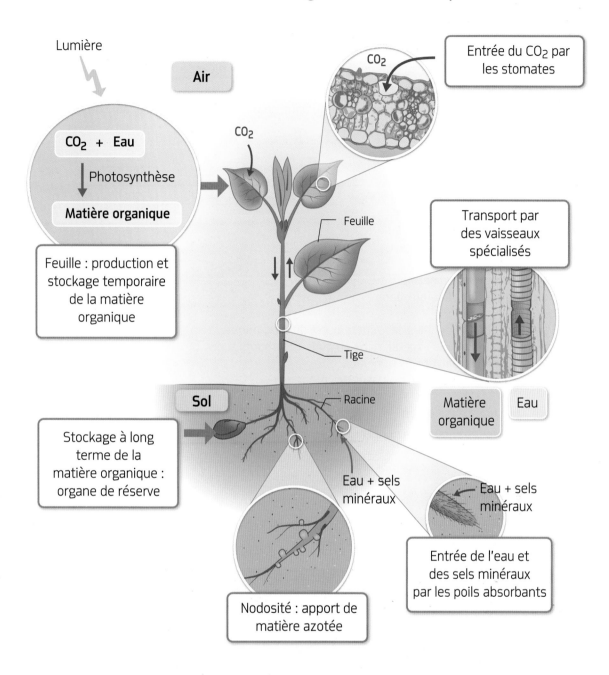

Lumière

Air

CO_2 + Eau

↓ Photosynthèse

Matière organique

Feuille : production et stockage temporaire de la matière organique

CO₂

CO₂

Entrée du CO_2 par les stomates

Feuille

Transport par des vaisseaux spécialisés

Tige

Sol

Racine

Matière organique

Eau

Stockage à long terme de la matière organique : organe de réserve

Eau + sels minéraux

Eau + sels minéraux

Entrée de l'eau et des sels minéraux par les poils absorbants

Nodosité : apport de matière azotée

Mon bilan de fin de cycle

Attendus

> **Pour relier les besoins des cellules d'une plante chlorophyllienne et les lieux de production ou de prélèvement de matière :**
• je repère les organes et, à l'intérieur, les cellules qui prélèvent le CO_2, l'eau et les sels minéraux.

> **Pour relier les lieux de production ou de prélèvement de matière, de stockage et les systèmes de transport :**
• j'explique que l'eau et sels minéraux prélevés dans le sol circulent dans des vaisseaux, faits de cellules, pour atteindre les feuilles où ils sont utilisés ;
• j'explique qu'une partie de la matière organique produite dans les feuilles circule dans d'autres vaisseaux, pour atteindre les organes où elle est stockée.

1 Connaître le vocabulaire spécifique du chapitre ●○○

Associer le mot à la définition qui lui correspond :

a. Feuille

b. Racine

c. Organe de réserve

d. Système de transport

1. Tube dans lequel se déplace la sève brute ou élaborée

2. Organe permettant l'entrée du dioxyde de carbone dans la plante

3. Organe permettant de prélever l'eau et les sels minéraux

4. Organe végétal, riche en matière organique, capable de résister en hiver

2 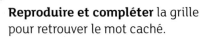 MOT CACHÉ ○●○

Reproduire et compléter la grille pour retrouver le mot caché.

a : liquide circulant dans une plante.

b : compartiment vert dans une cellule végétale où la matière organique est produite.

c : quand il est absorbant, il permet l'entrée d'eau et de sels minéraux dans la plante.

d : celle produite dans les feuilles des végétaux est dite organique.

e : organe souterrain chez un végétal, riche en poils absorbants.

f : type de sève riche en eau et sels minéraux.

g : élément de base qui constitue les tissus des organes.

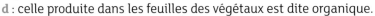

3 Restituer une connaissance ○○●

Expliquer en quelques phrases en quoi l'association entre certaines plantes et des bactéries est une symbiose.

JE TESTE *mes compétences*

4 Interpréter des résultats ●○○

Une plante est placée à la lumière. Une partie d'une feuille reçoit du dioxyde de carbone radioactif. Le CO_2 radioactif permet la production de matière organique radioactive. Quelques heures plus tard, on recherche la radioactivité dans l'ensemble de la plante.

➜ **Utiliser** le document pour montrer qu'il existe un mouvement de matière dans la plante.

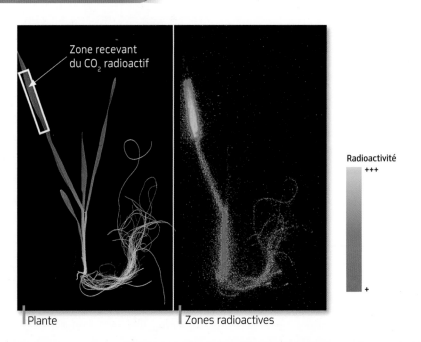

Zone recevant du CO_2 radioactif

Radioactivité
+++

+

Plante | Zones radioactives

5 Proposer une hypothèse ○●○

Quantité de dioxyde de carbone entrant (UA)

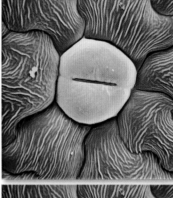

1 Évolution de l'entrée de dioxyde de carbone dans un végétal en fonction des heures de la journée.

➡ **Préciser** à quel(s) moment(s) de la journée la quantité de dioxyde de carbone qui entre dans une plante est maximale et à quel(s) moment(s) elle est minimale.

➡ **Proposer** une hypothèse sur le mécanisme permettant de modifier la quantité de dioxyde de carbone entrant dans la plante.

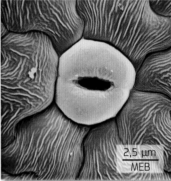

2,5 μm
MEB

2 Aspect du même stomate à deux moments de la journée.

6 Interpréter des résultats ○○●

De nombreux végétaux ont des racines associées à des filaments d'un champignon, les filaments mycéliens. Dans cette association, appelée mycorhize, le champignon récupère des substances organiques élaborées par la plante.

Hauteur des frênes (cm)

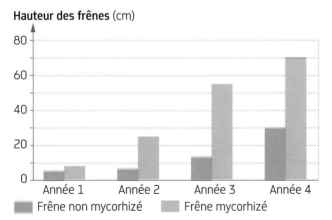

■ Frêne non mycorhizé   ■ Frêne mycorhizé

1 Résultats d'une étude menée sur des arbres (frênes). De jeunes frênes sont répartis en deux groupes dont un est inoculé par un champignon mycorhizien. On mesure régulièrement la hauteur des arbres.

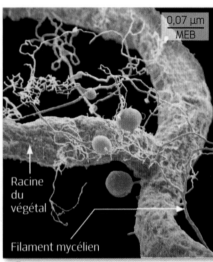

0,07 μm
MEB

Racine du végétal

Filament mycélien

2 Une racine d'un végétal associée à des filaments d'un champignon.

➡ En utilisant ses connaissances et les documents, **montrer** que les mycorhizes procurent un avantage aux frênes.

Reproduction dynamique

Je réactive mes connaissances

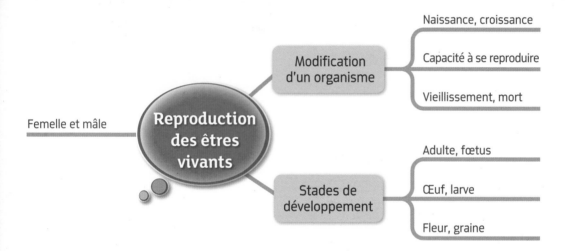

Reproduction des êtres vivants

Femelle et mâle

Modification d'un organisme
- Naissance, croissance
- Capacité à se reproduire
- Vieillissement, mort

Stades de développement
- Adulte, fœtus
- Œuf, larve
- Fleur, graine

Mes objectifs de fin de cycle

> Relier des éléments de biologie de la reproduction sexuée et asexuée des êtres vivants et l'influence du milieu sur la survie des individus, à la dynamique des populations.

Activités

1 Les caractéristiques de la reproduction sexuée

2 La reproduction sexuée dans différents milieux de vie

3 La reproduction sexuée chez les plantes à fleurs

4 Le rapprochement des gamètes et des individus

5 Les caractéristiques de la reproduction non sexuée

6 Les conditions favorisant la reproduction sexuée

7 Reproduction et transmission du patrimoine génétique

sexuée et asexuée : des populations

Panneau de six carreaux à décor floral.
Céramique, XVIᵉ siècle, Turquie.

Dès le XVIᵉ siècle, la ville d'Iznik, en Turquie, assure
la production de nombreuses pièces de céramique.
Cet ensemble de six carreaux suggère que les végétaux
représentés, cerisiers, jacinthes et tulipes, peuvent
se reproduire et envahir leur milieu.

1

Comment les scientifiques ont-ils découvert les caractéristiques de la reproduction sexuée ?

➥ **Situer** dans le temps l'état des connaissances sur la reproduction sexuée

UNE THÉORIE DOMINE : SÉMINISME	DEUX THÉORIES S'OPPOSENT : OVISME ET ANIMALCULISME	

−400 | 1600 | 1667 | 1677 | 1700 | 1768

Hippocrate
Séminisme : chaque parent émet une semence dont la réunion donne naissance au nouvel être vivant.

1667 : Nicolas Sténon (1638-1686, Hollande)
Ovisme : l'œuf (ovule) contient tous les organes du futur être vivant, mais en miniature. La semence mâle n'a qu'un rôle réduit.

1677 : Antoni van Leeuwenhoek (1632-1723, Hollande)
Animalculisme : la semence mâle renferme des animalcules (spermatozoïdes) contenant un être vivant miniature. Le rôle de la mère est limité au développement de cet être.

Travaux de Lazzaro Spallanzani

1 L'évolution des connaissances sur la reproduction.

Représentation d'un spermatozoïde en 1694

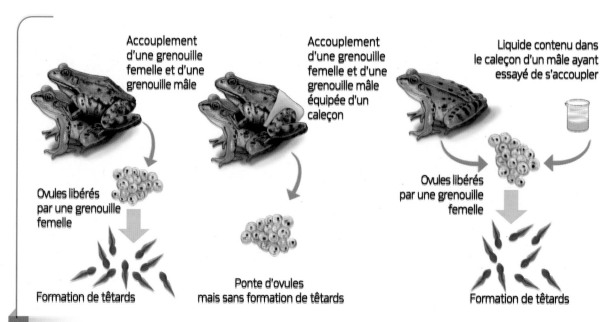

Accouplement d'une grenouille femelle et d'une grenouille mâle

Accouplement d'une grenouille femelle et d'une grenouille mâle équipée d'un caleçon

Liquide contenu dans le caleçon d'un mâle ayant essayé de s'accoupler

Ovules libérés par une grenouille femelle

Ovules libérés par une grenouille femelle

Formation de têtards

Ponte d'ovules mais sans formation de têtards

Formation de têtards

2 **Les expériences scientifiques de Spallanzani.** En 1768, Lazzaro Spallanzani réalise des expériences sur des grenouilles afin de préciser le rôle de la femelle et celui du mâle dans la reproduction. Lors de l'accouplement, la grenouille femelle libère des **gamètes*** femelles, les ovules, que le mâle arrose de son **sperme***.

Réfléchir sur des observations actuelles

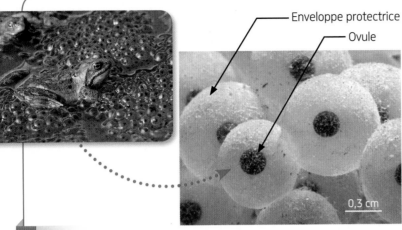

Enveloppe protectrice

Ovule

0,3 cm

3 **Ponte d'une grenouille rousse femelle.** Une ponte de grenouille contient de nombreux **gamètes*** femelles, les ovules, entourés par une enveloppe protectrice. Un ovule ne renferme pas de nouvel individu.

6 µm
MO

4 **Spermatozoïde d'une grenouille mâle, observé au microscope.** Le sperme d'une grenouille mâle est un liquide qui contient plusieurs millions de gamètes mâles, les spermatozoïdes.

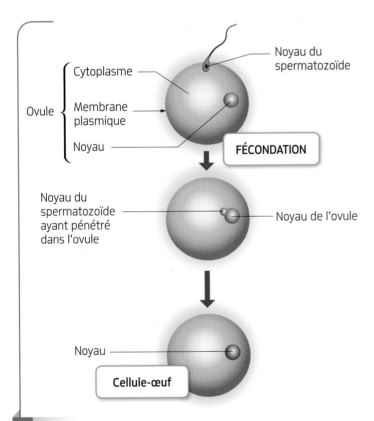

Noyau du spermatozoïde

Cytoplasme

Ovule {
Membrane plasmique

Noyau

FÉCONDATION

Noyau du spermatozoïde ayant pénétré dans l'ovule

Noyau de l'ovule

Noyau

Cellule-œuf

5 **La formation de la cellule-œuf, première cellule du futur individu.** Lorsque le mâle dépose son sperme sur la ponte de la femelle, les gamètes mâles et femelles s'unissent : il y a fécondation. La fécondation aboutit à la formation d'une cellule-œuf. Les spermatozoïdes contenus dans le sperme participent donc, avec l'ovule, à la formation du nouvel individu.

0,25 cm

6 **Embryons* de grenouille, quatorze jours après la fécondation.** Une fois formée, la cellule-œuf évolue et devient un embryon.

DICO SCIENCES

***Embryon** : nom donné au futur individu dans les premiers stades de son développement.
***Gamète** : cellule reproductrice.
***Sperme** : liquide produit par l'individu mâle, contenant des spermatozoïdes.

Comment la reproduction sexuée s'effectue-t-elle dans différents milieux de vie ?

Réaliser une reproduction sexuée en milieu aquatique

1 **Un oursin, dans son milieu de vie.**
Dans la nature, chaque individu adulte, mâle et femelle, libère plusieurs millions de gamètes dans son milieu de vie : l'eau de mer.

EXPÉRIENCE

Afin d'observer une reproduction sexuée, on renverse des oursins sur un bécher rempli d'eau de mer : ils libèrent leurs gamètes.

Protocole
- Prélever à l'aide d'une pipette le liquide blanc libéré par l'oursin mâle.
- Déposer une goutte de ce liquide entre lame et lamelle.
- Observer au microscope.
- Recommencer avec la substance orangée libérée par l'oursin femelle.
- Mélanger les deux substances et observer au microscope.

Ovule d'oursin — 55 µm MO

Spermatozoïdes d'oursin — 55 µm MO

2 **L'émission des gamètes par les oursins.**

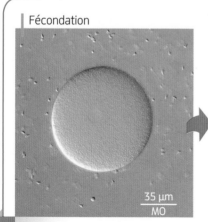

Fécondation — 35 µm MO

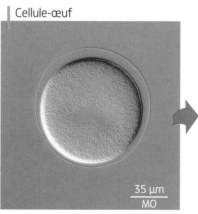

Cellule-œuf — 35 µm MO

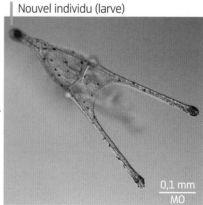

Nouvel individu (larve) — 0,1 mm MO

3 **De la fécondation au nouvel individu.** Il s'agit d'une fécondation externe car elle se déroule dans le milieu extérieur, l'eau de mer. La cellule-œuf devient une larve en environ trois jours.

Observer **une reproduction sexuée en milieu aérien**

4 **Un accouplement chez la vache domestique.** Lors de la période de reproduction, le taureau monte sur la vache et introduit son pénis dans l'appareil reproducteur de la femelle. L'accouplement se termine par l'**éjaculation*** du mâle.

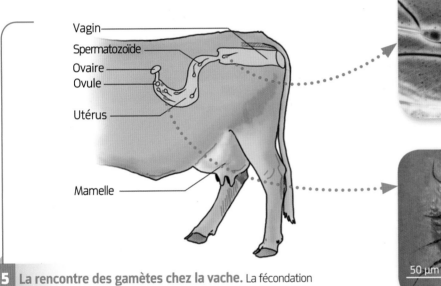

Vagin
Spermatozoïde
Ovaire
Ovule
Utérus
Mamelle

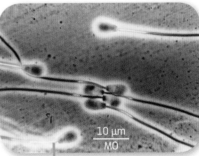

10 µm
MO

Spermatozoïdes de taureau

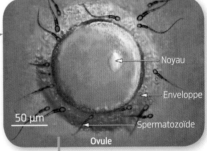

Noyau
Enveloppe
Spermatozoïde
Ovule
50 µm

Fécondation dans l'appareil reproducteur de la vache

5 **La rencontre des gamètes chez la vache.** La fécondation se déroulant à l'intérieur de l'organisme, on parle de fécondation interne.

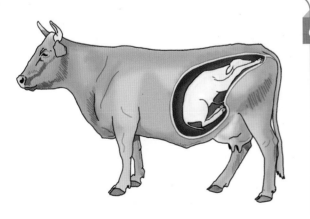

6 **Développement de l'embryon chez la vache.** Après la fécondation, la cellule-œuf évolue en un embryon qui se développe dans les voies reproductrices de la vache. C'est environ 290 jours plus tard que la femelle **met bas*** un nouvel individu.

DICO · SCIENCES

*Éjaculation : émission de sperme par le pénis du mâle.
*Mettre bas : accoucher, se dit pour un animal.

3

J'enquête

Anaïs affirme que les plantes à fleurs n'ont pas de sexe et qu'il est donc impossible qu'elles aient une reproduction sexuée.

CONSIGNE > Expliquer à Anaïs que le cerisier, un arbre à fleurs, se reproduit de manière sexuée.

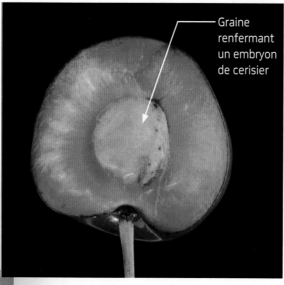

Graine renfermant un embryon de cerisier

1 Une coupe de cerise. La cerise est le fruit du cerisier. Elle contient une graine, communément appelée noyau. Cette graine renferme un embryon.

2 Graine de cerisier germée. L'embryon contenu dans la graine du fruit se développe et formera peu à peu un nouveau cerisier.

Pistil

Pétale

Étamine

Sépale

Ovaire du pistil

3 Une fleur de cerisier au cours du temps. Une fleur est constituée de différentes parties : le pistil, qui présente une base renflée (l'ovaire), entouré de plusieurs étamines, de 5 pétales et 5 sépales. En quelques semaines, l'ovaire grossit, les pétales et les sépales tombent, seuls des restes d'étamines sont encore visibles. La fleur se transforme peu à peu en fruit, une cerise.

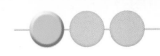
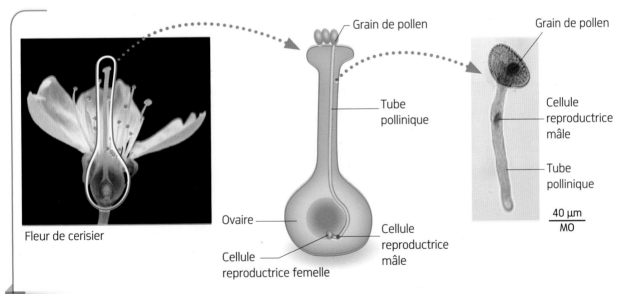

8 µm
MEB

4 **Le pollen du cerisier est produit par les étamines, qui sont les organes reproducteurs mâles de la fleur.** Un grain de pollen contient les cellules reproductrices mâles.

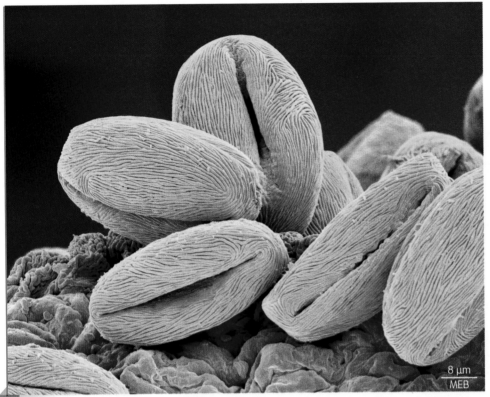

Grain de pollen

Tube pollinique

Ovaire

Cellule reproductrice mâle

Cellule reproductrice femelle

Fleur de cerisier

Grain de pollen

Cellule reproductrice mâle

Tube pollinique

40 µm
MO

5 **La rencontre des cellules reproductrices.** Lorsqu'un grain de pollen se retrouve sur le pistil, il fabrique un long **tube pollinique*** permettant la fécondation. Cela provoque la transformation de la fleur en fruit.

DICO SCIENCES

*Tube pollinique : tube produit par le grain de pollen, permettant le transport des cellules reproductrices mâles vers la cellule reproductrice femelle.

4

Comment le rapprochement des gamètes est-il facilité lors de la reproduction sexuée ?

Étudier le rapprochement des gamètes chez les plantes à fleurs

Fleurs regroupées

Pollen

1 Pollen dispersé* par le vent.
Chez certaines espèces, comme le dactyle aggloméré, les fleurs sont petites et regroupées en épis. Elles libèrent une grande quantité de pollen, transporté par le vent. Ce mode de **dispersion*** repose sur l'énorme quantité de pollen produit : jusqu'à 50 millions de grains de pollen par plante.

2 Pollen dispersé par des insectes. De nombreux insectes en quête de nourriture viennent butiner les fleurs. En passant de fleur en fleur, les abeilles, par exemple, transportent le pollen déposé sur leur corps sur le pistil d'une autre fleur.

Étudier **le rapprochement des gamètes chez les animaux**

3 Parade nuptiale pour attirer le partenaire.

Le mâle de l'araignée paon, espèce originaire d'Australie, possède un abdomen très coloré. Pour se reproduire, il l'exhibe devant la femelle dans une succession de mouvements, c'est la parade nuptiale. Ce n'est qu'à l'issue de cette parade que la femelle accepte éventuellement de s'accoupler.

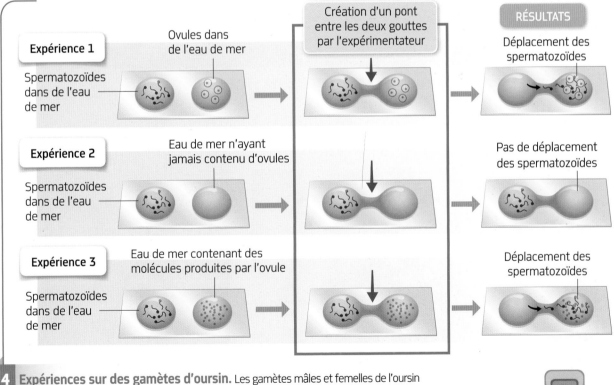

4 Expériences sur des gamètes d'oursin. Les gamètes mâles et femelles de l'oursin sont libérés dans l'eau de mer, un milieu très vaste. Des expériences sont menées afin de comprendre comment les gamètes de l'oursin se rapprochent dans l'eau de mer.

DICO SCIENCES

★**Disperser** : répartir dans différents endroits.

Jules a planté un fraisier au début de l'été dans son jardin. Dès qu'une fraise arrive à maturité, il la mange. Il constate quelques semaines plus tard que de jeunes fraisiers sont apparus.

CONSIGNE > Expliquer à Jules comment des êtres vivants peuvent se reproduire sans reproduction sexuée.

1 **Disposition des stolons de fraisiers.** Des tiges, appelées stolons, sont visibles en surface du sol entre plusieurs pieds de fraisiers.

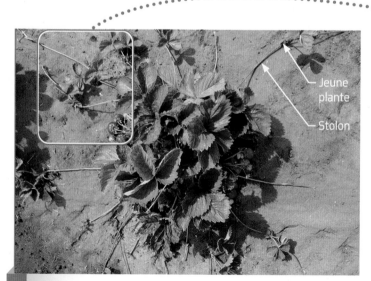

2 **Détail de l'extrémité d'un stolon.** À l'extrémité d'un stolon, une jeune plante se développe : elle s'enracine dans le sol. Grâce à ses stolons, un fraisier peut rapidement envahir un milieu en augmentant le nombre d'individus.

DICO SCIENCES

***Division** : mécanisme par lequel une cellule donne deux cellules.*

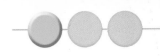

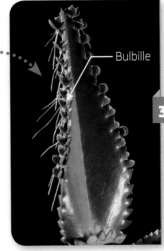

Bulbille

3 **Un mode de reproduction chez le Kalanchoe.** Les Kalanchoe possèdent, sur le contour de leurs feuilles, de petites structures appelées bulbilles. La formation d'une bulbille ne fait intervenir aucune cellule reproductrice.

0,5 cm

4 **Des bulbilles tombées au sol.** Lorsqu'une bulbille se détache de la feuille et tombe au sol, elle s'enracine et devient une plante totalement individualisée.

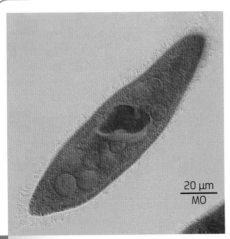

20 μm
MO

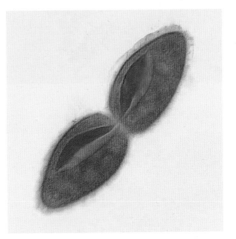

5 **Reproduction asexuée chez la paramécie.** La paramécie est un animal unicellulaire abondant dans les eaux stagnantes ou peu agitées, comme les mares ou les étangs. Par simple **division***, une paramécie peut former deux individus. Ce type de reproduction asexuée permet aux paramécies d'augmenter rapidement le nombre d'individus.

6

Qu'est-ce qu'une population et comment l'environnement influence-t-il sa reproduction ?

➥ **Définir** une population d'êtres vivants

1 **Un faucon crécerellette de la plaine de Crau.** Le faucon crécerellette est un petit **rapace*** : il chasse des insectes, notamment des criquets. Depuis plusieurs années, des scientifiques suivent les individus qui vivent sur un territoire bien délimité d'environ 40 000 hectares, au niveau de la plaine de Crau. Cet ensemble de faucons forme la population de la plaine de Crau.

2 **L'écosystème de la plaine de Crau.** La plaine de Crau fournit un terrain de chasse idéal pour les faucons crécerellette : la végétation rase leur permet en effet de repérer leurs proies facilement. De plus, de nombreux tas de pierres et les toits d'anciennes bergeries offrent de nombreux sites où les faucons peuvent **nidifier***.

Mois de l'année											
Janvier	Février	Mars	Avril	Mai	Juin	Juillet	Août	Septembre	Octobre	Novembre	Décembre

Présence du faucon crécerellette dans la plaine de Crau

3 **Présence des faucons crécerellette dans la plaine de Crau.** En hiver, en France, les insectes ne sont plus disponibles pour les faucons crécerellette. Ces derniers quittent alors la plaine de Crau autour du mois de septembre et migrent vers certains pays d'Afrique.

Étudier la dynamique d'une population

4 **Trois jeunes faucons crécerellette dans leur nid.**
Lors de la période annuelle de reproduction, un couple de faucons crécerellette pond en moyenne quatre œufs. Sur ces quatre œufs, seuls deux jeunes parviennent à l'âge de voler. Ce chiffre varie d'une année à l'autre.

5 **Couleuvre de Montpellier.** C'est un prédateur des œufs et des jeunes oisillons des faucons crécerellette. D'autres serpents, des putois ou encore des hiboux grand-duc sont également leurs prédateurs.

Année	Quantité de criquets disponibles (unité arbitraire)
1994	1,7
1997	1,2
1999	1,6
2002	1,1
2005	1,5

7 **Abondance des criquets, une des proies des faucons crécerellette.**

Taux de survie des jeunes (%)

[Graphique : axe vertical de 0 à 80, axe horizontal Année de 1994 à 2005]

6 **Taux de survie des jeunes faucons crécerellette.**
La différence du taux de survie d'une année à l'autre entraîne une variation du nombre d'individus dans la population au cours du temps : c'est la **dynamique des populations***.

DICO SCIENCES

*★ **Dynamique des populations** : science expliquant les variations du nombre d'individus d'une population au cours du temps.
*★ **Nidifier** : action de construire un nid ou d'aménager un lieu en nid.
*★ **Rapace** : oiseau carnivore possédant un bec crochu et des griffes aux doigts, appelées serres.

7

Comment le type de reproduction influence-t-il la transmission du patrimoine génétique ?

Raisonner sur la transmission du patrimoine génétique lors de la reproduction sexuée

1 La transmission du patrimoine génétique* lors de la reproduction sexuée.

Les caractères portés par les êtres vivants sont notamment déterminés par leurs gènes, portés par les chromosomes. Pour de nombreux gènes, il existe une multitude de versions, les allèles. Les individus d'une même espèce possèdent les mêmes gènes, mais non pas les mêmes combinaisons d'allèles. L'ensemble des gènes et des allèles d'un individu correspond à son patrimoine génétique. Au cours de la reproduction sexuée, un nouvel individu reçoit la moitié du patrimoine génétique de sa mère et l'autre moitié de son père.

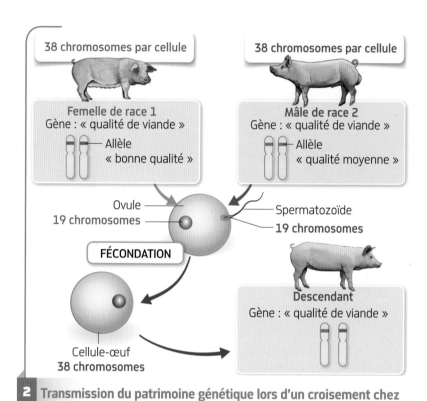

38 chromosomes par cellule

38 chromosomes par cellule

Femelle de race 1
Gène : « qualité de viande »
Allèle « bonne qualité »

Mâle de race 2
Gène : « qualité de viande »
Allèle « qualité moyenne »

Ovule
19 chromosomes

Spermatozoïde
19 chromosomes

FÉCONDATION

Descendant
Gène : « qualité de viande »

Cellule-œuf
38 chromosomes

2 **Transmission du patrimoine génétique lors d'un croisement chez le cochon.** Le descendant possède les gènes caractéristiques de son espèce, mais une combinaison d'allèles le rend unique.

3 **Transmission du patrimoine génétique lors d'un croisement chez une espèce d'hibiscus.**
La couleur de la fleur d'hibiscus est un caractère héréditaire.

DICO SCIENCES

*   **Agronomie** : ensemble des sciences utilisées en agriculture.
*   **Patrimoine génétique** : ensemble des gènes et des allèles d'un individu.

Raisonner sur la transmission du patrimoine génétique lors de la reproduction asexuée

Œufs de phasme

Jeune phasme sortant de son œuf

4 Un mode de reproduction asexuée chez certains insectes. Les phasmes *Carausius morosus*, qui peuvent se reproduire de manière sexuée, sont également capables de se reproduire de manière asexuée. En effet, les femelles pondent des œufs non fécondés pouvant néanmoins donner naissance à de nouveaux individus. Ces individus portent le même patrimoine génétique que leur mère.

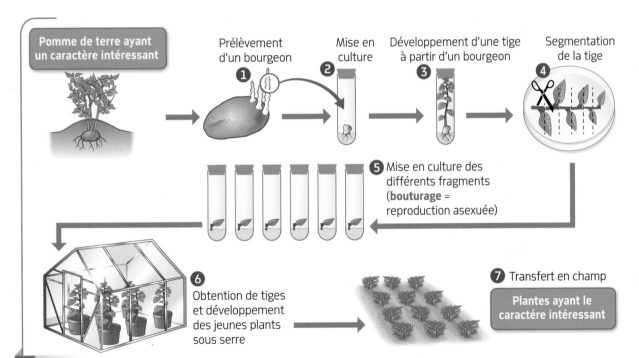

Pomme de terre ayant un caractère intéressant

Prélèvement d'un bourgeon ❶

Mise en culture ❷

Développement d'une tige à partir d'un bourgeon ❸

Segmentation de la tige ❹

❺ Mise en culture des différents fragments (**bouturage** = reproduction asexuée)

❻ Obtention de tiges et développement des jeunes plants sous serre

❼ Transfert en champ

Plantes ayant le caractère intéressant

5 Un mode de reproduction asexuée utilisé en agronomie*. En agronomie, les végétaux cultivés sont souvent sélectionnés pour leur goût, leur résistance aux intempéries, leur grande capacité à produire des fruits, etc. C'est grâce aux capacités de reproduction asexuée des plantes que l'on peut les reproduire à l'identique et ainsi produire et utiliser à grande échelle les végétaux intéressants.

L'essentiel

par le texte

◉○○○ La reproduction sexuée

> ➤ La **reproduction sexuée** des êtres vivants fait intervenir deux **gamètes** : ovule et spermatozoïde, qui s'unissent lors de la **fécondation**. Elle aboutit à la formation d'une **cellule-œuf**, première cellule du nouvel individu.

> ➤ Chez les animaux, la fécondation se fait dans le milieu aquatique ou dans le corps de la femelle.

> ➤ Chez les plantes à fleurs, les grains de **pollen** renfermant les cellules reproductrices mâles produites par une fleur assurent la fécondation d'une cellule reproductrice femelle d'une autre fleur. C'est ainsi que se forme une graine, dans un fruit.

> ➤ La rencontre des gamètes peut être facilitée par différents mécanismes :
> – chez les plantes à fleurs, le vent ou les insectes assurent le transport du pollen ;
> – chez les animaux, la parade nuptiale facilite le rapprochement des partenaires et, en milieu aquatique, les gamètes sont attirés par des substances chimiques.

> ➤ Pour se maintenir dans son milieu, une **population** d'êtres vivants doit trouver les éléments nécessaires pour constituer son habitat et pour se nourrir : la quantité d'aliments disponibles conditionne la réussite de la reproduction sexuée et la survie des individus. Le milieu a donc une influence sur la **dynamique de la population**.

ACTIVITÉS
1 p. 146
2 p. 148
3 p. 150

ACTIVITÉS
4 p. 152
6 p. 156

◉○○○ La reproduction asexuée

> ➤ En plus de la reproduction sexuée, les plantes à fleurs se reproduisent aussi à l'aide d'organes particuliers tels que les **stolons** ou les **bulbilles**. Ces organes n'étant pas issus d'une fécondation, il s'agit d'une **reproduction asexuée**. Ce mode de reproduction permet aux végétaux de produire rapidement de nouveaux individus et d'envahir un milieu.

> ➤ Chez certaines espèces animales, une reproduction asexuée est possible : chez des animaux unicellulaires, une simple **division cellulaire** permet de produire deux individus.

ACTIVITÉ
5 p. 154

◉◉○● La transmission du patrimoine génétique

> ➤ Les différents modes de reproduction permettent la transmission du **patrimoine génétique**. Un individu issu d'une reproduction sexuée reçoit la moitié du patrimoine génétique de chacun de ses parents : il présente une nouvelle association d'allèles. La reproduction sexuée est donc une source de diversité génétique. Lors d'une reproduction asexuée, le nouvel individu reçoit le patrimoine génétique d'un seul parent : il présente les mêmes caractéristiques que lui.

ACTIVITÉ
7 p. 158

MOTS-CLÉS

Spermatozoïde • Ovule • Fécondation • Cellule-œuf • Stolon • Bulbille •
Patrimoine génétique • Dynamique des populations

Reproduction sexuée et asexuée : dynamique des populations

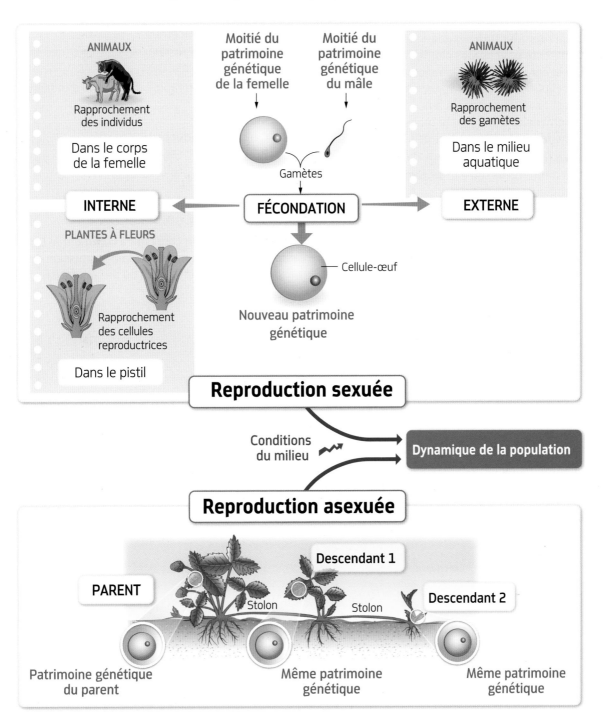

ANIMAUX

Rapprochement des individus

Dans le corps de la femelle

Moitié du patrimoine génétique de la femelle

Moitié du patrimoine génétique du mâle

Gamètes

ANIMAUX

Rapprochement des gamètes

Dans le milieu aquatique

INTERNE

FÉCONDATION

EXTERNE

PLANTES À FLEURS

Rapprochement des cellules reproductrices

Dans le pistil

Cellule-œuf

Nouveau patrimoine génétique

Reproduction sexuée

Conditions du milieu

Dynamique de la population

Reproduction asexuée

Descendant 1

PARENT

Stolon

Stolon

Descendant 2

Patrimoine génétique du parent

Même patrimoine génétique

Même patrimoine génétique

Mon bilan de fin de cycle

Attendus

> **Pour relier des éléments de biologie de la reproduction sexuée et asexuée des êtres vivants et l'influence du milieu sur la survie des individus, à la dynamique des populations :**

• je compare les caractéristiques de la reproduction sexuée à celles de la reproduction asexuée ;
• j'explique en quoi le milieu peut modifier la survie des individus, et donc influencer la dynamique des populations.

JE TESTE *mes connaissances*

1 QCM ●○○

Pour chaque série d'affirmations, **choisir** celle qui est exacte.

1. La reproduction sexuée
❏ n'existe pas chez les plantes à fleurs.
❏ est caractérisée par la rencontre d'une cellule-œuf avec un spermatozoïde.
❏ est caractérisée par la rencontre d'un gamète femelle et d'un gamète mâle.
❏ ne fait jamais intervenir de fécondation.

2. La fécondation
❏ est interne lorsqu'elle se déroule dans le milieu aquatique.
❏ peut être facilitée par l'attraction du spermatozoïde par la cellule reproductrice femelle.
❏ se produit lors d'une reproduction asexuée.
❏ est indispensable à la reproduction des êtres vivants.

2 Maîtriser le vocabulaire du chapitre ●○○

Associer les mots ou expressions au type de reproduction concernée.
a. Reproduction sexuée
b. Reproduction asexuée

1. Augmentation rapide du nombre d'individus
2. Fécondation
3. Stolon
4. Cellules reproductrices
5. Bulbille
6. Pollen
7. Parade nuptiale

3 Restituer des connaissances ○○●

Expliquer par un court texte comment le type de reproduction influence la transmission du patrimoine génétique du ou des parent(s).

JE TESTE *mes compétences*

4 Interpréter des résultats et en tirer des conclusions ●○○

Chez les plantes à fleurs, la rencontre des cellules reproductrices nécessite la fabrication d'un tube par le grain de pollen. Ce tube permet la progression de la cellule reproductrice mâle vers l'ovule.

Selon les scientifiques, l'orientation du tube n'est pas due au hasard : les ovules contenus dans le pistil pourraient attirer le tube vers eux.

➡ **Interpréter** les résultats des expériences et dire si l'hypothèse des scientifiques est validée.

Expérience	Résultats deux jours après
1. Grain de pollen / Boîte de culture	Tube pollinique
2. Fragments de pistil renfermant des ovules	

5 Lire et exploiter des données présentées sous différentes formes ●○○

Environ deux semaines après l'accouplement, les escargots pondent leurs œufs dans un trou qu'ils creusent dans le sol.

Pour savoir si les précipitations peuvent influencer la reproduction des escargots, on réalise un suivi de la ponte d'une population d'escargots.

1 Ponte d'un escargot.

Semaine	1	2	3	4	5	6	7	8	9
Précipitations totales par semaine (mm)	15	10	0	30	0	2	7	0	0
% d'escargots qui pondent par semaine	0	2	9	7	4	18	3	0	4

2 Relevé des précipitations sur 9 semaines et pourcentage d'escargots qui pondent.

➡ **Construire** un graphique montrant l'évolution des précipitations totales en fonction du temps.

➡ **Ajouter** un deuxième axe à ce graphique, du côté droit, et tracer une courbe montrant l'évolution du pourcentage d'escargots qui pondent en fonction du temps.

➡ **Montrer** que les précipitations peuvent modifier la reproduction des escargots.

6 Communiquer sur ses démarches en argumentant ○○●

En agriculture, une plante cultivée doit avoir une forte productivité et une maturité précoce pour être rentable.

➡ En utilisant les documents, **montrer** qu'il existe une transmission du patrimoine génétique et **préciser** de quel type de reproduction il s'agit.

1 Anatomie d'un plant de maïs. Le maïs est une plante qui possède des fleurs mâles et des fleurs femelles.

Variété 1
- **Gène de maturité :** *2 allèles maturité tardive*
- **Gène de productivité :** *2 allèles forte productivité*

✕

Variété 2
- **Gène de maturité :** *2 allèles maturité précoce*
- **Gène de productivité :** *2 allèles faible productivité*

⬇

Résultats du croisement

Maïs ayant :
- **Gène de maturité :** *1 allèle maturité précoce + 1 allèle maturité tardive*
- **Gène de productivité :** *1 allèle forte productivité + 1 allèle faible productivité*

2 Croisement entre deux variétés de maïs : le descendant présente une forte productivité et une maturité précoce.

CHAPITRE **8**

La parenté

Je réactive mes connaissances

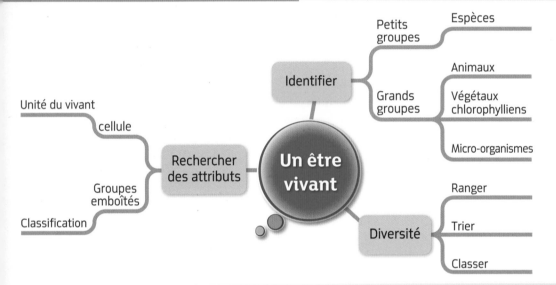

Unité du vivant
— cellule

Rechercher des attributs

Groupes emboîtés

Classification

Un être vivant

Identifier
- Petits groupes — Espèces
- Grands groupes
  - Animaux
  - Végétaux chlorophylliens
  - Micro-organismes

Diversité
- Ranger
- Trier
- Classer

Mes objectifs de fin de cycle

> Relier l'étude des relations de parenté entre les êtres vivants et l'évolution

Activités

1 Classer les êtres vivants ⚪⚪⚪

2 Établir des parentés ⚪⚫⚪

3 Représenter les liens de parenté ⚪⚫⚪

4 La place de l'espèce humaine dans le vivant ⚪⚫⚪

5 La recherche d'autres formes de vie ⚪⚫⚪

Miniature extraite de
Le Livre des propriétés des choses,
JEAN CORBECHON, XIVᵉ siècle,
Bibliothèque municipale de Reims.

Au Moyen Âge, *Le Livre des propriétés des choses* fait la somme des connaissances sur la nature et les sciences. Cette planche du chapitre *Des bêtes* montre un groupe de Mammifères présentant des caractéristiques communes. Mais on peut aussi voir un dragon, une sirène et une licorne !

Activité

1

J'enquête

Aujourd'hui, d'après les scientifiques, une araignée de mer est plus proche d'une écrevisse que d'une araignée de nos jardins, c'est-à-dire lui ressemble plus.

CONSIGNE > Trouver les arguments des scientifiques permettant de dire qu'une araignée de mer ressemble plus à une écrevisse qu'à une araignée.

1 **Des caractères bien précis pour comparer des êtres vivants.**

Les scientifiques comparent les êtres vivants en observant les structures qu'ils possèdent, à différentes échelles : ce sont les attributs. Ils en font alors des listes. Par exemple, une Vache possède des cellules qui constituent ses organes, elle possède des yeux, une bouche, un squelette interne, des poils, etc.

Les scientifiques n'utilisent pas les critères liés au milieu ou au mode de vie, tels le régime alimentaire ou le mode de déplacement, car ces critères n'ont pas de valeur pour déterminer si deux espèces sont proches.

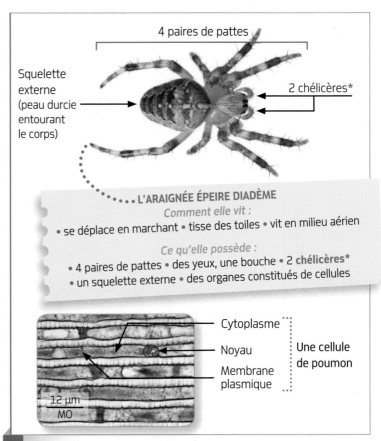

L'ARAIGNÉE ÉPEIRE DIADÈME
Comment elle vit :
• se déplace en marchant • tisse des toiles • vit en milieu aérien
Ce qu'elle possède :
• 4 paires de pattes • des yeux, une bouche • **2 chélicères***
• un squelette externe • des organes constitués de cellules

2 **Carte d'identité de l'araignée Épeire diadème.** Le poumon de cette araignée est, comme tous ses organes, constitué de nombreuses cellules, chacune renfermant un noyau.

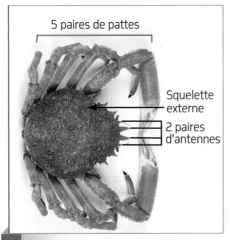

3 **Quelques attributs de l'Araignée de mer.**

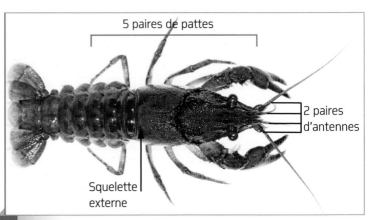

4 **Quelques attributs de l'Écrevisse américaine.**

Attribut / Espèce	Cellule(s)	Cellules avec noyau	Yeux et bouche	Chloro-phylle*	Squelette interne	Squelette externe et pattes articulées	4 membres	Nageoires à rayons	Chélicères, 4 paires de pattes	3 paires de pattes	2 paires d'antennes
Chat	✔	✔	✔		✔		✔				
Bactérie Rhizobium	✔										
Pigeon	✔	✔	✔		✔		✔				
Sardine	✔	✔	✔		✔			✔			
Pommier	✔	✔		✔							
Coccinelle à 7 points	✔	✔	✔			✔				✔	

5 **Tableau des attributs de quelques êtres vivants.** On peut faire la liste des attributs de tous les êtres vivants, y compris l'Épeire diadème, l'Araignée de mer et l'Écrevisse américaine. Les attributs possédés par les êtres vivants sont cochés en vert.

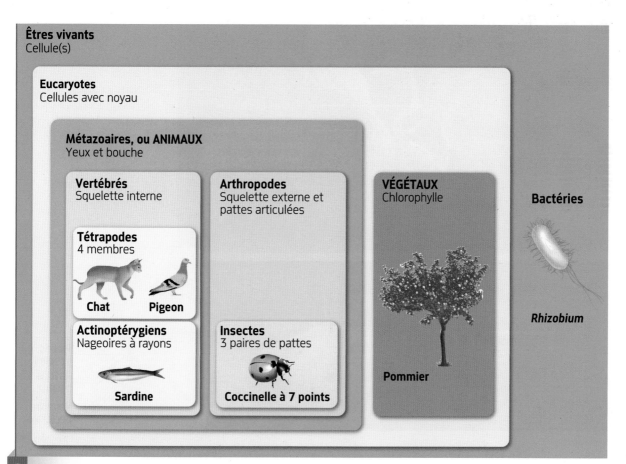

Êtres vivants
Cellule(s)

Eucaryotes
Cellules avec noyau

Métazoaires, ou ANIMAUX
Yeux et bouche

Vertébrés
Squelette interne

Tétrapodes
4 membres

Chat   Pigeon

Actinoptérygiens
Nageoires à rayons

Sardine

Arthropodes
Squelette externe et pattes articulées

Insectes
3 paires de pattes

Coccinelle à 7 points

VÉGÉTAUX
Chlorophylle

Pommier

Bactéries

Rhizobium

6 **Classification en groupes emboîtés simplifiée.** Chaque groupe est défini par un attribut. Les groupes emboîtés forment une classification et permettent de donner des informations sur les liens de parenté entre espèces : plus elles ont d'attributs en commun et plus elles sont proches.

DICO °**SCIENCES**

* **Chélicère** : organe proche de la bouche, permettant à l'araignée de mordre sa proie.
* **Chlorophylle** : substance qui donne aux Végétaux leur couleur verte.

2

Comment expliquer que différentes espèces aient des caractères communs ?

Repérer des caractères communs chez des espèces différentes

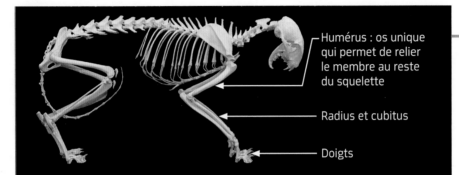

Humérus : os unique qui permet de relier le membre au reste du squelette

Radius et cubitus

Doigts

Membre antérieur de Chat
(fonction : marcher)

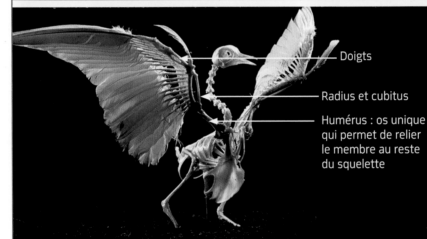

Doigts

Radius et cubitus

Humérus : os unique qui permet de relier le membre au reste du squelette

Membre antérieur de Pigeon
(fonction : voler)

Reste du squelette

Pièces basales

Rayons osseux

Nageoire pectorale

Nageoire pectorale d'une Morue de l'Atlantique *(fonction : nager)*

1 **Observation du membre locomoteur* de plusieurs êtres vivants.** Des structures ayant une disposition similaire possèdent un même **plan d'organisation***. Il traduit une parenté étroite entre les êtres vivants.

DICO SCIENCES

* **Locomoteur** : qui permet le déplacement.
* **Plan d'organisation** : disposition des organes les uns par rapport aux autres.

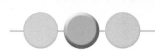

Proposer une hypothèse sur le partage de caractères communs

2 **Des caractères communs dont l'origine traduit l'évolution.**

À un moment donné, chez un individu, apparaît un nouveau caractère. Cet ancêtre peut le transmettre à sa descendance.

Au cours du temps, ce caractère peut se répandre et être partagé par de nombreuses espèces : c'est l'évolution du monde vivant.

3 **L'ancêtre commun à plusieurs espèces : un portrait robot.**

La fossilisation d'un être vivant est un phénomène rare. Il faudrait avoir beaucoup de chance pour que le premier individu possédant un nouvel attribut ait été fossilisé. De plus, les scientifiques ne disposent d'aucun moyen de savoir si l'individu retrouvé fossilisé a eu une descendance. Les fossiles doivent donc être classés de la même manière que les espèces actuelles.

Ainsi, faute de pouvoir remonter le temps, les ancêtres communs à plusieurs espèces ne sont pas identifiés, on dit qu'ils sont hypothétiques. On peut seulement dresser la liste de leurs caractères, un peu comme un « portrait robot ».

Humérus
Radius
Cubitus
Rayons osseux

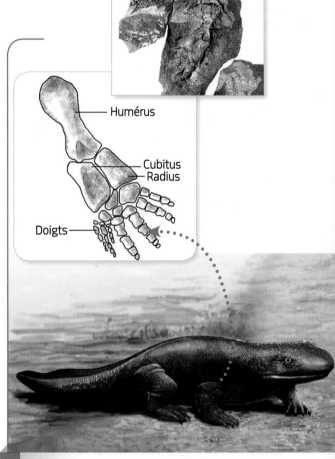

Humérus
Cubitus
Radius
Doigts

4 **Fossile et reconstitution d'*Eusthenopteron*.**
Ce poisson, connu uniquement à l'état de fossile, vivait il y a environ 385 millions d'années. C'est un des plus vieux fossiles chez lequel le membre est relié au reste du squelette par un seul os, l'humérus. Cependant, il ne possède aucun doigt. Toutes les espèces dont le membre est relié au squelette par un seul os appartiennent au groupe des Sarcoptérygiens.

5 **Membre antérieur fossile et reconstitution d'*Ichthyostega*.** Cet animal, connu uniquement à l'état de fossile, vivait il y a environ 365 millions d'années. C'est l'un des plus vieux fossiles ayant des doigts à l'extrémité des membres. Toutes les espèces possédant des membres terminés par des doigts appartiennent au groupe des Tétrapodes.

Activité

3 Comment représenter les liens de parenté entre différentes espèces ?

Classer des espèces actuelles et fossiles avec le logiciel *Phylogène*

Eusthenopteron

Ichthyostega

Chat

Pigeon

Sardine

1 Des espèces actuelles et fossiles de Vertébrés.

LOGICIEL

Protocole d'utilisation du logiciel *Phylogène* :

• Lancer le logiciel *Phylogène* puis choisir la collection **Vertébrés actuels et fossiles**.

• Cliquer sur l'icône **Construire une matrice** : choisir les êtres vivants et les attributs.

• Compléter le tableau puis cliquer sur le bouton. **Vérifier**.

• Cliquer sur l'icône **Établir des parentés** et afficher les boîtes et l'arbre correspondant.

	Doigts	Mâchoire inférieure 1 seul os	Squelette osseux	Plumes	Articulation ceinture* 1 seul os	Plus de 3 vertèbres cervicales*
Chat	Présents	Présente	Présent	Absentes	Présente	Présent
Eusthenopteron	Absents	Absente	Présent	Absentes	Présente	Absent
Ichtyostega	Présents	Absente	Présent	Absentes	Présente	Absent
Sardine	Absents	Absente	Présent	Absentes	Absente	Absent
Pigeon	Présents	Absente	Présent	Présentes	Présente	Présent

2 Tableau des attributs des espèces *Vertébrés actuels et fossiles*, obtenu avec le logiciel *Phylogène*.

Représenter les liens de parenté sous la forme d'un arbre

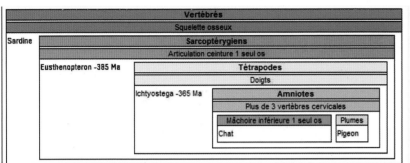

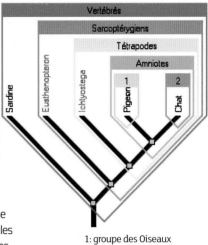

1: groupe des Oiseaux
2: groupe des Mammifères

3 Classification emboîtée des espèces de la collection *Vertébrés actuels et fossiles* et arbre phylogénétique correspondant, obtenus avec le logiciel *Phylogène*. Le groupe des Amniotes comprend les espèces dont l'embryon se développe dans une membrane, l'**amnios***. Sur l'arbre, les nœuds en jaune, d'où partent les différentes branches, correspondent aux ancêtres communs hypothétiques. Tous les êtres vivants qui sont reliés à un même nœud partagent ce même ancêtre commun : ils forment un groupe qui correspond à celui de la classification emboîtée.

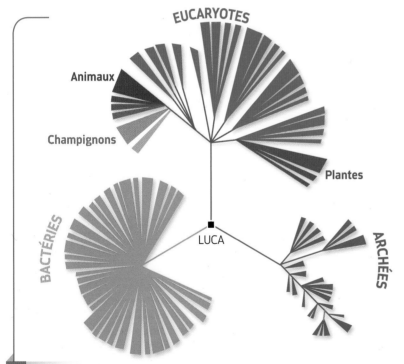

4 **L'arbre du vivant simplifié.** Le monde vivant est divisé en trois domaines, qui sont de très grands groupes : les Bactéries, les Archées et les Eucaryotes. Les Archées sont des organismes unicellulaires, sans noyau, comme les Bactéries, mais dont la membrane est différente. Les Eucaryotes ont des cellules renfermant un noyau.

5 **La place de LUCA dans l'arbre du vivant.**

Au point de divergence des trois domaines, se trouve l'ancêtre commun exclusif de tous les êtres vivants, nommé LUCA (*Last Universal Common Ancestor*). Il possédait donc les caractéristiques communes à ces trois groupes : il devait être constitué d'une seule cellule contenant du matériel génétique. C'est à partir de lui que l'évolution a conduit à la diversité des êtres vivants que nous connaissons aujourd'hui. LUCA n'est certainement pas le premier être vivant apparu sur Terre : il a dû coexister avec d'autres types de micro-organismes qui n'ont pas laissé de descendants.

DICO SCIENCES

*∗ **Amnios** : poche remplie de liquide, dans laquelle se développe l'embryon de certaines espèces.
∗ **Ceinture** : ensemble des os permettant de rattacher le membre locomoteur à la colonne vertébrale.
∗ **Vertèbre cervicale** : os de la colonne vertébrale, présent au niveau du cou.*

Activité 4

Quelle est la place de l'espèce humaine dans le monde vivant ?

➥ **Classer l'espèce humaine parmi les Animaux**

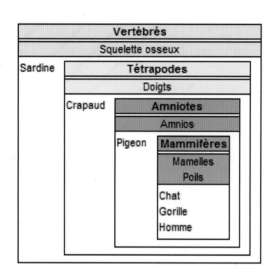
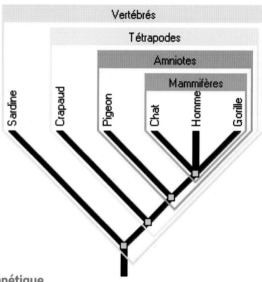

1 **Classification en groupes emboîtés et arbre phylogénétique** correspondant, obtenus avec le logiciel *Phylogène*, collection *Vertébrés Collège*.

2 **Main d'un être humain et d'un Chimpanzé.** Dans le groupe des Mammifères, les espèces dont les individus possèdent un **pouce opposable*** aux autres doigts et des ongles plats à la place des griffes, appartiennent au groupe des Primates. C'est un groupe actuellement composé de près de 190 espèces qui présentent une diversité d'apparence.

DICO SCIENCES

****Bipédie** : déplacement sur les deux membres postérieurs.
****Phylogénie** : étude des relations de parenté entre les êtres vivants.
****Pouce opposable** : disposition du pouce, en face des autres doigts, conférant à la main la capacité de saisir des objets.

Trouver des caractères propres à l'espèce humaine

3 **Comparaison du squelette d'un humain à celui d'un Chimpanzé.** De nombreuses études, basées sur la comparaison de molécules, ont montré que l'espèce la plus proche de l'être humain est le Chimpanzé. Les différences entre les deux espèces concernant les colonnes vertébrales sont en relation avec le mode de déplacement par **bipédie*** exclusive de l'espèce humaine.

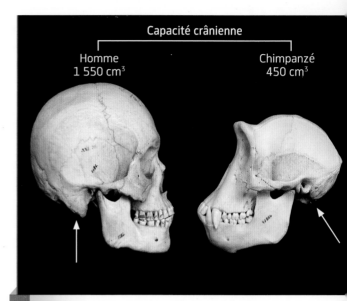

4 **Comparaison du crâne humain à celui d'un Chimpanzé.** La flèche désigne l'orifice où s'insère la colonne vertébrale, sous le crâne.

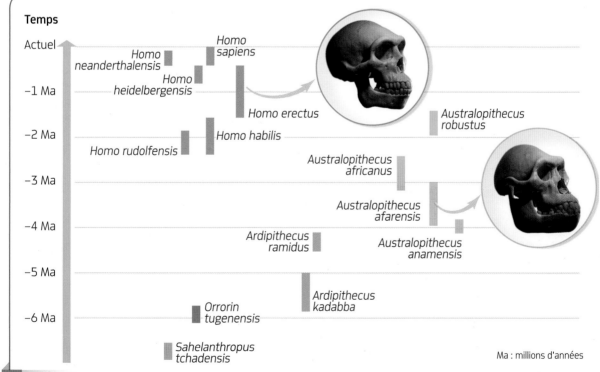

Ma : millions d'années

5 **Quelques espèces du groupe des Homininés.**
Le groupe des Homininés comprend toutes les espèces humaines (*Homo*) et les Australopithèques, ainsi que, pour certains scientifiques, des espèces plus anciennes du groupe des Ardipithèques. Pour d'autres scientifiques, ces formes anciennes font partie du groupe des Chimpanzés. Cette controverse illustre la difficulté à établir la **phylogénie*** précise de l'espèce humaine moderne, *Homo sapiens*.

5

J'enquête

Vous êtes un scientifique travaillant sur la possibilité d'une vie extraterrestre. Une nouvelle sonde spatiale doit bientôt être lancée dans l'espace pour rechercher des formes de vie extraterrestre. L'agence spatiale demande à votre équipe vers quel objet céleste il faut envoyer la sonde.

CONSIGNE > **Justifiez vers quel objet céleste parmi ceux proposés vous enverriez la sonde.**

---

1 **La recherche de vie ailleurs que sur Terre.**

> Mais quel type de vie cherche-t-on ? Et tout d'abord, qu'est-ce que la vie ? Seront considérés comme vivant a minima, des systèmes ouverts (recevant donc matière et énergie) capables de s'auto-reproduire et d'évoluer [...]. Dans une première approche, les **exobiologistes*** utilisent la vie terrestre comme référence et limitent leurs recherches à une vie utilisant ses ingrédients de base, à savoir l'eau et les molécules « organiques ».

André Brack, « L'exobiologie à la recherche d'une seconde genèse », *La lettre de l'Association aéronautique astronautique de France*, n° 6, 2010.

2 **Les états de l'eau sur Terre.** La Terre a une position dans le système solaire ni trop loin ni trop près du Soleil. Sa température moyenne est 15 °C en surface et sa **pression atmosphérique*** est 1 bar. Ces conditions permettent à l'eau d'exister sous ses trois états : solide, liquide et gazeux. La présence de cette eau liquide est indispensable à la vie sur Terre. En effet, c'est dans les premiers océans que sont apparus les premiers êtres vivants il y a environ 3,8 milliards d'années. L'eau est également le constituant principal des êtres vivants.

TERRE

Localisation : 3ᵉ planète du système solaire
Présence d'eau : liquide, solide et gaz
Composition de l'atmosphère : N_2 (78 %), O_2 (21 %)
Température moyenne : 15 °C
Pression atmosphérique : 1 bar

3 **Carte d'identité de la planète Terre.**

DICO SCIENCES

* **Année-lumière** : distance parcourue par la lumière en une année.
* **Exobiologiste** : scientifique qui participe à la recherche de vie extraterrestre.
* **Pression atmosphérique** : force, par unité de surface, exercée sur un objet par les gaz de l'atmosphère, généralement exprimée en bar.
* **Satellite** : corps céleste tournant autour d'une planète.

PLUTON

Localisation : à la limite du système solaire

Présence d'eau : solide

Composition de l'atmosphère : N_2 (90 %), CO (10 %)

Température moyenne : − 223 °C ⎤ Incompatible avec
Pression atmosphérique : 0,015 bar ⎦ la présence d'eau liquide

4 Carte d'identité de la planète naine Pluton.

TITAN

Localisation : 16e satellite naturel de Saturne
(6e planète du système solaire)

Présence d'eau : solide

Composition de l'atmosphère : N_2 (90 %), CH_4 (10 %)

Température moyenne : − 183 °C ⎤ Incompatible avec
Pression atmosphérique : 1,5 bar ⎦ la présence d'eau liquide

5 Carte d'identité du satellite* Titan.

JUPITER

Localisation : 5e planète du système solaire

Présence d'eau : solide et gaz

Composition de l'atmosphère : H_2 (90 %), He (10 %),
trace de vapeur d'eau

Température moyenne : − 167 °C ⎤ Incompatible avec
Pression atmosphérique : 20 à 200 000 bars ⎦ la présence d'eau liquide

6 Carte d'identité de la planète Jupiter.

KEPLER 186f

Localisation : en dehors du système
solaire, à environ 500 **années-lumière*** de la Terre

Présence d'eau : liquide possible

Composition de l'atmosphère : présence non certaine

Température moyenne : inconnue

Pression atmosphérique : inconnue

7 Carte d'identité de la planète Kepler 186f.
Il n'existe aucune photo de la planète Kepler 186f car
elle est située trop loin de la Terre. Cette illustration
correspond à une vue d'artiste.

L'essentiel

par le texte

◉◯◯ La classification des êtres vivants

➤ Pour classer les êtres vivants, il faut repérer les différents **attributs** qu'ils possèdent. On appelle **groupe** un ensemble d'espèces qui partagent un même attribut.

Les différents groupes peuvent s'emboîter et constituent la **classification** permettant de savoir quelle espèce est plus proche de quelle autre.

ACTIVITÉ
1 p. 166

◉◉◯ Le partage de caractères par des espèces différentes

➤ La comparaison de différentes espèces montre des plans d'organisation identiques. La présence d'attributs communs permet d'établir des **liens de parenté** entre les êtres vivants. En effet, les êtres vivants qui partagent un même caractère possèdent un **ancêtre commun** qui, dans le passé, a transmis ce caractère à tous ses descendants. Cet ancêtre commun reste hypothétique.

➤ Plus les êtres vivants partagent de caractères communs, plus leur parenté est étroite. Les relations de parenté entre espèces sont représentées sous forme d'un **arbre phylogénétique**. Les liens de parenté entre les êtres vivants traduisent une **évolution** du monde vivant.

➤ La représentation de l'ensemble des liens de parenté entre tous les êtres vivants forme l'**arbre du vivant**. Il permet de définir des grands groupes d'êtres vivants.

ACTIVITÉS
2 p. 168
3 p. 170

◉◉◉ La place de l'espèce humaine dans la classification

➤ L'espèce humaine actuelle, *Homo sapiens*, partage des caractères communs avec les autres êtres vivants : elle est donc, comme toutes les autres espèces, issue de l'évolution. L'histoire d'*Homo sapiens* fait partie de celle du groupe *Homo* qui a comporté d'autres espèces, aujourd'hui toutes disparues.

➤ Sur une planète, la présence d'**eau liquide**, indispensable à la vie, dépend des conditions de pression et de température. La recherche de ces conditions dans et hors du système solaire permet d'orienter les recherches de **formes de vie** extraterrestre.

ACTIVITÉS
4 p. 172
5 p. 174

MOTS-CLÉS

Attribut • Ancêtre commun • Arbre phylogénétique • *Homo sapiens*

La parenté des êtres vivants

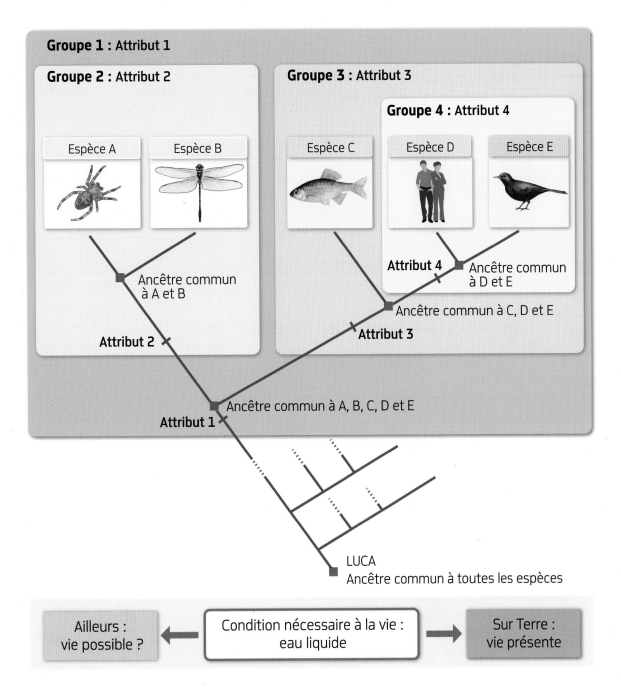

Mon bilan de fin de cycle

Attendus

> Pour relier l'étude des relations de parenté entre les êtres vivants et l'évolution :

• je classe en groupes emboîtés des êtres vivants selon les attributs qu'ils possèdent ;
• j'explique qu'une boîte regroupe des êtres vivants dont la parenté correspond à l'attribut partagé ;
• je comprends que plus les espèces partagent d'attributs, plus leurs liens de parenté sont étroits ;
• je place sur un arbre phylogénétique un ou plusieurs attributs, apparus chez un ancêtre commun hypothétique, puis partagés par tous les descendants.

1 Remue-méninges ●○○

Écrire une phrase avec les mots suivants :

groupe – attribut – classification

2 QCM ●●○

Choisir la bonne proposition :
Les liens de parenté entre des êtres vivants :

❏ sont établis à partir des caractères qui diffèrent d'une espèce à une autre.

❏ sont d'autant plus proches que les espèces possèdent des attributs communs.

❏ peuvent être établis en considérant le mode de vie des espèces.

❏ ne peuvent être établis que si les êtres vivants appartiennent à la même espèce.

3 MOT CACHÉ ○○●

Reproduire et **compléter** la grille à l'aide des définitions, pour retrouver le mot caché.

a : Ensemble d'êtres vivants partageant un même attribut.

b : Ancêtre commun à tous les êtres vivants.

c : Caractéristique possédée par un être vivant, retenue pour la classification.

d : Molécule indispensable à la vie.

e : Représentation de groupes emboîtés d'êtres vivants.

f : Qualifie l'arbre représentant les liens de parenté entre des êtres vivants.

g : Être vivant dont sont issues plusieurs espèces.

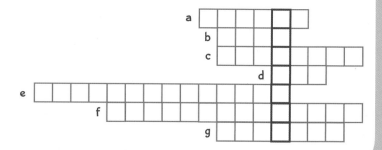

4 Communiquer sur ses démarches en argumentant ○●○

Shun n'est pas d'accord avec Lucas car ce dernier trouve que la baleine ressemble plus à un chat qu'à un poisson.

➡ À partir des documents, **montrer** que Lucas a raison.

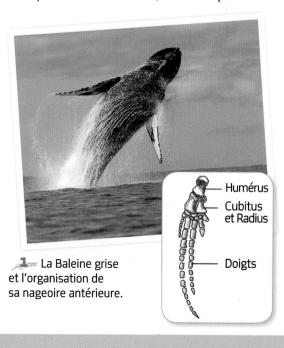

1 La Baleine grise et l'organisation de sa nageoire antérieure.

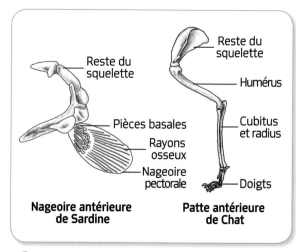

Nageoire antérieure de Sardine   **Patte antérieure de Chat**

2 Organisation de la nageoire antérieure d'une Sardine (Poisson osseux) et d'une patte antérieure d'un Chat (Mammifère).

5 Représenter des données sous différentes formes ⬤○○○

Une Osmonde royale

Un Polytric commun

Un Pissenlit commun

Un Pin maritime

➡ À partir du tableau des attributs de végétaux, **réaliser** leur classification en groupes emboîtés.

Attribut / Espèce	Chlorophylle	Fleurs et fruits	Graines	Cône	Racines
Pin maritime	Présent	Absent	Présent	Présent	Présent
Osmonde royale	Présent	Absent	Absent	Absent	Présent
Pissenlit commun	Présent	Présent	Présent	Absent	Présent
Polytric commun	Présent	Absent	Absent	Absent	Absent

Attributs de quelques espèces végétales.

6 Interpréter des résultats et en tirer des conclusions ○○⬤

Requin, Truite et Dipneuste sont des Vertébrés possédant des branchies et des nageoires. Dans l'ancienne classification, ces animaux étaient réunis dans le groupe des Poissons.

D'après la classification phylogénétique actuelle, les espèces d'un groupe possèdent un ancêtre commun, qui n'est pas partagé avec les espèces extérieures à ce groupe.

➡ À partir de l'arbre présenté et des connaissances, **expliquer** pourquoi le groupe des Poissons n'est plus reconnu dans la classification actuelle.

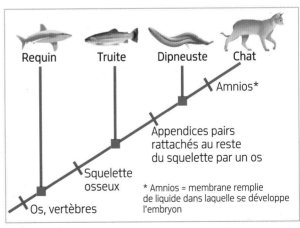

Requin   Truite   Dipneuste   Chat

Amnios*

Appendices pairs rattachés au reste du squelette par un os

Squelette osseux

* Amnios = membrane remplie de liquide dans laquelle se développe l'embryon

Os, vertèbres

Arbre phylogénétique de quelques Vertébrés qui traduit leurs relations de parenté actuellement reconnues.

Diversité et génétique des

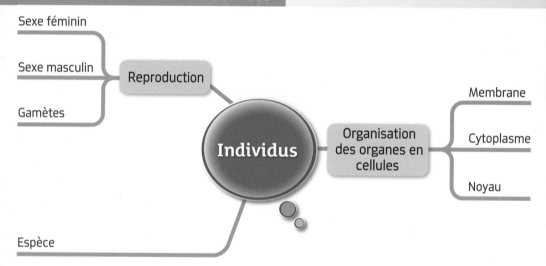

Sexe féminin

Sexe masculin

Reproduction

Gamètes

Individus

Organisation des organes en cellules

Membrane

Cytoplasme

Noyau

Espèce

Mes objectifs de fin de cycle

> Expliquer sur quoi reposent la diversité et la stabilité génétique des individus

> Expliquer comment les phénotypes sont déterminés par les génotypes et par l'action de l'environnement

Activités

1 La diversité des individus dans une population

2 Localisation de l'information à l'origine des caractères héréditaires

3 La relation entre chromosomes et caractères héréditaires

4 Un caractère héréditaire sous plusieurs versions

5 Le maintien du caryotype

6 La diversité génétique des individus

7 Les mutations, source de diversité des individus

stabilité
êtres vivants

Star Wars Épisode II- L'attaque des clones (2002).
Film américain réalisé par GEORGE LUCAS avec Ewan McGregor, Natalie Portman, Hayden Christensen.

Cet épisode de la saga de science-fiction voit la République menacée par un groupe dissident. Pour la protéger, les sénateurs créent une armée de clones, qui ont pour modèle génétique un redoutable guerrier.

1

De quoi dépend la diversité des individus d'une population ?

Comparer des individus de populations différentes

SORTIE SUR LE TERRAIN

Protocole

- par groupe d'élèves, choisir une espèce dans l'environnement proche ;
- photographier quelques individus de cette espèce ;
- comparer les photographies apportées par chacun des membres du groupe.

1 La diversité des pensées sauvages dans la population* d'une prairie des Alpes. Toutes ces pensées sauvages appartiennent à la même espèce, *Viola tricolor*. Chaque individu possède un ensemble de caractères visibles, comme la couleur dominante des pétales, leur forme, le nombre de stries à la base du pétale, etc.

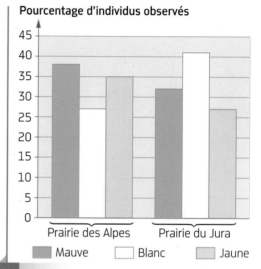

Pourcentage d'individus observés

Mauve   Blanc   Jaune

2 La couleur dominante des pétales des individus de l'espèce *Viola tricolor* dans deux populations.

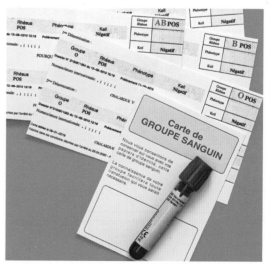

3 La diversité des individus dans l'espèce humaine. Certains caractères, comme la forme des yeux, la couleur de la peau, etc., sont facilement observables. D'autres caractères, ne sont pas directement visibles, comme le groupe sanguin. Tous ces caractères peuvent différer d'un individu à l'autre et constituent le phénotype de l'individu.

Repérer les facteurs à l'origine de la diversité des individus

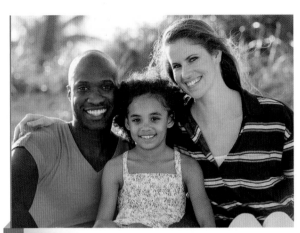

4 Un couple et leur enfant. Les parents ont respectivement A et B pour groupe sanguin. Celui de leur fille est AB.

Milieu venté

Milieu peu venté

Père

Mère

Chiot

5 Arbre généalogique d'un chiot. Sur cet arbre généalogique, on peut suivre la transmission des caractères héréditaires, c'est-à-dire des caractères qui se transmettent de génération en génération.

6 Une diversité de caractères liée à l'environnement. Ces deux arbres appartiennent à la même espèce : ce sont des hêtres communs. Le premier a une allure particulière, liée à des vents forts qui soufflent dans la même direction : les branches se développent alors dans le sens des vents. Si l'on récupère les graines de cet arbre et qu'on les sème dans un milieu peu venté, les arbres obtenus ne présentent pas cette allure.

DICO · SCIENCES

*Population : ensemble d'individus d'une même espèce occupant un même territoire.

2

Quelle hypothèse peut-on formuler sur l'origine des caractères héréditaires ?

Localiser l'information à l'origine des caractères héréditaires d'un individu

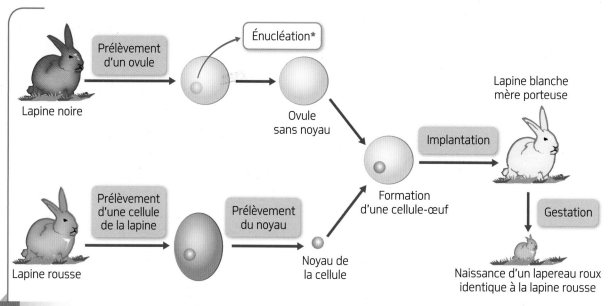

Lapine noire — Prélèvement d'un ovule — Énucléation* — Ovule sans noyau

Lapine rousse — Prélèvement d'une cellule de la lapine — Prélèvement du noyau — Noyau de la cellule

Formation d'une cellule-œuf — Implantation — Lapine blanche mère porteuse — Gestation — Naissance d'un lapereau roux identique à la lapine rousse

1 Une expérience montrant quel élément de la cellule est à l'origine des caractères héréditaires.

2 Le clonage animal, une technologie en débat.

Le clonage est l'ensemble des techniques permettant de produire un organisme, ou une partie de celui-ci, identique à un organisme déjà existant. On en distingue deux types :
– le **clonage reproductif** permet d'obtenir un nouvel individu identique à celui de départ. Son application permet de produire en grande quantité des individus ayant des propriétés intéressantes, ou de sauvegarder des espèces en voie de disparition ;
– le **clonage thérapeutique** permet de créer des cellules, des tissus, voire des organes, à partir des cellules d'un individu. Son application permet de faciliter les greffes d'organe.
Si certains scientifiques sont favorables au développement de ces applications, d'autres sont très réservés. Le cas du clonage humain est encore plus controversé. De nombreuses questions de **bioéthique*** se posent alors : quel est l'intérêt de cloner des humains ? Quel impact psychologique peut-il y avoir pour un individu se reconnaissant comme le clone d'un autre ? Etc.
En France, la question du clonage est fréquemment discutée au sein du Comité consultatif national d'éthique. Depuis 1994, une loi de bioéthique est régulièrement révisée afin de tenir compte des évolutions scientifiques, technologiques et sociétales. Aujourd'hui, elle interdit tout clonage humain, qu'il soit reproductif ou thérapeutique.

Dolly, le premier mammifère cloné en 1995

Faire une hypothèse **sur le support de l'information dans le noyau**

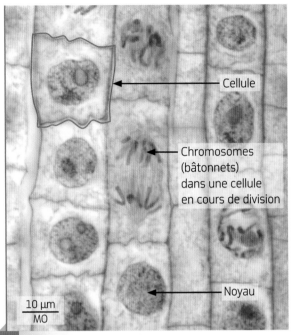

Cellule

Chromosomes (bâtonnets) dans une cellule en cours de division

Noyau

10 µm
MO

3 **Des cellules de racines d'oignon.** Lorsqu'une cellule se divise, son noyau n'est plus visible : les chromosomes prennent la forme de bâtonnets.

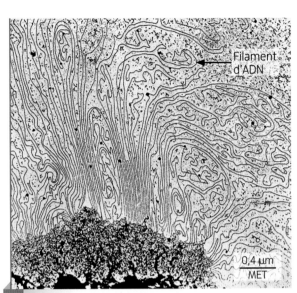

Filament d'ADN

0,4 µm
MET

4 **La molécule d'ADN (acide désoxyribonucléique).** Une technique particulière permet d'étaler un long filament d'ADN, constitutif d'un chromosome.

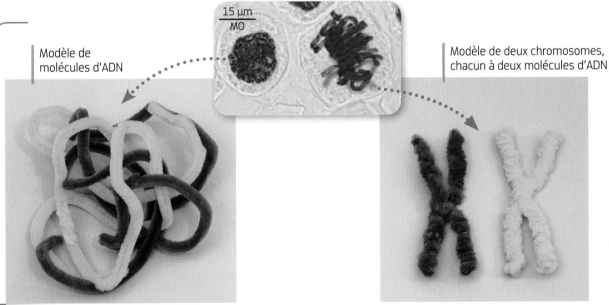

15 µm
MO

Modèle de molécules d'ADN

Modèle de deux chromosomes, chacun à deux molécules d'ADN

5 **Relation entre chromosomes et molécule d'ADN.** Une molécule d'ADN se présente sous la forme d'un long filament capable de s'enrouler sur lui-même.

DICO SCIENCES

* **Bioéthique** : étude des problèmes moraux posés par la recherche médicale et biologique.
* **Énucléation** : fait d'enlever le noyau d'une cellule.

Activité **3** *J'enquête*

Nadia observe un biologiste qui dit, devant une photographie de chromosomes, « Cette cellule appartient à un humain de sexe féminin, atteinte du syndrome de Down ». Nadia se demande comment il a pu déduire cela.

CONSIGNE > **Expliquer comment l'étude des chromosomes permet de déterminer certains caractères d'un individu.**

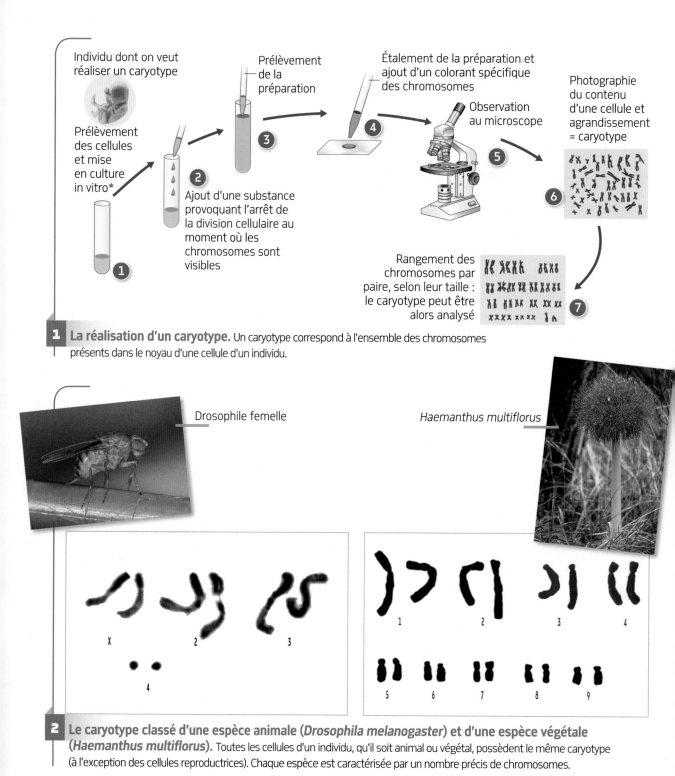

Individu dont on veut réaliser un caryotype

Prélèvement des cellules et mise en culture in vitro*

1

2 Ajout d'une substance provoquant l'arrêt de la division cellulaire au moment où les chromosomes sont visibles

Prélèvement de la préparation

3

Étalement de la préparation et ajout d'un colorant spécifique des chromosomes

4

Observation au microscope

5

Photographie du contenu d'une cellule et agrandissement = caryotype

6

Rangement des chromosomes par paire, selon leur taille : le caryotype peut être alors analysé

7

1 **La réalisation d'un caryotype.** Un caryotype correspond à l'ensemble des chromosomes présents dans le noyau d'une cellule d'un individu.

Drosophile femelle

Haemanthus multiflorus

X   2   3

4

1   2   3   4

5   6   7   8   9

2 **Le caryotype classé d'une espèce animale (*Drosophila melanogaster*) et d'une espèce végétale (*Haemanthus multiflorus*).** Toutes les cellules d'un individu, qu'il soit animal ou végétal, possèdent le même caryotype (à l'exception des cellules reproductrices). Chaque espèce est caractérisée par un nombre précis de chromosomes.

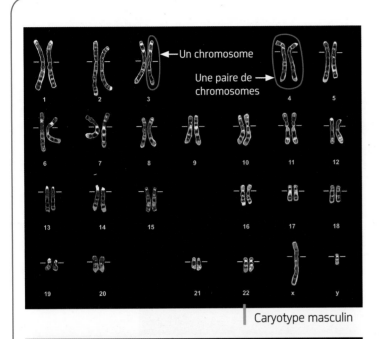

Un chromosome →

Une paire de → chromosomes

Caryotype masculin

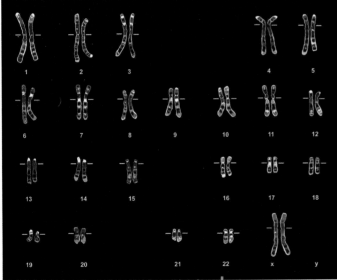

Caryotype féminin

3 Caryotypes classés d'un homme et d'une femme sains.

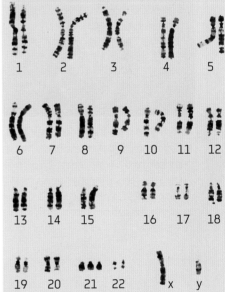

4 Caryotype classé d'un homme atteint du syndrome de Down.

Le syndrome de Down, aussi appelé trisomie 21, représente 1 cas pour 700 naissances. Les individus atteints par cette anomalie possèdent des caractéristiques physiques particulières (cou et membres courts, visage rond, yeux bridés, malformation cardiaque, etc.) et un déficit intellectuel plus ou moins important selon les individus.

DICO° SCIENCES

*Culture in vitro : culture de cellules en dehors d'un organisme, réalisée en laboratoire dans un environnement contrôlé.

Activité **4**

Comment les individus peuvent-ils présenter une telle diversité de caractères héréditaires ?

Découvrir la relation entre gènes et caractères héréditaires

Individu atteint du syndrome de Williams. Individu sain.

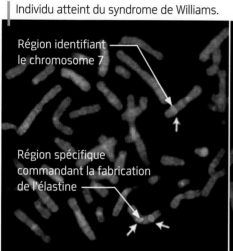

Région identifiant le chromosome 7

Région spécifique commandant la fabrication de l'élastine

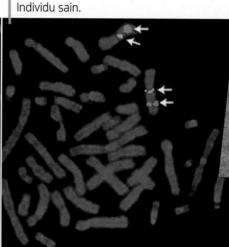

Jeune garçon atteint du syndrome de Williams

1 **Caryotype d'un individu atteint du syndrome de Williams.** Le syndrome de Williams entraîne des anomalies des vaisseaux sanguins et des troubles cognitifs. Une technique particulière permet de repérer les chromosomes de la paire n° 7 : leur extrémité apparaît en vert sur le caryotype. La couleur rose désigne une petite portion de ces chromosomes qui commande la fabrication de l'élastine. L'élastine est une protéine qui joue un rôle important dans l'élasticité des tissus, notamment au niveau des vaisseaux sanguins.

Gène intervenant dans la formation du système auditif

Gène responsable de la fabrication de l'élastine

Gènes responsables de protéines impliquées dans le fonctionnement cérébral

Zone apparaissant rose sur le document 1

Gène responsable de la fluidité du mucus*

Gène responsable de la longueur des antennes

Gène responsable de la longueur des pattes

Gène responsable de la couleur du corps

Gène responsable de la longueur des ailes

Gène responsable de l'écartement des ailes

2 **Quelques gènes* portés par un chromosome humain n° 7.** Un chromosome n° 7 porte à lui seul plus de 1 400 gènes. L'ensemble des 23 paires de chromosomes humains porte près de 25 000 gènes. Tous les humains possèdent les mêmes gènes.

3 **Quelques gènes de la paire de chromosomes n° 2 de la drosophile.** Les chromosomes d'une même paire portent exactement les mêmes gènes situés aux mêmes endroits, sauf en cas d'anomalie génétique. Les gènes portés par les chromosomes de la drosophile sont au nombre de 13 000. Toutes les drosophiles possèdent les mêmes gènes.

Expliquer l'existence de plusieurs versions d'un même caractère

4 Un gène à l'origine des groupes sanguins chez l'humain.

Il existe quatre groupes sanguins : A, B, AB et O. Ils correspondent à des différences au niveau des globules rouges, les cellules du sang qui transportent le dioxygène. Selon le groupe sanguin de l'individu, les globules rouges ne présentent pas les mêmes molécules à leur surface :
– les personnes de groupe A possèdent des molécules A ;
– les personnes de groupe B possèdent des molécules B ;
– les personnes de groupe AB possèdent des molécules A et des molécules B ;
– les personnes de groupe O ne possèdent aucune de ces molécules.
Un gène, situé sur la paire de chromosomes n° 9, est responsable de la présence de ces molécules. Chaque individu possède deux exemplaires de ce gène, un sur chaque chromosome de cette paire.

3,5 µm
MEB

Groupe sanguin	A	B	O	AB
Globule rouge				
Paire de chromosomes n°9 de l'individu	A–A ou A–O	B–B ou B–O	O–O	A–B

5 Les différentes versions du gène responsable du groupe sanguin humain.

Tous les êtres humains possèdent le même gène commandant le groupe sanguin, mais l'information portée par le gène n'est pas la même pour tous. Il existe donc différentes versions d'un même gène, appelées allèles. Les trois allèles dans la population humaine se nomment A, B et O. Chaque individu en possède deux : soit ils sont identiques, soit ils sont différents.

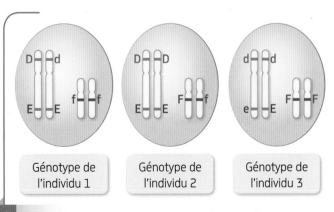

Génotype de l'individu 1   Génotype de l'individu 2   Génotype de l'individu 3

DICO SCIENCES

* **Gène** : petite partie de chromosome qui porte une information génétique.
* **Mucus** : sécrétion plus ou moins riche en eau, produite par certains organes de l'organisme en contact avec le milieu extérieur.

6 Des gènes identiques, mais des allèles différents.

Tous les individus d'une même espèce partagent les mêmes gènes. Cependant, de nombreux gènes possèdent plusieurs allèles. Ainsi, l'ensemble des allèles, appelé génotype, est propre à chaque individu. C'est la diversité génétique des individus.

Activité

5

Comment le caryotype se maintient-il au cours des générations et au sein d'un individu ?

Étudier le maintien du caryotype au cours des générations

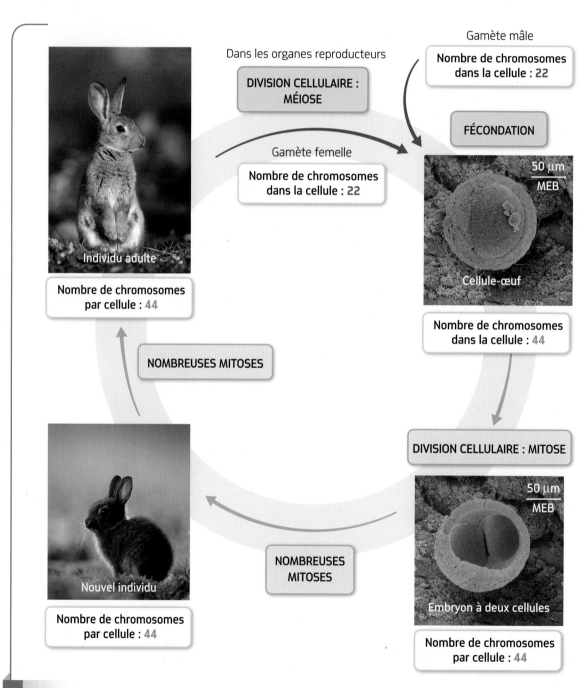

Dans les organes reproducteurs

DIVISION CELLULAIRE : MÉIOSE

Gamète mâle

Nombre de chromosomes dans la cellule : **22**

FÉCONDATION

Gamète femelle

Nombre de chromosomes dans la cellule : **22**

50 μm
MEB

Cellule-œuf

Nombre de chromosomes dans la cellule : **44**

Individu adulte

Nombre de chromosomes par cellule : **44**

NOMBREUSES MITOSES

DIVISION CELLULAIRE : MITOSE

50 μm
MEB

NOMBREUSES MITOSES

Nouvel individu

Nombre de chromosomes par cellule : **44**

Embryon à deux cellules

Nombre de chromosomes par cellule : **44**

1 **Le cycle de développement d'un lapin de garenne.** Le cycle de développement d'un individu correspond aux différentes phases permettant de passer d'une génération à une autre. Au cours du cycle, certains phénomènes cellulaires font intervenir les chromosomes : la mitose, la méiose et la fécondation. L'alternance de ces phénomènes permet de maintenir, au cours des générations successives, le nombre de chromosomes caractéristique de l'espèce : c'est la stabilité du caryotype.

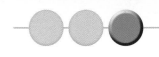
Expliquer **le maintien du caryotype des cellules d'un individu**

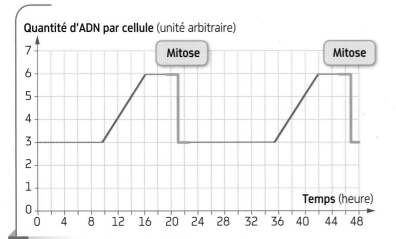

Quantité d'ADN par cellule (unité arbitraire)

Mitose   Mitose

Temps (heure)

2 **Évolution de la quantité d'ADN dans une cellule au cours du temps.**

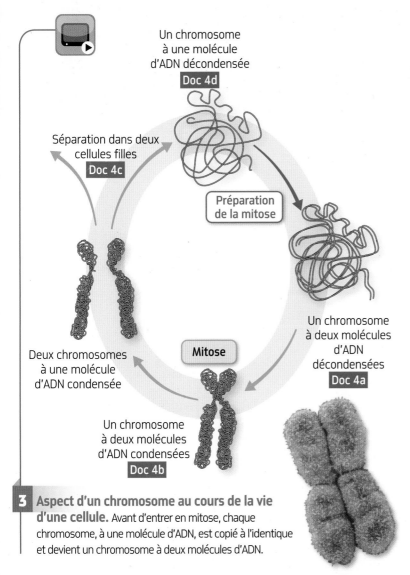

Un chromosome
à une molécule
d'ADN décondensée
Doc 4d

Séparation dans deux
cellules filles
Doc 4c

Préparation
de la mitose

Un chromosome
à deux molécules
d'ADN
décondensées
Doc 4a

Deux chromosomes
à une molécule
d'ADN condensée

Mitose

Un chromosome
à deux molécules
d'ADN condensées
Doc 4b

3 **Aspect d'un chromosome au cours de la vie d'une cellule.** Avant d'entrer en mitose, chaque chromosome, à une molécule d'ADN, est copié à l'identique et devient un chromosome à deux molécules d'ADN.

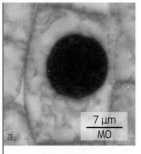

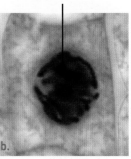

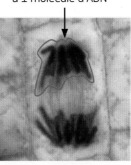

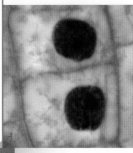

a. 7 µm / MO

Début

Chromosomes à
2 molécules d'ADN

b.

Lot de chromosomes
à 1 molécule d'ADN

Mitose
ou division
cellulaire

Fin

4 **Le déroulement de la mitose dans une racine d'oignon.** La mitose permet de conserver le nombre de chromosomes et donc le génotype dans les cellules nouvellement formées. Elle assure ainsi la stabilité génétique des cellules d'un individu.

Activité

6

J'enquête

Mme Martin est enceinte. Elle et son époux pensent que leur futur enfant sera un garçon de groupe A.

CONSIGNE > **Expliquer à M. et Mme Martin la possibilité qu'a leur futur bébé d'être un garçon de groupe sanguin A.**

Caryotype d'un spermatozoïde

Caryotype d'un ovule ou d'un spermatozoïde

1 **Caryotypes de gamètes humains.**

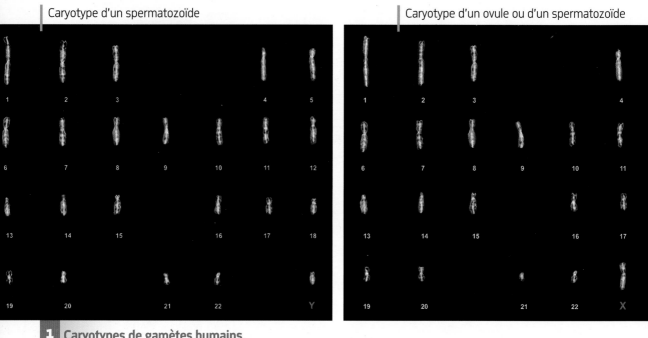

Cellule du père à l'origine des spermatozoïdes dans les testicules

MÉIOSE

OU

Gamètes mâles
=
Spermatozoïdes

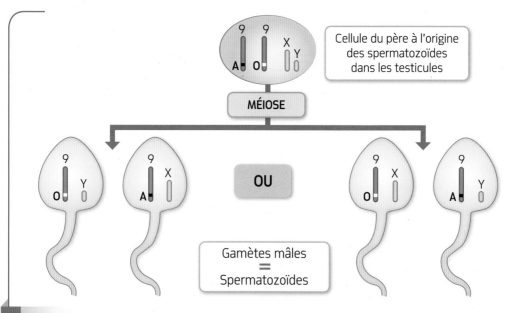

2 **Le brassage* des allèles lors de la méiose chez M. Martin.** Seules deux paires de chromosomes sont représentées : la paire n° 9 qui porte le gène du groupe sanguin et la paire de chromosomes sexuels. Lors de la formation des gamètes, appelée méiose, les chromosomes d'une paire se séparent de façon aléatoire.

DICO ° SCIENCES

*Brassage : formation de nouvelles associations d'allèles.

Cellule de M. Martin

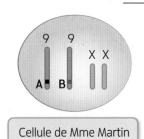

Cellule de Mme Martin

3 **La paire de chromosomes n° 9 et la paire de chromosomes sexuels, dans les cellules à l'origine des gamètes de M. et Mme Martin.**

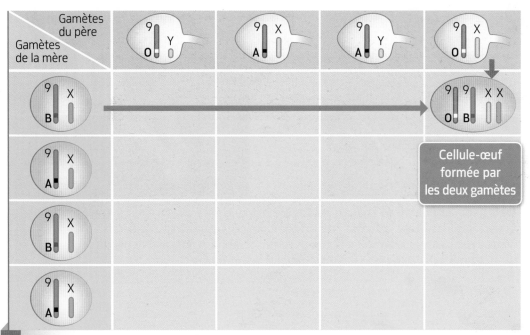

Cellule-œuf formée par les deux gamètes

4 **Le brassage des allèles lors de la fécondation.** Ce tableau de croisement présente l'ensemble des possibilités des cellules-œufs d'un couple. Une cellule-œuf hérite d'une seule combinaison parmi toutes celles possibles pour ces deux paires de chromosomes.

LOGICIEL

Protocole

• Ouvrir le logiciel *AlgoBox*.

• Réaliser un algorithme permettant de calculer le nombre *D* de descendants génétiquement différents d'un couple :

– *n* représente le nombre de paires de chromosomes présentes dans la cellule ;

– *G* représente le nombre de gamètes différents formés à partir de cette cellule.

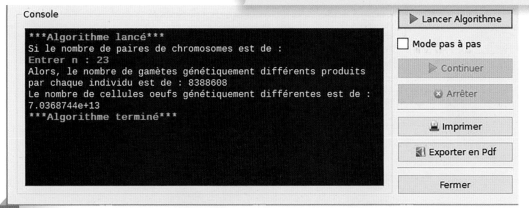

5 **Résultat d'un algorithme généré avec le logiciel *AlgoBox*.** On peut utiliser un algorithme pour déterminer le nombre de cellules-œufs génétiquement différentes qu'un couple peut produire.

7

Comment expliquer l'apparition de nouveaux caractères dans une population ?

Observer un nouveau caractère dans une population

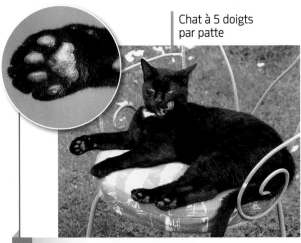

Chat à 5 doigts par patte

Chat polydactyle

1 **Organisation de la patte antérieure de chat.** Le chat possède cinq doigts à ses pattes antérieures mais seuls quatre doigts reposent sur le sol. Les chats polydactyles possèdent, depuis la naissance, un ou plusieurs doigts supplémentaires à leurs pattes, généralement antérieures. Ces chats se déplacent normalement. Des cas de polydactylie sont aussi observés dans d'autres espèces telles que la poule ou l'être humain.

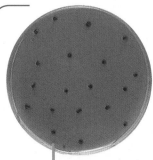

Boîte non exposée aux UV

Boîte exposée aux UV

EXPÉRIENCE

On souhaite observer une modification d'un phénotype. Ceci est possible avec des levures Ade2 qui sont des êtres vivants unicellulaires.

Une levure ne peut pas se voir à l'œil nu, en raison de sa taille microscopique, mais les colonies qui se développent en culture sont observables : chaque colonie est issue de nombreuses mitoses d'un seul individu.

Ces colonies possèdent un phénotype visible : elles sont de couleur rouge.

Protocole

1. Étaler une suspension de levures Ade2 dans deux boîtes de Pétri remplies d'un milieu de culture.

2. Disposer une des boîtes sous une lampe à UV pendant 10 secondes : cela permet de provoquer des mutations chez des levures.

3. Placer les levures dans un incubateur à 30 °C pendant une semaine pour laisser les colonies se développer.

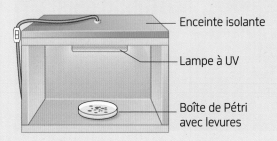

Enceinte isolante

Lampe à UV

Boîte de Pétri avec levures

2 **Cultures de levures au bout d'une semaine.** Dans la boîte exposée aux UV, apparaît une colonie de couleur crème. Les levures de couleur crème, en se multipliant, donnent toujours des levures de couleur crème.

↪ **Relier l'apparition d'un nouveau caractère à une modification du génotype**

3 **Une modification du génotype à l'origine de la polydactylie chez le chat.**

Parfois l'ADN d'un gène peut subir une petite modification : c'est une mutation. Cette mutation peut entraîner une modification du phénotype de l'individu. Ainsi chez les chats polydactyles, l'allèle du gène contrôlant l'organisation de la patte a subi une mutation ayant entraîné une modification du nombre de doigts. Les mutations sont des phénomènes naturels qui surviennent spontanément, au hasard. Certains facteurs, tels que les UV, augmentent le risque de survenue des mutations.

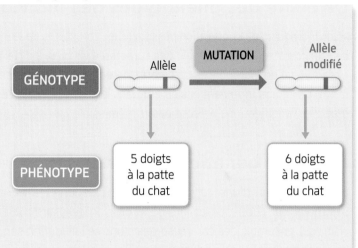

Pomme non mutée

Pomme mutée

4 **Pommes Pink Lady non mutée et mutée.** Lors des premières étapes de la formation de la pomme, l'ADN d'une cellule a subi une mutation qui a modifié son phénotype initial et lui a donné une couleur dorée. Cette cellule s'est multipliée : elle a transmis son génotype aux cellules issues de sa multiplication, qui sont donc de couleur dorée.

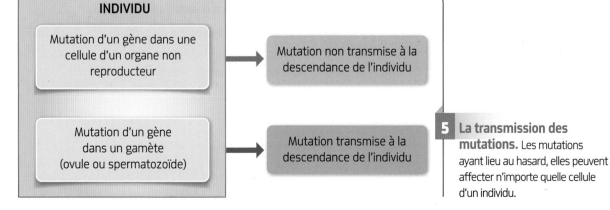

5 **La transmission des mutations.** Les mutations ayant lieu au hasard, elles peuvent affecter n'importe quelle cellule d'un individu.

L'essentiel

par le texte

○○○ Diversité des phénotypes des individus

> Les individus d'une population possèdent les caractères de leur espèce et des variations de certains caractères. L'ensemble des caractères visibles, à différentes échelles, constitue le **phénotype** d'un individu. Les caractères héréditaires sont transmissibles à la descendance. L'**environnement** intervient également dans le phénotype, en modifiant certains caractères, mais ces modifications ne sont pas transmissibles.

ACTIVITÉ
1 p. 182

○○●○ Diversité génétique des individus

> Dans le noyau d'une cellule, se trouvent de longues molécules d'**ADN** capables de s'enrouler sur elles-mêmes lors de la division cellulaire : les **chromosomes** deviennent visibles. L'ensemble des chromosomes d'une cellule définit son **caryotype**, il est spécifique pour chaque espèce. Dans un caryotype, les chromosomes peuvent être classés par **paires**. Les **chromosomes** portent l'information à l'origine des caractères héréditaires d'un individu.

> Un **gène** est une petite partie de chromosome qui porte une information. Les gènes sont à l'origine des caractères héréditaires. Dans une cellule, un gène existe en deux exemplaires portant des informations identiques ou différentes. On appelle **allèles** ces différentes versions d'un gène. L'ensemble des allèles d'un individu constitue son **génotype**. Tous les individus d'une espèce ont les mêmes gènes, mais pas les mêmes allèles. Chaque individu ayant un génotype propre, cela explique la **diversité génétique des individus** d'une espèce.

ACTIVITÉS
2 p. 184
3 p. 186
4 p. 188

○○○● L'origine de la diversité et de la stabilité génétique

> Dans le cycle de développement, l'alternance de la méiose et de la fécondation assure la stabilité du caryotype au cours des générations successives. La **méiose** correspond à la formation des gamètes ; elle diminue de moitié le nombre de chromosomes que la **fécondation** rétablit. La **mitose**, quant à elle, est une division qui concerne toutes les autres cellules de l'organisme : elle permet la **stabilité génétique des cellules d'un individu**.

> Lors de la méiose, les chromosomes d'une paire se séparent au hasard : leurs allèles subissent un **brassage.** Les gamètes produits présentent alors une grande diversité génétique.

> La **fécondation**, en réunissant au hasard les gamètes, assure un brassage des allèles et forme une cellule-œuf unique. Chaque individu possède donc un génotype unique. De nouveaux phénotypes peuvent apparaître par des modifications aléatoires du génotype : ce sont les **mutations**.

ACTIVITÉS
5 p. 190
6 p. 192
7 p. 194

MOTS-CLÉS

Phénotype • Gène • Allèle • Génotype • Mutation • Mitose • Méiose • Fécondation

Diversité et stabilité génétique des individus

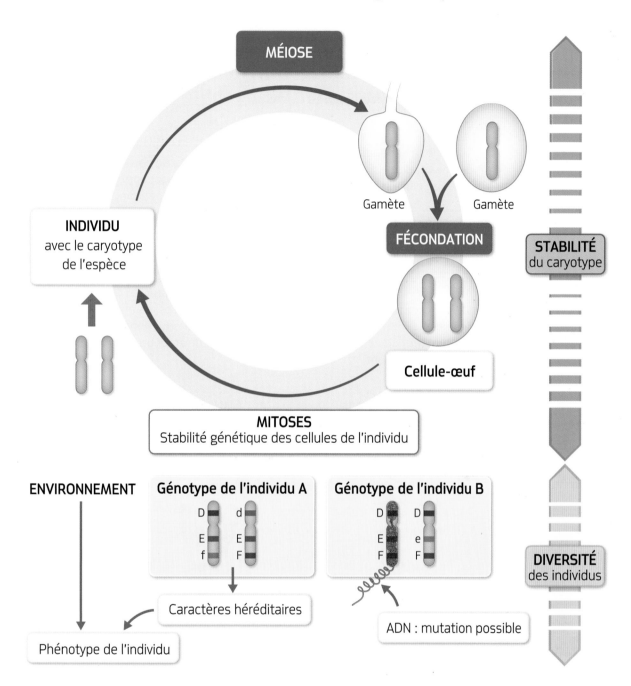

Mon bilan de fin de cycle

Attendus

> **Pour expliquer que les phénotypes sont déterminés par les génotypes et l'environnement :**
• je liste des caractères héréditaires d'un individu, propres à l'espèce et ceux modifiés par l'environnement ;
• je relie l'existence de plusieurs versions d'un caractère héréditaire à celle de plusieurs allèles d'un gène.

> **Pour expliquer sur quoi reposent la diversité et la stabilité génétique des individus :**
• je décris le cycle de développement en précisant la place de la méiose, de la fécondation et de la mitose ;
• j'associe la stabilité génétique des individus au comportement des chromosomes lors de la mitose ;
• je montre le rôle de la méiose et de la fécondation dans l'obtention de cellules-œufs uniques.

JE TESTE *mes connaissances*

1 Remue-méninges ●○○

Écrire une phrase avec les mots suivants :
phénotype – caractères héréditaires – environnement

2 QCM ○○●

Pour chaque série d'affirmations, **retrouver** celle qui est exacte.

a. Lors de la formation des gamètes :
❏ les paires de chromosomes ne se séparent pas.
❏ les chromosomes sexuels ne se séparent jamais.
❏ le nombre de chromosomes double.
❏ les chromosomes de chaque paire se séparent au hasard.

b. Une mutation :
❏ est une modification de l'information portée par l'allèle d'un gène.
❏ se transmet toujours à la génération suivante.
❏ se produit toujours dans un gamète.
❏ n'est jamais liée à l'environnement.

c. Le phénotype d'un individu est mis en place :
❏ par le génotype seulement.
❏ par l'environnement seulement.
❏ par le génotype et par l'environnement.
❏ par le génotype ou l'environnement.

3 Mémoriser le vocabulaire du chapitre ○○●

Associer les mots suivants à leur définition :
a. Gène **b.** Allèle
c. Phénotype

1. Ensemble des caractères visibles, à différentes échelles, d'un individu

2. Petite partie d'un chromosome qui porte une information génétique

3. Version d'un gène

4 Restituer une connaissance ○○●

Expliquer, en quelques phrases, comment la reproduction sexuée permet de créer un individu unique.

JE TESTE *mes compétences*

5 Communiquer sur ses démarches en argumentant ●○○

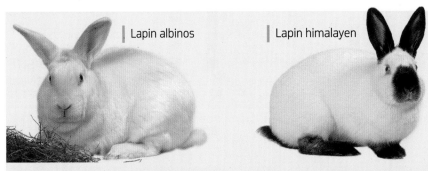

Lapin albinos | Lapin himalayen

Certains lapins, appelés albinos, sont entièrement blancs. Quand ils se reproduisent entre eux, ils ne donnent que des lapins albinos. D'autres lapins sont majoritairement blancs mais possèdent des poils sombres aux extrémités des pattes, du museau et des oreilles : ce sont des lapins himalayens.

1 La couleur des lapins blancs.

➡ À l'aide des documents, **indiquer** quels sont les types de caractères qui définissent le phénotype « pelage blanc » des lapins albinos, d'une part, et des lapins himalayens, d'autre part.

Expérience. Des lapins himalayens identiques sont tondus et placés dans des conditions différentes. Le premier, élevé dans un milieu chaud est, quelques semaines plus tard, toujours blanc avec des extrémités sombres. Le second, élevé en milieu froid, devient entièrement sombre.

2 Résultats d'expérience.

6 Proposer une ou des hypothèses pour résoudre un problème ○○●

Un jardinier possède dans son jardin deux églantiers : l'un a des fleurs roses, l'autre a des fleurs blanches. Voulant obtenir un nouvel églantier qu'il espère blanc, il réalise un croisement entre les deux églantiers. Il obtient un églantier rose. Il décide alors de réaliser le même croisement une nouvelle fois.

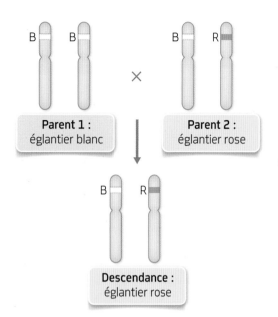

Parent 1 : églantier blanc

Parent 2 : églantier rose

Descendance : églantier rose

L'allèle B commande la formation de fleurs blanches
L'allèle R commande la formation de fleurs roses

1 Photographie de l'églantier obtenu par le jardinier.

2 Premier croisement réalisé par le jardinier.

➡ **Montrer** que le même croisement peut aboutir à un églantier blanc.

7 Représenter des données sous différentes formes ○○●

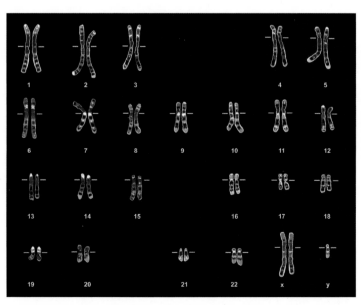

1 Caryotype d'un individu atteint du syndrome de Klinefelter. Le syndrome de Klinefelter concerne 1 naissance sur 800. Les individus atteints sont des hommes stériles avec quelques caractères sexuels secondaires masculins (grande taille, épaules larges) mais aussi féminins (hanches larges).

➡ Sachant que les parents d'un enfant atteint du syndrome de Klinefelter possèdent tous les deux des caryotypes sans anomalie, **expliquer**, par un schéma, comment ils ont pu donner naissance à un individu atteint de ce syndrome.

Biodiversité

Je réactive mes connaissances

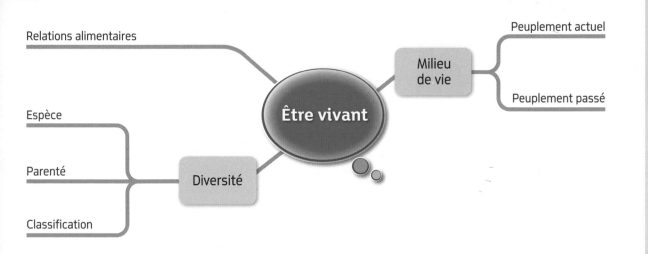

Relations alimentaires

Espèce

Parenté

Classification

Diversité

Être vivant

Milieu de vie

Peuplement actuel

Peuplement passé

Mes objectifs de fin de cycle

> Relier, comme des processus dynamiques, la diversité génétique et la biodiversité

> Mettre en évidence des faits d'évolution des espèces et donner des arguments en faveur de quelques mécanismes de l'évolution

Activités

1 La biodiversité actuelle

2 La biodiversité d'une région à deux époques

3 Les changements de biodiversité sur Terre

4 Les mécanismes de l'évolution

5 L'histoire des idées sur l'évolution

6 L'évolution, une théorie scientifique

et évolution

Planche de bande dessinée extraite de
Garulfo, Tome 3, *Le Prince aux deux visages*.
ALAIN AYROLES, BRUNO MAÏORANA.
1997, Éditions Delcourt

Cette bande dessinée s'inspire des contes classiques et présente une vision humoristique de la société humaine. Ici, un prince vaniteux, qui vient d'être transformé en grenouille, découvre à ses dépens qu'il est la proie d'un chat. Cette relation, qui s'instaure entre différentes espèces d'un même écosystème, est un aspect de la biodiversité.

Activité

1

J'enquête

Mehdi doit expliquer à son correspondant anglais ce qu'est la biodiversité.

CONSIGNE > **Indiquer, en anglais, ce qu'est la biodiversité.**

1 **Deux écosystèmes : un récif corallien et une forêt tropicale.** La biodiversité peut s'observer à plusieurs échelles : à l'échelle de la planète (diversité des écosystèmes), à l'échelle d'un écosystème (diversité des espèces).

2 **Quelques individus de même espèce.** La biodiversité peut être définie à l'échelle d'une espèce et correspond à la diversité des individus.

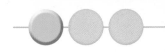

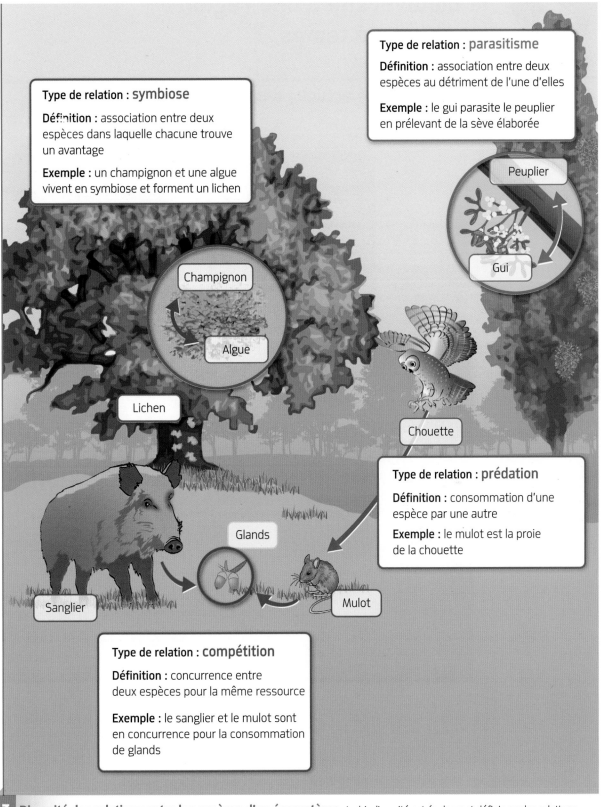

Type de relation : parasitisme

Définition : association entre deux espèces au détriment de l'une d'elles

Exemple : le gui parasite le peuplier en prélevant de la sève élaborée

Peuplier

Gui

Type de relation : symbiose

Définition : association entre deux espèces dans laquelle chacune trouve un avantage

Exemple : un champignon et une algue vivent en symbiose et forment un lichen

Champignon

Algue

Lichen

Chouette

Type de relation : prédation

Définition : consommation d'une espèce par une autre

Exemple : le mulot est la proie de la chouette

Glands

Sanglier

Mulot

Type de relation : compétition

Définition : concurrence entre deux espèces pour la même ressource

Exemple : le sanglier et le mulot sont en concurrence pour la consommation de glands

3 **Diversité des relations entre les espèces d'un écosystème.** La biodiversité est également définie par les relations qui s'établissent entre les espèces d'un écosystème.

 ANGLAIS

* **Biodiversité** : *biodiversity.*
* **Compétition** : *competition.*
* **Échelle** : *level.*
* **Écosystème** : *ecosystem.*
* **Espèce** : *species.*
* **Être vivant** : *living being.*
* **Parasitisme** : *parasitism.*
* **Prédation** : *predation.*
* **Symbiose** : *symbiosis.*

2

Quels changements ont affecté la biodiversité d'une région au cours du temps ?

Observer la biodiversité actuelle d'une région

Manche

Parc régional de Scarpe-Escaut

Espèce : Sanglier commun
Groupe : Mammifères

Espèce : Hespérie du brome
Groupe : Insectes

Espèce : Engoulevent d'Europe
Groupe : Oiseaux

Espèce : Chêne pédonculé
Groupe : **Angiospermes***

Espèce : Fougère aigle
Groupe : Fougères

Espèce : Cloporte commun
Groupe : Crustacés

1 Quelques espèces de l'écosystème forestier, dans le parc régional de Scarpe-Escaut.

DICO SCIENCES

* **Angiospermes** : végétaux possédant des fleurs et des fruits.
* **Sédiments** : éléments qui se déposent au fond de l'eau.

Reconstituer la biodiversité passée d'une région

① Poisson vivant il y a plusieurs millions d'années

② Après sa mort, il est recouvert par les sédiments *

③ Au fur et à mesure de son enfouissement, le poisson se minéralise. Il devient un fossile contenu dans une roche

2 **La formation d'un fossile.**

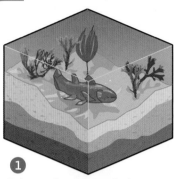

Espèce : *Lepidodendron* (fossile)
Groupe : Fougères (sens large)

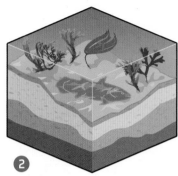

Espèce : *Meganeura* (fossile)
Groupe : Insectes

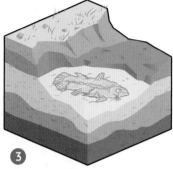

Espèce : *Calamites* (fossile)
Groupe : Fougères (sens large)

Espèce : *Arthropleura* (fossile)
Groupe : Crustacés

3 **Reconstitution d'un paysage datant de 310 millions d'années dans le parc régional de Scarpe-Escaut.**
Les fossiles contenus dans les roches anciennes du sous-sol du parc régional de Scarpe-Escaut ont permis de reconstituer la biodiversité passée. À l'époque du Carbonifère, la forêt est surtout constituée d'espèces aujourd'hui disparues. Certains groupes ne sont pas encore apparus : les Angiospermes, les Oiseaux ou les Mammifères par exemple.

Activité

3

Quels changements ont affecté la biodiversité à l'échelle de la Terre?

1 **Stromatolites actuels et fossiles.** Les stromatolites sont des formations rocheuses constituées de bactéries filamenteuses, les cyanobactéries. Les stromatolites fossiles les plus vieux sont âgés d'environ 3,8 milliards d'années.

Stromatolites actuels

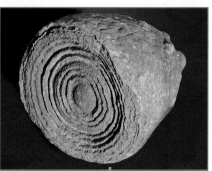

Stromatolite fossile

−4 Ga	−3 Ga	−2 Ga	−1 Ga

Hadéen   **Précambrien**

− 4,3 Ga   **− 3,5 Ga**

− 4,5 Ga   Apparition   **− 2 Ga**
Formation   de la vie   Premiers êtres vivants
de la Terre   pluricellulaires

Ma* : million d'années
Ga*: milliard d'années

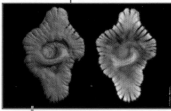

Macrofossile* d'organisme pluricellulaire, trouvé dans une roche au Gabon (vu de ses deux faces).

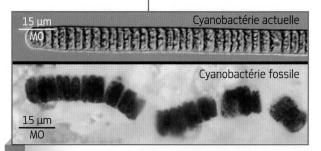

15 µm
MO
Cyanobactérie actuelle

Cyanobactérie fossile

15 µm
MO

2 **Les stromatolites fossiles renferment des structures que les chercheurs ont interprétées comme des cyanobactéries.** Ces organismes, qui réalisent la photosynthèse, auraient libéré du dioxygène dans l'océan puis dans l'atmosphère.

DICO SCIENCES

***Diversification** : augmentation du nombre d'espèces qui constituent un groupe.
***Ga** : 10^9 années (giga-années)
***Ma** : 10^6 années (méga-années)
***Macrofossile** : fossile visible à l'œil nu.

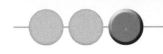
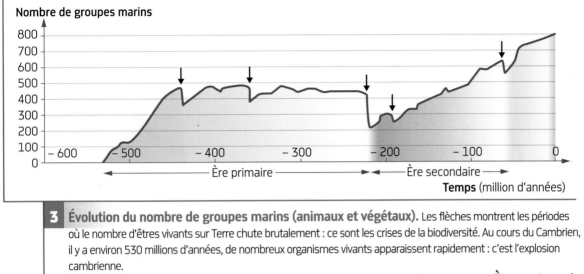

Nombre de groupes marins

Ère primaire — Ère secondaire

Temps (million d'années)

3 **Évolution du nombre de groupes marins (animaux et végétaux).** Les flèches montrent les périodes où le nombre d'êtres vivants sur Terre chute brutalement : ce sont les crises de la biodiversité. Au cours du Cambrien, il y a environ 530 millions d'années, de nombreux organismes vivants apparaissent rapidement : c'est l'explosion cambrienne.

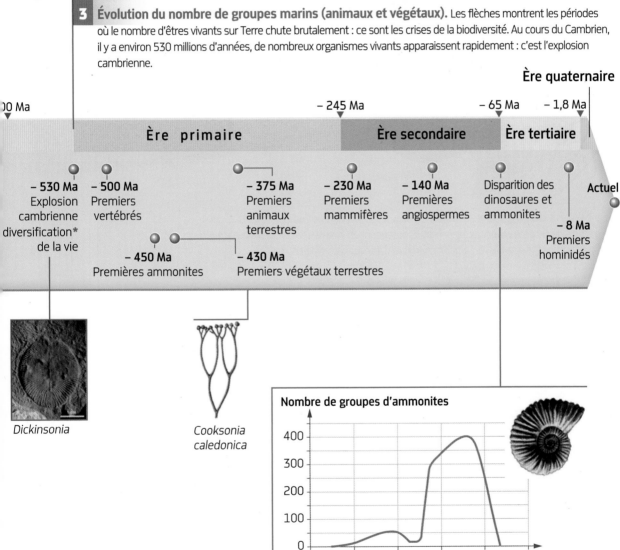

Ère quaternaire

– 245 Ma   – 65 Ma   – 1,8 Ma

Ère primaire **Ère secondaire** **Ère tertiaire**

– 530 Ma
Explosion
cambrienne
diversification*
de la vie

– 500 Ma
Premiers
vertébrés

– 450 Ma
Premières ammonites

– 375 Ma
Premiers
animaux
terrestres

– 430 Ma
Premiers végétaux terrestres

– 230 Ma
Premiers
mammifères

– 140 Ma
Premières
angiospermes

Disparition des
dinosaures et
ammonites

Actuel

– 8 Ma
Premiers
hominidés

Dickinsonia

*Cooksonia
caledonica*

Nombre de groupes d'ammonites

Temps (million d'années)

4 **Évolution au sein du groupe marin des ammonites.** Les ammonites sont des mollusques connus uniquement à l'état de fossiles. Les différentes espèces d'ammonites se distinguent par l'ornementation de leur coquille. Après son apparition, un groupe peut se diversifier au cours du temps puis régresser, voire disparaître.

Activité 4

Comment une population évolue-t-elle au cours du temps ?

Observer des individus différents dans une population

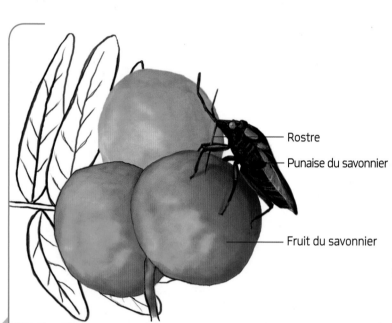

Rostre

Punaise du savonnier

Fruit du savonnier

1 **La punaise du savonnier.** Ces insectes sont fréquents dans le Sud des États-Unis sur les arbres de l'espèce savonnier américain. Ils possèdent un **rostre*** en forme d'aiguille qui leur permet de transpercer l'enveloppe du fruit et d'atteindre les graines.

Coupe de fruits (vue de dessus)

Surface du fruit

Graine

> **Savonnier américain**
> Distance moyenne entre la surface du fruit et la graine : 6,05 mm

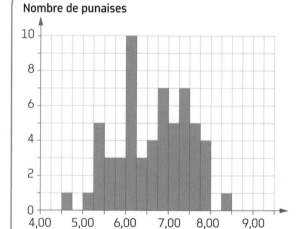

Nombre de punaises

Longueur du rostre des punaises (mm)

2 **Caractéristiques des fruits du savonnier.**
Les fruits du savonnier renferment des graines dont se nourrissent les punaises.

3 **Longueur du rostre des punaises récoltées sur un savonnier américain.** Chez les punaises, la longueur du rostre est un caractère héréditaire. Les différences de longueur du rostre s'expliquent par des mutations, c'est-à-dire des changements dans leur génotype apparus au hasard.

Expliquer comment une population évolue

4 **L'introduction d'une nouvelle espèce : le pois de cœur.** Il y a une cinquantaine d'années, dans le Sud des États-Unis, une nouvelle plante a été introduite, le pois de cœur. Elle a rapidement proliféré : des punaises issues du savonnier se sont déplacées sur le pois de cœur et y sont restées.

5 **La sélection naturelle.**

Les individus d'une population sont différents. Bien que possédant les mêmes gènes, ils ne possèdent pas forcément les mêmes allèles, ce qui entraîne des différences d'aspect. L'existence de plusieurs allèles est liée aux mutations de l'ADN, qui surviennent au hasard. Dans une population, si un caractère héréditaire possédé par certains individus facilite leur capacité à se nourrir et à survivre, ces individus peuvent avoir une descendance plus nombreuse. Peu à peu, une proportion de plus en plus importante d'individus possède ce caractère dans la population. L'environnement exerce donc une sélection des individus les plus aptes à se reproduire : c'est la sélection naturelle.

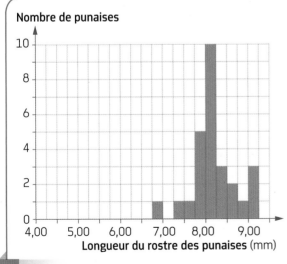

6 **Longueur du rostre des punaises récoltées sur le pois de cœur.** Les punaises sont sédentaires : elles passent toute leur vie sur un même arbre.

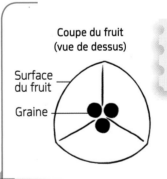

Coupe du fruit (vue de dessus)

Surface du fruit

Graine

Pois de cœur
Distance moyenne entre la surface du fruit et la graine : 8,54 mm

7 **Caractéristiques du fruit du pois de cœur.**
Le fruit du pois de cœur contient trois graines dont se nourrissent les punaises.

*Rostre : organe de certains insectes leur permettant de percer les tissus végétaux.

5

J'enquête

Cuvier, Lamarck et Darwin ont cherché à expliquer les mécanismes aboutissant à la succession des espèces au cours du temps. Chacun a développé une théorie.

CONSIGNE > **Expliquer les différences entre les théories des trois scientifiques et indiquer pourquoi celles de Cuvier et de Lamarck ne sont plus admises.**

1 Extrait de *Discours préliminaire*, de Georges Cuvier (1769-1832).

❝ Il y a donc, dans les animaux, des caractères qui résistent à toutes les influences, soit naturelles, soit humaines, et rien n'annonce que le temps ait, à leur égard, plus d'effet que le climat. ❞

Dans ses travaux sur les vertébrés fossiles, Cuvier met en évidence la disparition et la succession d'espèces au cours des temps géologiques. Selon lui, les espèces sont fixes : elles ne changent pas et elles disparaissent lors de grandes catastrophes. Suite à ces catastrophes, de nouvelles espèces sont créées. C'est la théorie fixiste.

2 Extrait de *Philosophie zoologique* (chapitre 7), de Jean-Baptiste Lamarck (1744-1829).

Lamarck est un naturaliste français à l'origine d'une théorie : le transformisme. Lamarck élabore sa théorie à partir de l'exemple des girafes.

❝ On sait que cet animal [...] vit dans des lieux où la terre [...] l'oblige de brouter le feuillage des arbres [...]. Il est résulté de cette habitude soutenue depuis longtemps [...] que son **col*** s'est tellement allongé, que la girafe [...] élève sa tête et atteint à six mètres de hauteur [...]. Les efforts dans un sens quelconque, longtemps soutenus ou habituellement faits par certaines parties d'un corps vivant, pour satisfaire des besoins [...] étendent ces parties, et leur font acquérir des dimensions et une forme qu'elles n'eussent jamais obtenues, si ces efforts ne fussent point devenus l'action habituelle des animaux qui les ont exercés. ❞

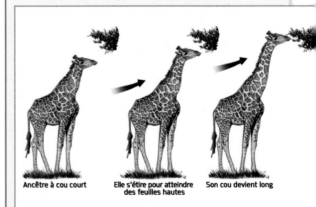

Ancêtre à cou court — Elle s'étire pour atteindre des feuilles hautes — Son cou devient long

(D'après le dessin original de Lamarck)

3 **Un sportif et son fils.** Pour Lamarck, plus un animal utilise un organe, plus celui-ci se développe. De plus selon lui, les caractères modifiés au cours de la vie sont transmis à la descendance. Ce dernier aspect de sa théorie est erroné : un individu qui pratique un sport régulièrement devient musclé, mais son enfant ne sera musclé que s'il pratique aussi une activité.

4 Extrait de *De l'origine des espèces*, 1859, de Charles Darwin (1809-1882).

À partir des observations qu'il a réalisées pendant des années, Darwin, biologiste anglais, émet l'idée qu'un caractère possède une certaine variabilité au sein d'une population. Selon lui, certaines variations sont plus avantageuses que d'autres dans un milieu donné.

❝ C'est à cette conservation de variations favorables, et à la destruction de celles qui sont nuisibles, que j'ai appliqué le nom de sélection naturelle ou de survivance du plus apte. ❞

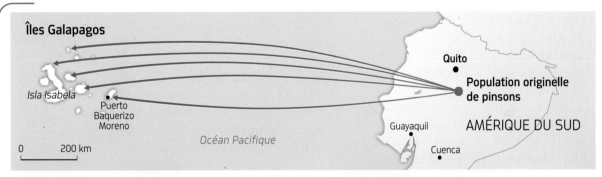

Îles Galapagos

Isla Isabela

Puerto Baquerizo Moreno

Océan Pacifique

0   200 km

Quito

Population originelle de pinsons

Guayaquil

AMÉRIQUE DU SUD

Cuenca

Pinson à gros bec
Régime alimentaire granivore* : avec son bec très puissant, il peut écraser de grosses graines dures.

Pinson-fauvette olive
Régime alimentaire à dominante insectivore : il chasse activement les insectes à la surface des plantes mais prélève aussi le nectar des plantes grâce à son bec fin.

5 **Les observations de Darwin sur les pinsons des îles Galapagos.** Lors d'un voyage, Darwin compare les espèces de pinsons des îles Galapagos, dont certaines ne se trouvent que sur une seule île. Des différences entre les espèces portent sur la taille et la forme de leur bec, adapté aux aliments disponibles sur leur île. C'est en s'appuyant sur cet exemple que Darwin commence à élaborer sa théorie de l'évolution. Dans le passé, un groupe de pinsons, venu du continent sud-américain, s'est installé sur les différentes îles Galapagos. À partir de cette population originelle, les populations ont évolué et donné la diversité des espèces aujourd'hui observées.

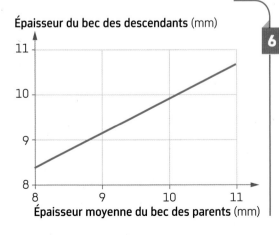

Épaisseur du bec des descendants (mm)

Épaisseur moyenne du bec des parents (mm)

6 **Relation entre l'épaisseur du bec des parents et celle de leur descendance chez le pinson à bec moyen.** Quel que soit le régime alimentaire du pinson, son bec ne change pas au cours de sa vie.

DICO SCIENCES

* **Col** : ancien nom donné au cou.
* **Granivore** : régime alimentaire à base de graines.

Activité **6**

En quoi l'évolution est-elle une théorie ?

➤ **Comprendre** ce qu'est une théorie scientifique

1 **La théorie au sens scientifique.**

Le mot théorie a plusieurs sens dans la langue française. Dans le langage courant, une théorie est un ensemble d'idées sur un sujet qui relève parfois de l'opinion, sans preuve. Ces idées restent… théoriques. En sciences, le mot théorie a une autre signification : c'est une construction méthodique qui cherche à représenter et à expliquer des phénomènes. Une théorie scientifique s'articule avec des faits, des observations, des résultats expérimentaux répétés auxquels elle donne une cohérence. C'est le cas de la théorie de l'évolution : elle n'est donc pas du tout théorique.

2 **Une théorie scientifique peut évoluer.**

Une théorie scientifique a un statut provisoire et correspond à la vérité scientifique du moment.

« Une théorie, pour rester bonne, doit toujours se modifier avec le progrès de la science et demeurer constamment soumise à la vérification et à la critique des faits nouveaux qui apparaissent. Si l'on considérait une théorie comme parfaite et si l'on cessait de la vérifier par l'expérience scientifique, elle deviendrait une **doctrine***. »

Claude Bernard, médecin français (1813-1878)

3 **L'évolution reconnue comme un fait* par les scientifiques.**

« Depuis Darwin, un très grand nombre de données d'ordre divers (anatomiques, **cytologiques***, moléculaires, paléontologiques, etc.) ont confirmé cette théorie et on n'a jamais trouvé de données qui l'infirment. C'est pourquoi E. Mayr dit que toutes ces preuves sont considérées à ce point incontestables qu'aucun biologiste ne parle plus de l'évolution comme d'une proposition théorique et que, considérant l'évolution comme un fait, aucun **évolutionniste*** ne s'attarde plus à en chercher des preuves supplémentaires. »

Enseigner la classification et l'évolution,
Monique Dupuis et Jean-Claude Hervé, 2008,
Éditions Hatier

Fragment d'ADN humain
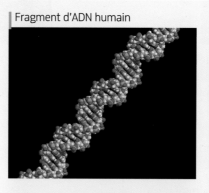

Fragment d'ADN végétal
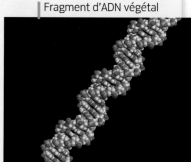

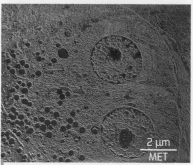
Deux cellules humaines

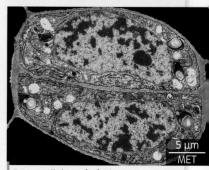
Deux cellules végétales

Observer une évolution de population actuelle

Drosophile ailée
En milieu venté : désavantagée, car emportée par le vent
En milieu non venté : avantagée car vigoureuse et féconde

Drosophile aptère
En milieu venté : avantagée, car non emportée par le vent
En milieu non venté : désavantagée car peu de vigueur et peu féconde

4 Deux populations pour tester la sélection naturelle. En 1937, deux généticiens francais, Philippe L'Héritier et Georges Teissier, testent l'hypothèse que, dans un milieu venté, les insectes incapables de voler sont avantagés par rapport à des insectes ailés. Ils décident de travailler avec deux populations de drosophiles : des drosophiles ailées et des drosophiles aptères, c'est-à-dire sans ailes.

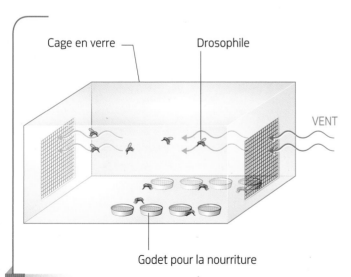

Cage en verre — Drosophile

VENT

Godet pour la nourriture

Milieu Population	Milieu venté	Milieu sans vent
Drosophiles aptères	67 %	32 %
Drosophiles avec ailes	33 %	68 %

6 Pourcentage des deux populations de drosophiles au bout de plusieurs semaines.

5 Le protocole expérimental pour tester la sélection naturelle.
Chaque cage utilisée permet de conserver plus de 2 000 drosophiles qui se reproduisent pendant de nombreuses générations. La population de départ comprend autant de drosophiles ailées que de drosophiles aptères. La moitié des cages est alors placée dans un milieu venté et l'autre dans un milieu sans vent. Les généticiens suivent l'évolution des populations de drosophiles pendant plusieurs semaines.

DICO SCIENCES

* **Cytologique :** qui se rapporte aux cellules.
* **Doctrine :** ensemble de conceptions théoriques enseignées comme vraies.
* **Évolutionniste :** scientifique spécialisé dans l'étude de l'évolution des êtres vivants.
* **Fait :** événement, objet ou résultat, considéré comme indiscutable.

L'essentiel

par le texte

◉○○○ La biodiversité sur Terre

> La **biodiversité** représente la diversité du monde vivant. On peut la définir à différentes échelles : celle des **écosystèmes**, celle des **espèces** et celle de la **diversité** des individus d'une espèce.

> La biodiversité est également définie par les **relations** qui s'établissent entre les espèces d'un écosystème : il s'agit notamment de la prédation, de la compétition, de la symbiose, du parasitisme.

> Les **fossiles** présents dans certaines roches permettent de reconstituer la biodiversité du passé, différente de la biodiversité actuelle. Les grands groupes d'êtres vivants et les espèces constituant ces groupes ont changé au cours des temps géologiques.

ACTIVITÉS

1 p. 202
2 p. 204

◉◉◉◉ L'évolution de la vie sur Terre

> La vie est apparue sur Terre, autour de − 3,8 milliards d'années dans les océans. Les premiers êtres vivants seraient des **bactéries**.

> Depuis l'apparition des premiers êtres vivants, la vie s'est diversifiée : de nombreuses espèces sont apparues. Ainsi, au cours des temps géologiques, de nouveaux groupes apparaissent, se diversifient et peuvent régresser et parfois disparaître. Au sein des groupes, les espèces changent au cours du temps. Cette succession des espèces et des groupes au cours des temps est l'**évolution**.

> Au cours d'une **crise de la biodiversité**, de nombreuses espèces disparaissent brutalement. Les crises permettent de découper les temps géologiques en plusieurs **ères géologiques**.

ACTIVITÉ

3 p. 206

◉◉◉◉ La théorie de l'évolution

> Les **mutations** de l'ADN sont responsables de la **diversité génétique** des individus d'une espèce. Les individus porteurs de **caractères avantageux** dans un milieu donné survivent mieux et ont plus de descendants, si bien que leurs caractères se répandent dans la population : c'est la **sélection naturelle**.

> Ainsi la diversité génétique est à la base de l'évolution des espèces, et donc de l'évolution de la biodiversité au cours du temps. La diversité génétique et la biodiversité sont donc des processus dynamiques.

> Le fondateur de la **théorie de l'évolution** est Darwin. Comme toute théorie scientifique, l'évolution repose sur un ensemble de faits, d'observations, reliés entre eux de façon logique.

ACTIVITÉS

4 p. 208
5 p. 210
6 p. 212

MOTS-CLÉS

Biodiversité • Crise de la biodiversité • Ère géologique • Évolution • Fossile • Sélection naturelle • Théorie scientifique

par l'image

Biodiversité et évolution

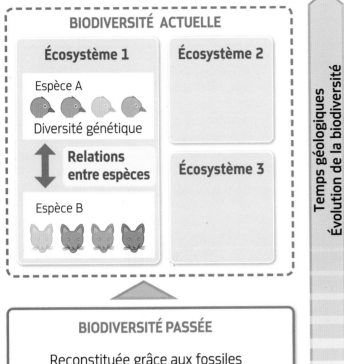

BIODIVERSITÉ ACTUELLE

Écosystème 1

Espèce A

Diversité génétique

Relations entre espèces

Espèce B

Écosystème 2

Écosystème 3

BIODIVERSITÉ PASSÉE

Reconstituée grâce aux fossiles

PREMIÈRES FORMES DE VIE
=
Bactéries

Temps géologiques
Évolution de la biodiversité

Augmentation de la proportion d'individus avantagés

Sélection naturelle

Apparition d'un nouveau caractère avantageux

Mutation aléatoire

Population de départ

OBSERVATIONS

EXPLICATIONS

THÉORIE SCIENTIFIQUE

Attendus

Mon bilan de fin de cycle

> **Pour relier comme des processus dynamiques la diversité génétique et la biodiversité :**
- j'explique comment les scientifiques comparent la biodiversité actuelle à celle du passé ;
- j'explique l'origine de la diversité génétique.

> **Pour mettre en évidence des faits d'évolution des espèces et donner des arguments en faveur de quelques mécanismes de l'évolution :**
- j'indique comment les scientifiques ont mis en évidence l'évolution ;
- j'explique la sélection naturelle.

JE TESTE *mes connaissances*

1 Remue-méninges ●○○

Écrire une phrase avec les mots suivants :

a. espèce – biodiversité – écosystème

b. biodiversité passée – biodiversité actuelle – fossile

2 QCM ○○●

Choisir la bonne proposition.

a. L'évolution du monde vivant :
❑ fait intervenir le hasard.
❑ s'explique uniquement par des modifications de l'environnement.
❑ ne se produit plus actuellement.
❑ dépend seulement de facteurs génétiques.

b. La sélection naturelle :
❑ est responsable de mutations dans une population d'individus.
❑ est responsable de la diffusion d'un caractère avantageux dans une population d'individus au cours des générations successives.
❑ sélectionne aussi bien les caractères avantageux que les caractères désavantageux.
❑ n'est pas responsable de l'évolution des êtres vivants.

JE TESTE *mes compétences*

3 Communiquer sur ses démarches en argumentant ●○○

Les deux documents suivants représentent des reconstitutions d'un milieu marin à deux périodes différentes.

1 Un milieu marin, il y a 530 Ma (Cambrien).

2 Un milieu marin, il y a 100 Ma (Crétacé).

1. Cnidaires 2. Annélides 3. Mollusques 4. Trilobites 5. Crustacés 6. *Anomalocaris* (organisme d'un groupe disparu) 7. Poissons cartilagineux 8. Plésiosaures (groupe disparu) 9. Ichtyosaures (groupe disparu)

➡ **Expliquer** comment on a pu reconstituer des milieux aussi anciens.

➡ **Montrer** que la biodiversité a changé entre ces deux périodes.

4 Lire et exploiter des données sous différentes formes ◐◐●

Le léopard présente généralement un pelage clair avec des taches noires. Certains individus présentent une variation de pelage liée à une mutation : les taches sont conservées mais sont peu visibles car le pelage est sombre. Ces deux couleurs sont une variation du phénotype de l'espèce *Panthera pardus*.

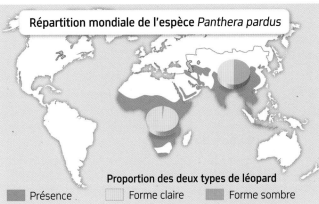

Répartition mondiale de l'espèce *Panthera pardus*

Proportion des deux types de léopard

▮ Présence ▯ Forme claire ▮ Forme sombre

1 Répartition mondiale de l'espèce *Panthera pardus*. Les léopards sont présents dans la savane africaine et la forêt tropicale humide en Asie.

2 Léopard au pelage clair à l'affût dans la forêt tropicale humide et la savane. Les léopards chassent des gazelles et des singes.

➡ **Présenter** l'origine des différentes couleurs de pelage des léopards.

➡ **Expliquer** les différences de proportion des deux types de léopards en Afrique et en Asie.

5 Identifier par l'histoire des sciences et des techniques comment se construit un savoir scientifique ◐◐●

Cuvier est l'un des premiers scientifiques à mettre en évidence l'existence des crises de la biodiversité mais, pour lui, entre ces périodes de crises, les espèces sont fixes, elles n'évoluent pas.

> ❝ La vie a donc souvent été troublée sur cette Terre par des événements effroyables. Des êtres vivants sans nombre ont été victimes de ces catastrophes [...] ; leurs races mêmes ont fini à jamais et ne laissent dans le monde que quelques débris à peine reconnaissables pour le naturaliste. ❞

1 Extrait de *Discours sur les révolutions à la surface du globe*, Cuvier (1812).

➡ En prenant comme exemple la limite Crétacé-Tertiaire, **montrer** que Cuvier a raison quand il parle de l'existence des crises.

➡ À partir des documents proposés, **justifier** que la théorie fixiste de Cuvier soit aujourd'hui rejetée par les scientifiques.

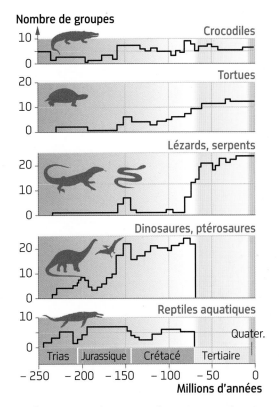

Nombre de groupes

Crocodiles

Tortues

Lézards, serpents

Dinosaures, ptérosaures

Reptiles aquatiques

Trias | Jurassique | Crétacé | Tertiaire | Quater.

− 250   − 200   − 150   − 100   − 50   0
Millions d'années

2 Nombre de groupes dans cinq grands groupes animaux depuis 250 millions d'années.

Organiser une exposition

DOMAINES DU SOCLE

1. S'exprimer en utilisant la langue française à l'écrit

2. Coopération et réalisation de projets

3. Responsabilité, sens de l'engagement et de l'initiative

4. Conception, création, réalisation

5. Invention, élaboration, production

Une exposition permet de transmettre un message à un public, en présentant des résultats de recherche dans un parcours organisé. Différents supports sont possibles.

> Choisir le sujet et le lieu de l'exposition

● Choix du sujet et du message

BOÎTE À THÈME EPI

– Préservation et utilisation de la biodiversité.
– Biomimétisme et innovations technologiques.
– Réparation du vivant.
– Industrie agro-alimentaire.
– Darwin et l'évolution.
– La reconstitution des paysages du passé dans l'art et dans la littérature.

● Choix du lieu

Le lieu de l'exposition est un espace disponible qu'il faut trouver :

– une salle de classe ;

– le CDI ;

– la salle polyvalente ;

– ou même un couloir.

Prévoir du temps pour le choisir et obtenir l'autorisation.

> Concevoir l'exposition

● Choix du support

Pour porter le message de l'exposition, on peut présenter :
– des panneaux ;
– des maquettes ;
– des expériences ;
– des vidéos.

Le type de public concerné par l'exposition détermine également le choix des supports.

Le conseil en +

En plus des panneaux, ne pas hésiter à présenter des expériences en direct devant le public.

● Organisation du parcours

Un grand espace peut être fractionné en plusieurs petits espaces. Au contraire, un petit espace ne doit pas être surchargé.

L'exposition peut s'organiser en plusieurs parties, chacune traduisant une partie du message. Il est donc nécessaire de réfléchir à un parcours, qui se concrétisera par le plan de l'exposition.

L'agencement des objets traduit également une volonté : on peut, par exemple, rapprocher certains panneaux les uns des autres afin de créer une unité autour d'un sous-thème. Des panneaux de mêmes dimensions, tous alignés, donnent une image d'unité et de rigueur.

> Préparer l'exposition

● **Installation des objets**
Elle peut se faire en équipe.

● **Matériel**
En plus des supports de l'exposition, prévoir le matériel d'accrochage, et de quoi modifier un élément à la dernière minute.

> **Le conseil en +**
> Prendre du recul pendant l'accrochage pour se mettre à la place du public.

> Faire un panneau pour l'exposition

Pour donner de la force au message, il est conseillé de respecter une charte graphique, à définir au début de la réalisation des panneaux.

En réalisant le brouillon, un « rough » (ou croquis) sur une feuille, on détermine les types d'éléments qui rentrent dans la charte. C'est une maquette.

● **Les critères**
Lisibilité : textes écrits en gros caractères, illustrations de grande taille.
Attractivité : titres accrocheurs, couleurs.
Pertinence : textes courts, illustrations légendées, sources citées.

> **Qu'est-ce qu'une charte graphique ?**
> Ce sont des règles qui permettent de hiérarchiser les informations et qui garantissent une homogénéité entre tous les panneaux. La charte définit une gamme de couleurs, mais aussi une police (style de caractères) et une taille pour les différents éléments du message, etc.

● **Un exemple de panneau d'exposition**

Le phénotype : une mise en place par le génotype
Exemple de la maladie drépanocytose

Génotype d'un individu sain
Chromosomes 11
Hb-A — Hb-A

Génotype d'un individu atteint de drépanocytose
Chromosomes 11
Hb-S — Hb-S

Phénotype à l'échelle cellulaire (caractère visible)
Forme normale, circulation normale dans les capillaires sanguins

Globule rouge d'un individu sain

Phénotype à l'échelle cellulaire (caractère visible)
Forme anormale, circulation perturbée dans les capillaires sanguins

Globule rouge d'un individu atteint de drépanocytose

Phénotype à l'échelle de l'individu (caractère visible)
Pas de douleur articulaire

Phénotype à l'échelle de l'individu (caractère visible)
Douleurs articulaires

> Communiquer sur l'exposition

Communiquer sur l'exposition a deux buts : informer du lieu et de l'heure, et inviter de nombreuses personnes à se déplacer.
Pour cela, on peut :
– informer chaque classe (cela nécessite une autorisation) ;
– réaliser une campagne d'affichage au sein du collège ;
– rédiger un article dans le journal du collège ;
– utiliser les réseaux sociaux.

Parcours avenir
DES MÉTIERS

Vétérinaire

Principales activités
- Soigner les animaux de compagnie et les animaux de ferme.
- Conseiller les propriétaires des animaux et les rassurer.
- Participer à la mise au point de traitements, d'aliments pour les animaux.

Compétences requises
- Être passionné-e des animaux.
- Sens de l'observation développé pour réaliser des diagnostics.
- Grande concentration pour manipuler des animaux parfois dangereux.
- Compétences en gestion pour tenir un cabinet avec des employés.

Études nécessaires
- Sept années d'études post-Bac sont nécessaires pour obtenir le diplôme d'état de docteur vétérinaire, dans l'une des quatre écoles vétérinaires. Pour entrer dans l'une de ces écoles, il est nécessaire de réussir un concours d'entrée, à Bac + 2.

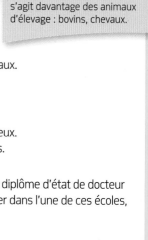

Le métier de **vétérinaire** n'est pas vraiment le même selon qu'il est exercé **en ville ou en milieu rural**. Les vétérinaires des villes s'occupent davantage des animaux de compagnie comme les chats et les chiens. En milieu rural il s'agit davantage des animaux d'élevage : bovins, chevaux.

Horticulteur/horticultrice

Principales activités
- Assurer le développement des végétaux, de la mise en culture à la récolte.
- Participer à la commercialisation des plantes.
- Organiser le chantier d'un projet de jardin, réalisé par un-e paysagiste.

Compétences requises
- Connaissances de la biologie des végétaux.
- Être patient-e pour voir sur plusieurs mois les résultats de son travail.
- Connaissances de techniques commerciales, par exemple pour suivre des marchés.

Études nécessaires
- Un CAPA *Productions horticoles* est le diplôme minimal, après la classe de 3e. Un Bac professionnel *Productions horticoles* est également possible.

Le métier d'**horticulteur-trice** s'exerce en partie **en plein air**, souvent debout ou à genoux. Une bonne résistance physique est donc nécessaire.

Soigneur/soigneuse animalier

Principales activités
- Nourrir les animaux et nettoyer leur lieu de vie.
- Assister le vétérinaire dans son travail.
- Gérer les stocks et les commandes de médicaments et d'aliments.

Compétences requises
- Patience pour établir une relation de confiance avec les animaux.
- Sang-froid et maîtrise de soi pour s'occuper d'animaux parfois dangereux.
- Sens de l'observation pour détecter le moindre trouble chez un animal.

Études nécessaires
- Les places sont rares. Il n'existe pas de diplôme requis. Trois établissements préparent une formation qualifiante à Carquefou (44), Gramat (46) et Vendôme (41).

Le métier de **soigneur-se** présente des tâches qui peuvent, à première vue, sembler ingrates, comme le nettoyage des litières. C'est pourtant l'une des missions qui assurent le plus de **confort aux animaux** des parcs zoologiques !

Fleuriste

Principales activités
- Commander des fleurs selon les stocks et les saisons.
- Entretenir les végétaux dans le magasin et réaliser des préparations florales.
- Conseiller les clients dans l'achat des fleurs.

Le-la **fleuriste** accompagne les clients à différents moments de leur vie : pour leur mariage, une naissance ou un décès. Il doit faire preuve **d'empathie**.

Compétences requises
- Connaissances en botanique pour identifier les végétaux.
- Esprit créatif pour composer des bouquets et des présentations florales originaux.
- Connaissances en gestion d'entreprise.
- Qualités humaines pour recevoir les clients parfois à des moments douloureux de leur vie, lors de la perte d'un proche, par exemple.

Études nécessaires
- Après la classe de 3e, le CAP *Fleuriste* est le diplôme de référence. Avec le niveau Bac, le brevet professionnel permet de s'installer à son compte.

Apiculteur/apicultrice

Principales activités
- Surveiller, entretenir les ruches et récolter les produits comme le miel.
- Contrôler la nourriture des abeilles et leur état sanitaire.
- Procéder à différents traitements du miel récolté et le commercialiser.

En France il existe de nombreux-ses **apiculteurs-trices**. Leurs revenus dépendent de la taille de leur exploitation. Afin de vivre correctement de ce métier, il faut prévoir une **exploitation de taille conséquente**.

Compétences requises
- Savoir gérer les imprévus car les abeilles sont sensibles au temps.
- Connaissances de la biologie des abeilles.
- Connaissances en gestion d'entreprise.

Études nécessaires
- Pour devenir apiculteur, aucun diplôme n'est requis. Il est néanmoins conseillé de commencer sa carrière auprès d'un apiculteur expérimenté. Certaines formations peuvent être utiles pour acquérir des connaissances dans la conduite d'un élevage, comme un Bac professionnel *Conduite et gestion de l'exploitation agricole*.

Filière d'avenir — Les biotechnologies

Des exemples de métiers
- ▶ Technicien-ne en laboratoire de contrôle de produits agricoles.
- ▶ Responsable qualité en agroalimentaire.
- ▶ Cadre développement de produits cosmétiques.
- ▶ Ingénieur-e développement en production Industrielle.

Les biotechnologies regroupent des procédés de transformation faisant intervenir des organismes vivants ou des produits issus du vivant (bactéries, cellules, enzymes, etc). Elles permettent le développement de produits que l'on retrouve dans divers secteurs :
- industrie agroalimentaire ;
- industrie pharmaceutique ;
- cosmétiques ;
- environnement ;
- chimie verte.

■ De tels procédés sont utilisés dans les domaines de la production et de la transformation des produits agricoles, avec le développement de plantes génétiquement modifiées (pour résister à certains parasites ou à des variations de climat) ; la sélection et maîtrise de la reproduction des animaux d'élevage.

Les biotechnologies sont au carrefour de plusieurs disciplines. Les débouchés sont divers : agroalimentaire, recherche et développement, vente, production ou encore marketing.

 Rester connecté
http://www.studyrama.com/
http://jobs.inra.fr
http://www.leguidedesmetiers.com/formations-et-metiers/

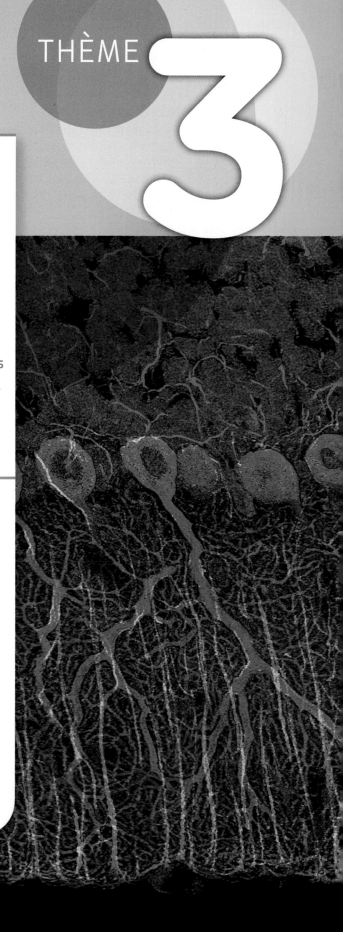

THÈME 3

Le corps humain et la santé

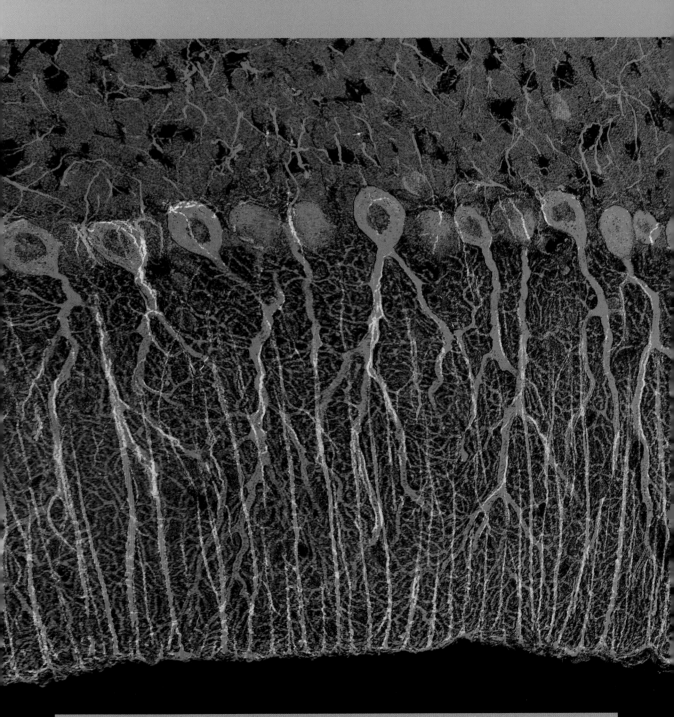

Cervelet de rat montrant des cellules de Purkinje (neurones, en vert), des cellules gliales (en rouge) et les noyaux de ces cellules (en violet). Image obtenue par microscopie confocale.

Le fonctionn
lors d'un

Je réactive mes connaissances

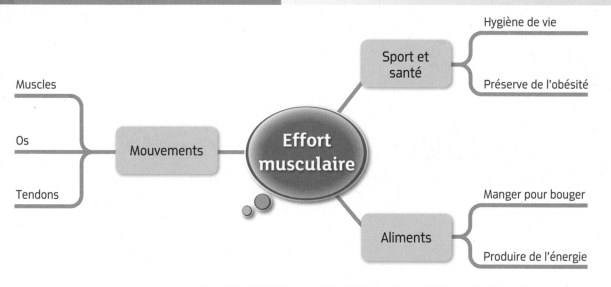

Muscles

Os — Mouvements — **Effort musculaire**

Tendons

Sport et santé — Hygiène de vie / Préserve de l'obésité

Aliments — Manger pour bouger / Produire de l'énergie

Mes objectifs de fin de cycle

> Expliquer comment le système nerveux et le système cardiovasculaire interviennent lors d'un effort musculaire, en identifiant les capacités et les limites de l'organisme

Activités

1 Le mouvement et sa commande

2 Les capacités et les limites de l'organisme lors d'un effort physique

3 Les besoins énergétiques lors de l'effort

4 Sport et santé

5 Les effets de l'entraînement sur les performances et sur l'organisme

6 Les effets du dopage et les risques pour la santé

ment de l'organisme
effort musculaire

Ailey Highlights, 9/07/2011,
Théâtre antique, Vaison-la-Romaine.
Chorégraphie : ALVIN AILEY.
Compagnie : AILEY II.

La danse, tout comme le théâtre et le cirque, est un art de la scène. Ces danseurs appartiennent à une troupe créée dans les années 1950 par le chorégraphe américain Alvin Ailey. En plein effort, ils semblent défier la gravité et voler dans les airs. Leur allure athlétique renvoie au spectateur un sentiment de dynamisme et de facilité. Une facilité qui nécessite pourtant un long entraînement pour maîtriser les mouvements et les synchroniser à la musique.

Comment l'organisme réalise-t-il et commande-t-il un mouvement ?

Identifier les organes mis en jeu dans la réalisation d'un mouvement

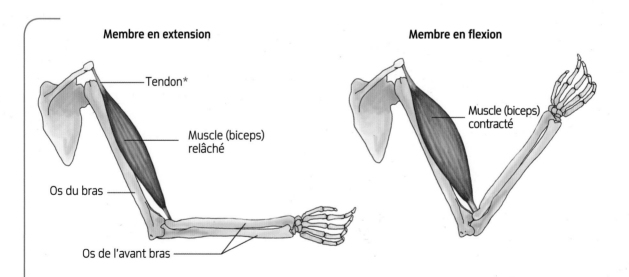

1 **Un rugbyman sur une phase de touche.** Sur une phase de touche, le joueur, soulevé par ses partenaires, doit se saisir du ballon, puis le rapprocher de lui en faisant une flexion des bras.

Membre en extension

Tendon*

Muscle (biceps) relâché

Os du bras

Os de l'avant bras

Membre en flexion

Muscle (biceps) contracté

2 **Organes intervenant dans le mouvement d'extension et de flexion du membre supérieur.** Un seul muscle a été représenté, il s'agit du biceps.

DICO ° SCIENCES

* **Lésion** : modification anormale d'un organe (coupure, par exemple).
* **Message nerveux** : signaux électriques se propageant le long d'un nerf et véhiculant une information.
* **Nerf** : cordon reliant un centre nerveux à un organe.
* **Tendon** : partie terminale d'un muscle qui l'attache à un os.

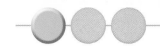
Comprendre que la réalisation d'un mouvement est commandée

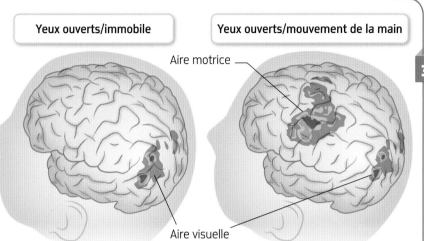

Yeux ouverts/immobile

Yeux ouverts/mouvement de la main

Aire motrice

Aire visuelle

3 **Des zones actives en surface du cerveau.** Une technique d'imagerie médicale permet d'observer les zones cérébrales actives lors de différentes tâches. Lorsqu'un individu observe un objet, une zone à l'arrière s'active, c'est l'aire cérébrale visuelle. Cette zone communique avec une autre zone, plus en avant, qui, lorsqu'elle est active, déclenche un mouvement : c'est l'aire cérébrale motrice.

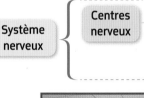

Système nerveux

Centres nerveux

Cerveau

Moelle épinière

Nerf

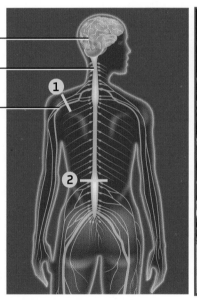

Une section de la moelle épinière en **2** est suivie d'une impossibilité de bouger les membres inférieurs.

Une section d'un nerf en **1** entraîne l'impossibilité de faire un mouvement avec le bras gauche.

4 **Deux accidents et leurs conséquences sur le mouvement.** Des lésions* des nerfs* ou de la moelle épinière sont suivies de pertes de mobilité, alors que le cerveau présente une activité normale.

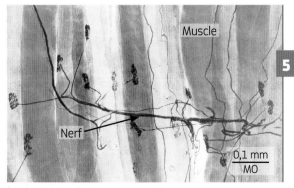

Muscle

Nerf

0,1 mm
MO

5 **Extrémité d'un nerf dans un muscle.** Au sein du système nerveux, des **messages nerveux*** se propagent. Lorsque l'aire cérébrale motrice est active, les messages nerveux dits moteurs se propagent depuis cette aire cérébrale vers la moelle épinière, puis le long des nerfs. Les nerfs communiquent avec les muscles : l'arrivée d'un message nerveux sur un muscle provoque sa contraction, et donc un mouvement.

2

Comment estimer les capacités et les limites de l'organisme lors d'un effort physique ?

Mesurer des changements au niveau du cœur lors d'un effort

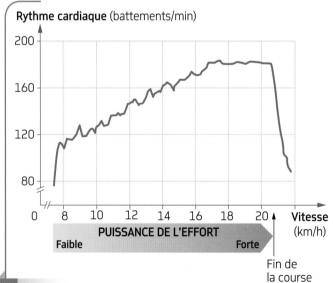

1 **Un élève prenant son pouls* afin de déterminer son rythme cardiaque.** Le rythme (ou fréquence) cardiaque est le nombre de battements (ou pulsations) du cœur par unité de temps.

Rythme cardiaque Individu	Au repos	Juste après une série de 30 flexions des jambes
Sarah	72	123
Grégory	65	115
Samir	68	120

2 **Rythme cardiaque avant et après un effort physique.** Le rythme cardiaque est exprimé en nombre de battements du cœur par minute.

3 **Une limite au rythme cardiaque.** Le rythme cardiaque est mesuré en continu chez un individu qui court sur un tapis de course à des vitesses croissantes.

DICO SCIENCES

*Pouls : répercussion des battements cardiaques dans une artère.

*Sédentaire : se dit d'une personne ne pratiquant aucune activité physique régulière.

Mesurer par ExAO des changements au niveau de la respiration lors d'un effort

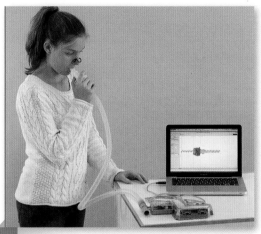

4 **Mesure du rythme respiratoire par ExAO.**
Le dispositif permet de mesurer le volume d'air inspiré et expiré.

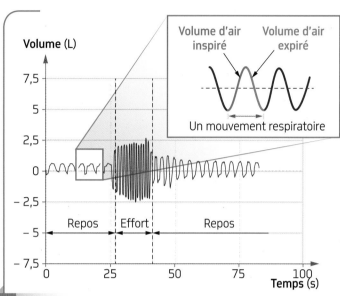

5 **Évolution du rythme respiratoire au repos et en effort.**
L'effort consiste à réaliser une série de flexions de jambes.

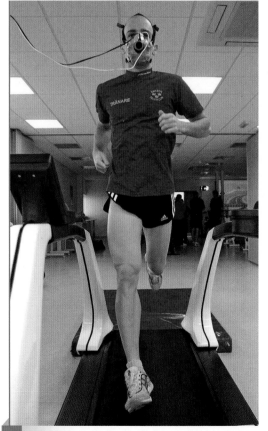

6 **Étude de la consommation de dioxygène en laboratoire.** On mesure la consommation de dioxygène d'un individu courant sur un tapis dont la vitesse augmente régulièrement.

Zoé et Ousmane pratiquent la même durée hebdomadaire de sport. Maud est sédentaire*. Ils sont de même âge, même taille et même masse. On enregistre en continu leur consommation en O_2 lors d'un effort croissant jusqu'à épuisement.

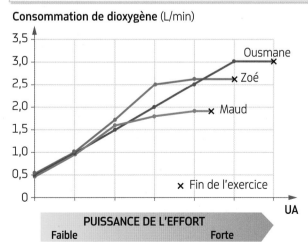

7 **Des limites différentes selon les individus.**
Lorsqu'un effort physique devient très intense, la quantité de dioxygène qu'un individu peut consommer atteint une limite maximale : le VO_2 max.

Activité

Comment les besoins énergétiques sont-ils satisfaits lors d'un effort physique?

Comparer **les besoins des muscles au repos et à l'effort**

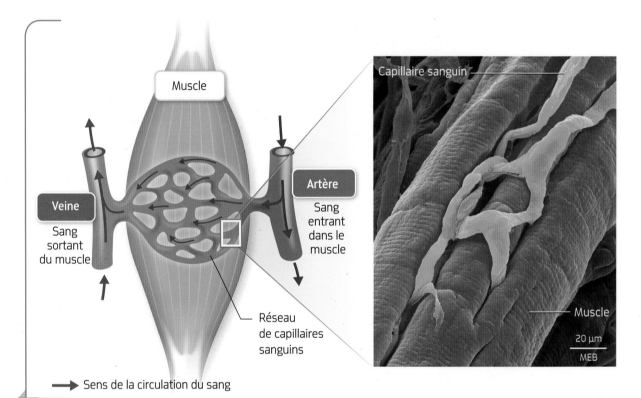

1 **L'irrigation sanguine* d'un muscle.** Dans un muscle, le sang circule dans les **capillaires sanguins*** : ce sont des zones de contact entre le sang et le muscle.

	Dioxygène		Glucose	
	Sang entrant (pour 100 mL)	Sang sortant (pour 100 mL)	Sang entrant (pour 100 mL)	Sang sortant (pour 100 mL)
Au repos	20 mL	15 mL	90 mg	82 mg
À l'effort	20 mL	11 mL	90 mg	51 mg

2 **Teneur du sang en dioxygène et en glucose à l'entrée et à la sortie d'un muscle.**
Le dioxygène et le glucose permettent aux muscles de produire l'énergie nécessaire à leur fonctionnement.

DICO SCIENCES

*Capillaire sanguin : vaisseau sanguin très fin dans un organe.
*Irrigation sanguine : circulation du sang dans les vaisseaux sanguins.

Compétence

↳ **Comprendre comment l'organisme satisfait les besoins accrus des muscles**

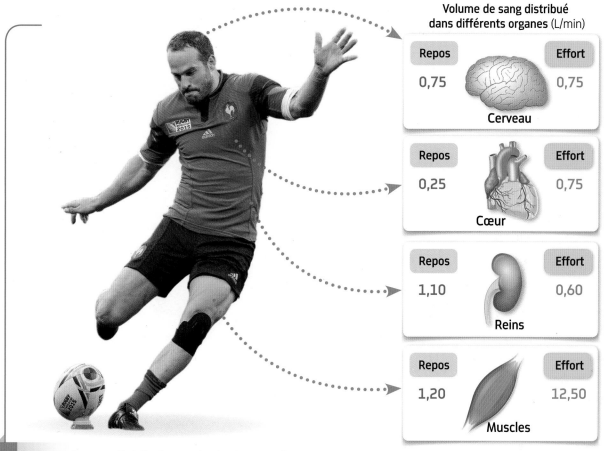

Volume de sang distribué dans différents organes (L/min)

Repos		Effort
0,75	Cerveau	0,75
0,25	Cœur	0,75
1,10	Reins	0,60
1,20	Muscles	12,50

3 **Volume de sang distribué par minute dans quelques organes du corps humain.** Lors d'un effort, le sang circule plus rapidement, notamment grâce à l'augmentation du rythme cardiaque.

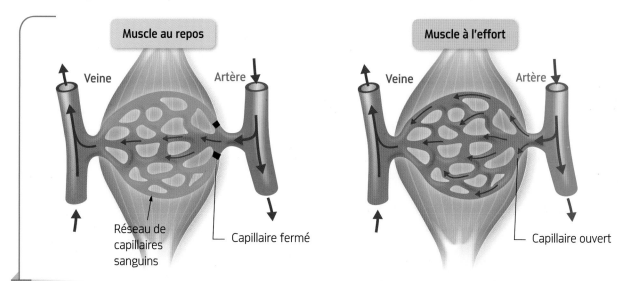

Muscle au repos

Veine — Artère
Réseau de capillaires sanguins — Capillaire fermé

Muscle à l'effort

Veine — Artère
Capillaire ouvert

4 **Irrigation d'un muscle au repos et à l'effort.** En s'ouvrant ou se fermant, les capillaires contrôlent la quantité de sang qui circule dans les muscles.

Activité

4

J'enquête

Afin de promouvoir le tournoi de volley-ball, Inès décide de faire un article dans le journal du collège pour motiver ses camarades à s'inscrire.

CONSIGNE > Rédiger un article de journal montrant que le sport correctement pratiqué préserve la santé.

Mika, 28 ans, 183 cm, 75 kg
Fumeur : non
Sport : 10 h/semaine (intense)
Régime alimentaire : assez équilibré
Risque de maladie cardiovasculaire : faible

Sophie, 32 ans, 172 cm, 62 kg
Fumeuse : non
Sport : 8 h/semaine (intense)
Régime alimentaire : équilibré
Risque de maladie cardiovasculaire : très faible

Julie, 33 ans, 165 cm, 62 kg
Fumeuse : non
Sport : 1 h 30/semaine (modéré)
Régime alimentaire : équilibré
Risque de maladie cardiovasculaire : faible

Stéphane, 27 ans, 182 cm, 90 kg
Fumeur : non
Sport : aucun
Régime alimentaire : assez équilibré
Risque de maladie cardiovasculaire : réel

LOGICIEL
Pour estimer très approximativement le risque de maladie cardiovasculaire d'un individu, on peut saisir des données dans un tableur.

Protocole
- Ouvrir le fichier calcul_risques_cardiovasculaires.xls.
- Choisir le sexe de l'individu, son âge, la quantité de cigarettes fumées, son régime alimentaire et sa pratique sportive.
- Indiquer sa masse et sa taille.
- Estimer ensuite son risque de développer une maladie cardiovasculaire.

1 Informations concernant des individus aux habitudes différentes.

2 Les maladies cardiovasculaires.

Les maladies cardiovasculaires sont responsables d'environ 150 000 décès par an en France. Elles sont la deuxième cause de mortalité chez l'homme et la première chez la femme, et concernent le cœur et les vaisseaux sanguins. L'une de ces maladies est l'infarctus du myocarde, ou « crise cardiaque ». Lors d'un infarctus, une partie du muscle cardiaque meurt soudainement suite à un défaut d'oxygénation. Cela se produit quand une plaque d'**athérome***, qui réduit la lumière d'une artère, finit par rompre et bouche un vaisseau sanguin irriguant le cœur.

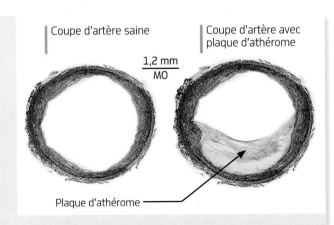

Coupe d'artère saine

Coupe d'artère avec plaque d'athérome

1,2 mm
MO

Plaque d'athérome

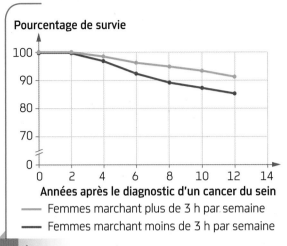

Pourcentage de survie

— Femmes marchant plus de 3 h par semaine
— Femmes marchant moins de 3 h par semaine

3 **Évolution de la survie de deux groupes de femmes chez lesquelles un cancer du sein a été diagnostiqué.**

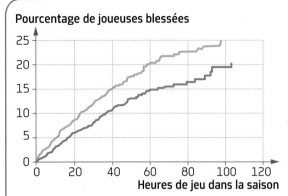

Pourcentage de joueuses blessées

— Joueuses faisant un échauffement limité
— Joueuses faisant un échauffement complet

4 **Importance de l'échauffement.** Plus de 1 800 footballeuses ont été séparées en deux groupes durant toute une saison sportive : les joueuses d'un groupe ont effectué des échauffements complets, celles de l'autre groupe des échauffements limités. Durant toute une saison, on a suivi le nombre de joueuses ayant des blessures légères.

5 **Une mauvaise pratique sportive.** Une chute peut arriver lorsqu'on surestime ses capacités. C'est le cas de nombreuses personnes non sportives, qui pratiquent le ski de façon intensive une semaine par an. Une mauvaise chute peut provoquer un étirement, voire une déchirure plus ou moins importante, d'un ou plusieurs **ligaments*** du genou : c'est une entorse.

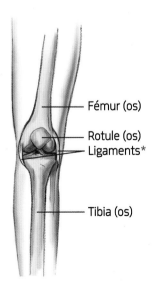

— Fémur (os)
— Rotule (os)
— Ligaments*
— Tibia (os)

6 **Importance d'un équipement bien adapté.** Même en ayant une bonne technique sportive, il est important d'utiliser un équipement adéquat pour limiter le risque de blessures.

 **DICO SCIENCES**

* **Athérome** : accumulation de lipides dans la paroi des artères.
* **Ligament** : cordon réunissant deux os au niveau d'une articulation.

Activité

5

Quels effets l'entraînement a-t-il sur les performances sportives et sur l'organisme?

Découvrir les effets de l'entraînement sur les performances sportives

1 **Un protocole d'entraînement chez des coureuses.** Pour observer les effets de l'entraînement sur les performances, une étude a été menée sur trois coureuses :
– deux personnes de niveau sportif modéré : Julie et Elisa ;
– une personne pratiquant la course à un niveau intensif : Nora.
Durant quatre semaines, les coureuses pratiquent un entraînement en salle.

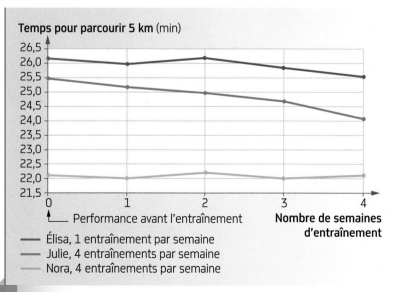

Temps pour parcourir 5 km (min)

Performance avant l'entraînement

Nombre de semaines d'entraînement

—— Élisa, 1 entraînement par semaine
—— Julie, 4 entraînements par semaine
—— Nora, 4 entraînements par semaine

2 **Les résultats d'une course hebdomadaire.** À la fin de chaque semaine d'entraînement, les coureuses sont chronométrées sur un parcours de 5 km en extérieur.

DICO SCIENCES

*VO$_2$ max : quantité maximale de dioxygène que l'organisme peut consommer.

S'interroger sur les effets de l'entraînement sur l'organisme

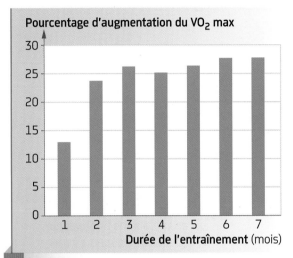

Pourcentage d'augmentation du VO₂ max

Durée de l'entraînement (mois)

3 **Évolution du VO₂ max* en fonction de la durée de l'entraînement.** Cette étude a été réalisée chez un sportif de niveau modéré s'entraînant plusieurs fois par semaine. Un VO₂ max élevé permet de fournir davantage de dioxygène aux muscles, augmentant ainsi les performances du sportif.

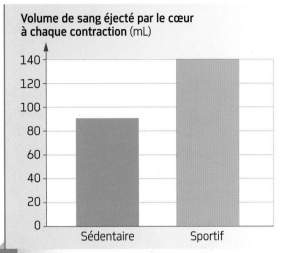

Volume de sang éjecté par le cœur à chaque contraction (mL)

Sédentaire   Sportif

4 **Volume de sang éjecté par le cœur chez deux individus au repos.** Plus ce volume est élevé, plus les organes peuvent prélever le dioxygène et le glucose.

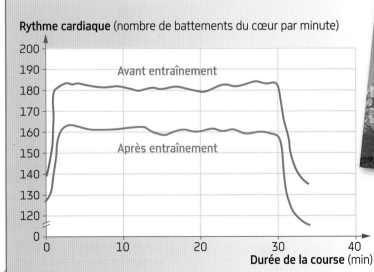

Rythme cardiaque (nombre de battements du cœur par minute)

Avant entraînement

Après entraînement

Durée de la course (min)

5 **Rythme cardiaque et entraînement.** Les courbes montrent l'évolution du rythme cardiaque pendant un footing de 30 minutes chez un individu courant à vitesse constante, avant et après une période d'entraînement de 10 semaines. Moins le rythme cardiaque est élevé durant un effort, moins l'individu s'épuise.

*Lorsque des sportifs sont interviewés par les médias sur le **dopage***, ils décrivent une grande inégalité devant les résultats de compétitions internationales. On peut parfois lire, ou entendre, que la meilleure attitude à adopter serait de tolérer le dopage.*

CONSIGNE > **Commenter avec des arguments scientifiques cette position sur le dopage.**

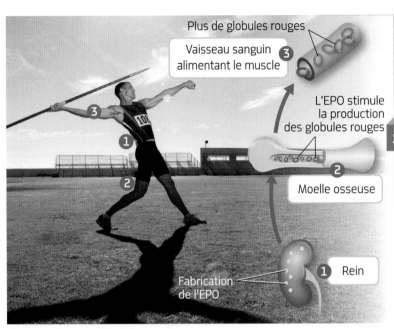

Plus de globules rouges

Vaisseau sanguin alimentant le muscle ➌

L'EPO stimule la production des globules rouges

Moelle osseuse ➋

Fabrication de l'EPO

Rein ➊

1 **L'érythropoïétine (ou EPO) et son rôle dans l'organisme.** L'érythropoïétine (ou EPO) est une hormone naturellement produite par l'organisme, au niveau des reins et dans une moindre mesure au niveau du foie. Elle stimule la production de globules rouges par la **moelle osseuse***. Les globules rouges sont les cellules du sang, chargées de transporter le dioxygène et de le distribuer aux organes, notamment aux muscles.

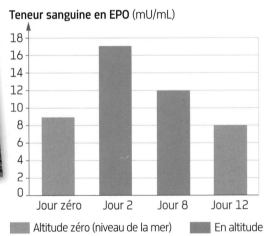

Teneur sanguine en EPO (mU/mL)

Jour zéro — Jour 2 — Jour 8 — Jour 12

■ Altitude zéro (niveau de la mer) ■ En altitude

2 **Des limites naturelles à la teneur sanguine en EPO.** De nombreuses équipes sportives font des stages en altitude avant une compétition. En effet, en altitude, le dioxygène étant moins disponible pour l'organisme, celui-ci réagit en produisant davantage d'EPO, dans les limites naturelles de l'organisme. Une augmentation de la teneur en EPO, même brève, entraîne des modifications du sang pendant plusieurs semaines.

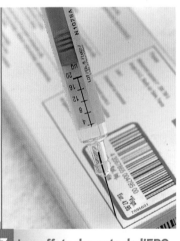

3 **Les effets dopants de l'EPO de synthèse.** Pour améliorer leurs performances, certains sportifs s'injectent de l'EPO de synthèse. Leur teneur sanguine en EPO dépasse alors les limites naturelles de l'organisme.

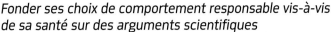
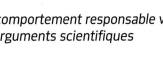

4 **L'affaire Festina et le scandale de l'EPO.** Trois jours avant le départ du Tour de France 1998, Willy Voet, un soigneur de l'équipe Festina, est arrêté à la frontière franco-belge. Dans le véhicule, la douane découvre une énorme quantité de produits dopants dont 235 ampoules d'EPO. Quatre jours plus tard, le directeur sportif de Festina est arrêté puis l'équipe finit par être exclue du Tour. Richard Virenque, coureur de la Festina, finira par avouer avoir utilisé des produits dopants.

5 **Les effets du dopage sur la santé : décès de Johannes Draaijer, coureur cycliste, à 26 ans.**

L'autopsie du coureur cycliste Johannes Draaijer conclura à un arrêt cardiaque sans établir les causes du décès. Quelques mois plus tard, c'est au magazine allemand *Der Spiegel* que la veuve de Johannes Draaijer réserve ses confidences :

❝ Il a pris de l'érythropoïétine. J'espère que sa mort servira d'avertissement pour les autres sportifs. ❞

La mort brutale du coureur [...] n'est pas un cas isolé. Avant lui, six autres jeunes professionnels sont décédés dans des conditions similaires. En 1991, une étude [...] concluait que la prise d'EPO avait pour effet d'épaissir le sang et pouvait être « responsable de **thromboses*** mortelles » chez les sportifs.

Maillot noir (3/10) : Le cauchemar hollandais, Stéphane Mandard, *Le Monde*, 3/07/2013.

6 **Extrait d'un article de loi de 2008 relatif à la lutte contre le trafic de produits dopants.** Le sportif contrôlé positif à un produit dopant peut encourir une peine allant jusqu'à la suspension à vie.

❝ Art. L. 232-9. - Il est interdit à tout sportif participant à une compétition ou manifestation sportive [...] :
1° De détenir, sans raison médicale dûment justifiée, une ou des substances ou procédés interdits par la liste mentionnée [...] à la convention internationale contre le dopage dans le sport [...]
2° D'utiliser une ou des substances et procédés interdits [...] ❞

DICO SCIENCES

* **Dopage** : absorption de substances ou recours à des procédés médicaux pour améliorer les performances sportives.

* **Moelle osseuse** : tissu situé dans certains os, à l'origine des cellules du sang.

* **Thrombose** : caillot de sang qui se forme dans une veine ou une artère.

L'essentiel

par le texte

○○○ La réalisation des mouvements et les réponses de l'organisme à l'effort

ACTIVITÉS
1 p. 226
2 p. 228
3 p. 230

➤ La commande du **mouvement** fait intervenir le système nerveux. Les **centres nerveux** (cerveau et moelle épinière) élaborent des messages nerveux moteurs qui se propagent le long des **nerfs**, vers les muscles. En se **contractant** et, en se **relâchant**, les muscles permettent les mouvements.

➤ Lors d'un effort musculaire, le **rythme cardiaque** et le **rythme respiratoire** s'accélèrent. Toutefois, le rythme cardiaque et la consommation de dioxygène ne peuvent pas dépasser une **limite**, propre à chaque individu.

➤ À l'effort, les **besoins** énergétiques des muscles en glucose et en dioxygène augmentent. L'organisme répond à cette demande en augmentant son rythme cardiaque et son rythme respiratoire afin d'apporter aux muscles, plus fortement irrigués, les éléments dont ils ont besoin en quantité suffisante.

○○○ La pratique adaptée d'une activité physique pour préserver la santé

ACTIVITÉS
4 p. 232
5 p. 234

➤ La pratique d'une activité physique doit se faire de manière adaptée et après **échauffement**, afin d'éviter tout risque de blessure. Correctement pratiquée, l'activité physique régulière diminue le risque de survenue des **maladies cardiovasculaires** et augmente l'espérance de vie des personnes ayant développé certains **cancers**.

➤ L'**entraînement** sportif a des effets positifs sur l'organisme : augmentation des capacités respiratoire et cardiaque, augmentation de l'efficacité musculaire.

○○○ Les effets du dopage

ACTIVITÉ
6 p. 236

➤ Le **dopage**, qui consiste à absorber certaines substances ou à utiliser des procédés médicaux afin d'augmenter les performances physiques chez un sportif, se révèle **dangereux** pour sa santé : par exemple, la prise d'érythropoïétine (EPO) augmente le risque d'accidents cardiovasculaires. Le dopage est également une pratique contraire à l'éthique sportive : c'est donc une pratique interdite.

MOTS-CLÉS

Centres nerveux • Rythme cardiaque • Rythme respiratoire • Maladie cardiovasculaire • Dopage

par l'image

Le fonctionnement de l'organisme lors d'un effort musculaire

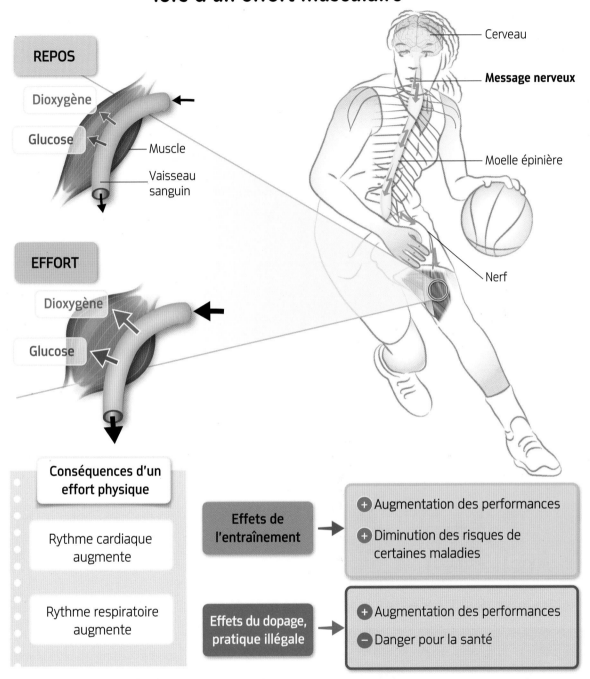

REPOS

Dioxygène

Glucose

Muscle

Vaisseau sanguin

Cerveau

Message nerveux

Moelle épinière

Nerf

EFFORT

Dioxygène

Glucose

Conséquences d'un effort physique

Rythme cardiaque augmente

Rythme respiratoire augmente

Effets de l'entraînement

➕ Augmentation des performances

➕ Diminution des risques de certaines maladies

Effets du dopage, pratique illégale

➕ Augmentation des performances

➖ Danger pour la santé

Mon bilan de fin de cycle

Attendus

> Pour expliquer **comment le système nerveux et le système cardiovasculaire interviennent lors d'un effort musculaire, en identifiant les capacités et les limites de l'organisme** :

• je présente les organes impliqués dans la réalisation et la commande d'un mouvement ;
• je relie les modifications de l'organisme, correspondant à ses capacités, aux besoins accrus des muscles lors d'un effort ;
• je montre que l'organisme possède des limites, que l'entraînement peut repousser ;
• je montre que les limites de l'organisme peuvent être repoussées par le dopage mais que le dopage est une pratique dangereuse.

JE TESTE *mes connaissances*

1 Remue-méninges ●●●

Écrire une phrase avec les mots suivants :

a. nerf – muscle – centres nerveux

b. effort – muscle – besoins énergétiques

2 QCM ●●●

Choisir la bonne réponse :

a. L'entraînement :

❑ est dangereux pour la santé et provoque de nombreuses blessures.
❑ permet l'augmentation des performances sportives.
❑ ne présente pas d'intérêt.
❑ ne concerne que les sportifs de haut niveau.

b. Le dopage :

❑ est autorisé et ne présente aucun danger pour la santé.
❑ n'est pas autorisé mais ne présente aucun danger pour la santé.
❑ n'est pas autorisé et est dangereux pour la santé.
❑ est autorisé mais est dangereux pour la santé.

3 MOT CACHÉ ●●●

Reproduire et **compléter** la grille à l'aide des définitions pour retrouver le mot caché.

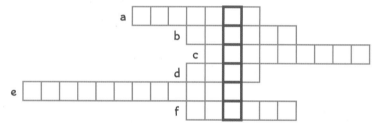

a : Un des besoins du muscle pour son fonctionnement.

b : Pratique illégale pour augmenter les performances sportives.

c : État du muscle à l'origine de la flexion d'un membre.

d : Cordon reliant un centre nerveux à un muscle.

e : Bien pratiqué avant l'effort, il permet de limiter le risque de blessures.

f : Organe qui permet le mouvement en se contractant.

JE TESTE *mes compétences*

4 Représenter des données sous différentes formes ●●●

➡ **Reproduire** le dessin du basketteur en plus grand et représenter le cerveau, la moelle épinière, un nerf et un muscle, dans le bras gauche.

➡ **Ajouter** le trajet des messages nerveux permettant le mouvement de ce bras.

5 Lire et exploiter des données présentées sous différentes formes ○ ● ○

Le repas des sportifs avant une compétition

Dix heures avant une compétition sportive, les diététiciens conseillent de prendre un repas copieux. Il doit être composé d'une grosse proportion de féculents (pâtes, riz, pommes de terre, etc.), de viande ou de poisson, d'un produit laitier, d'un dessert riche en glucides lents (riz au lait, gâteau de semoule, pain d'épice, etc), de fruits ou d'un jus de fruit et d'eau.

Les féculents sont digérés lentement et fournissent progressivement du glucose à l'organisme.

➜ **Expliquer** l'intérêt de prendre un tel repas avant une compétition sportive.

6 Lire et exploiter des données sous différentes formes ○ ● ○

Une marathonienne s'entraîne régulièrement et court plusieurs kilomètres par semaine. Elle a reporté les performances réalisées lors des courses en fonction du nombre de kilomètres parcourus chaque semaine lors de ses phases d'entraînement.

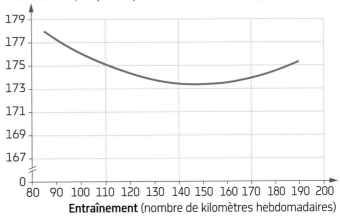

Performance (temps mis pour réaliser le marathon, en minutes)

Entraînement (nombre de kilomètres hebdomadaires)

➜ **Exploiter** le document afin de montrer que l'entraînement permet d'améliorer ses performances, jusqu'à un seuil.

Système
et comportem

Je réactive mes connaissances

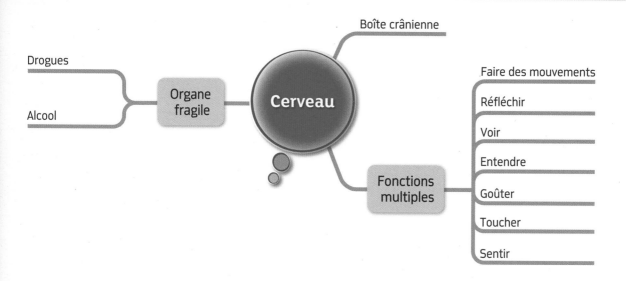

Mes objectifs de fin de cycle

> Mettre en évidence le rôle du cerveau dans la réception et l'intégration d'informations multiples

> Relier quelques comportements à leurs effets sur le fonctionnement du système nerveux

Activités

1 La réception des informations de l'environnement par l'organisme

2 Le traitement des informations reçues par le cerveau

3 Une communication entre les zones cérébrales

4 Système nerveux et hygiène de vie

5 Système nerveux et consommation de substances

The Crevasse 3D street art, 2008
EDGAR MUELLER.
Peinture et craie, 250 m².
Dun Laoghaire, Irlande.

Dans ce dessin de *street art*, l'artiste fait apparaître une 3e dimension sur la surface horizontale du sol, en manipulant la perspective. Il crée ainsi un trompe-l'œil puissant puisque notre cerveau voit un homme tomber dans cette crevasse… qui n'existe pas !

1

Comment l'organisme réceptionne-t-il les informations issues de l'environnement ?

➜ **Identifier** les informations issues de notre environnement

1 **Un déjeuner à la cantine.** Lors d'un repas, nos organes des sens sont stimulés.

2 **Des adolescents à la sortie du collège.** Regarder une vidéo, lire un message, écouter une conversation sont des activités courantes avec un smartphone. Ces activités mettent en jeu des organes des sens.

Organe des sens	Sens	Nature de la stimulation
Yeux	Vue	Lumière
Nez	Odorat	Odeurs
Langue	Goût	Saveur
Oreilles	Audition	Son
Peau	Toucher	Pression

3 **Nos principaux organes des sens activés par certaines stimulations.**

DICO SCIENCES

* **Cortex** : couche superficielle du cerveau, épaisse de quelques millimètres.
* **Message nerveux sensitif** : message nerveux issu d'un organe des sens.

Expliquer ce que deviennent les informations issues de l'environnement

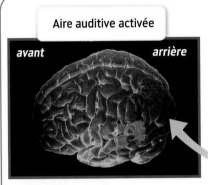

Aire auditive activée

avant   arrière

Individu immobile, yeux fermés, entendant des mots

Activité cérébrale

forte

moyenne

faible

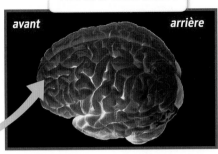

Aire de la vision activée

avant   arrière

Individu immobile, dans le silence, observant des images

4 **Des zones cérébrales activées par nos organes des sens.** Des techniques modernes d'imagerie médicale, indolores, permettent d'observer les zones du cerveau qui s'activent lorsque nos organes des sens sont stimulés. Dans ces deux cas, l'activité cérébrale est localisée au niveau du **cortex***.

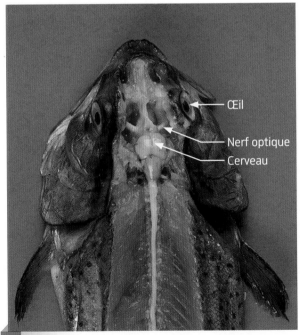

Œil

Nerf optique

Cerveau

5 **Dissection d'une tête de poisson.** Les nerfs optiques relient les yeux au cerveau.

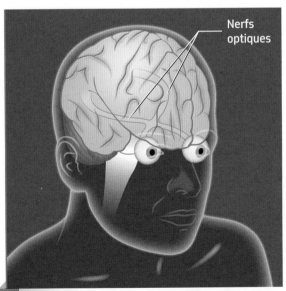

Nerfs optiques

6 **Des nerfs mettent en relation les organes des sens et des zones précises du cerveau.**
Les organes des sens, comme les yeux, transforment les stimulations issues de l'environnement en **messages nerveux** électriques **sensitifs***. Ceux-ci se propagent le long des nerfs vers une région précise du cortex cérébral.

2

Comment le cerveau traite-t-il les informations qu'il reçoit dans le cas de la vision ?

Établir l'existence de plusieurs zones cérébrales impliquées dans la vision

1 **Dessins réalisés par un patient A présentant une lésion cérébrale.** On a demandé à ce patient de dessiner en couleur des objets qui lui étaient présentés : une banane, une pomme et des feuilles.

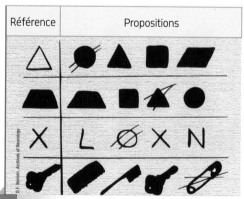

2 **Test réalisé par un patient B présentant une lésion cérébrale.** On a demandé à ce patient de barrer, parmi les propositions, celle qui a la même forme que la référence.

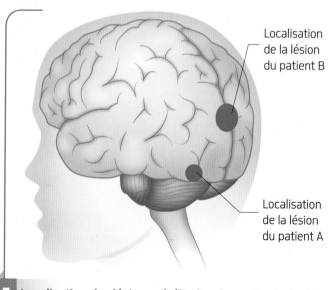

Localisation de la lésion du patient B

Localisation de la lésion du patient A

3 **Localisation des lésions cérébrales des patients A et B.**

Mettre en évidence un traitement simultané de multiples informations visuelles

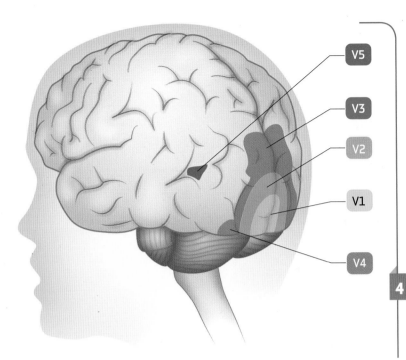

V5

V3

V2

V1

V4

4 **Les zones cérébrales impliquées dans la vision.** Il est aujourd'hui admis que plusieurs aires cérébrales, notées V1 à V5, situées au niveau du cortex cérébral, participent à la vision.

Reconnaissance des formes

Reconnaissance des couleurs

Vision

5 **Une intégration* réalisée par le cerveau.** Les informations visuelles reçues par nos yeux présentent des aspects différents tels que la couleur ou la forme des objets observés. Les messages nerveux issus des yeux parviennent à une zone précise en arrière du cerveau. Ils sont ensuite transmis en parallèle à d'autres zones, chacune spécialisée dans une fonction (perception des couleurs ou des formes), puis sont traités simultanément. La vision correspond à l'intégration des informations issues de ces zones cérébrales.

DICO SCIENCES

*Intégration : traitement simultané d'informations reçues par le cerveau.

Activité

3

Comment différentes zones cérébrales communiquent entre elles ?

→ **Observer** les cellules assurant la communication entre zones cérébrales

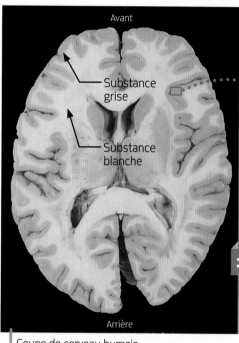

Coupe de cerveau humain

Avant

Substance grise

Substance blanche

Arrière

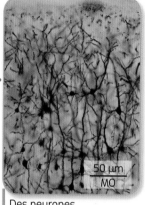

50 μm
MO

Des neurones dans la substance grise

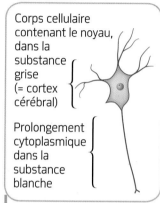

Corps cellulaire contenant le noyau, dans la substance grise (= cortex cérébral)

Prolongement cytoplasmique dans la substance blanche

Croquis d'un neurone

1 **Des milliards de neurones dans le cerveau.** On estime à environ 100 milliards le nombre de neurones, ou cellules nerveuses, dans le cerveau humain. Un neurone cérébral possède un corps cellulaire situé dans la substance grise, et des prolongements cytoplasmiques. Ces prolongements constituent essentiellement la substance blanche.

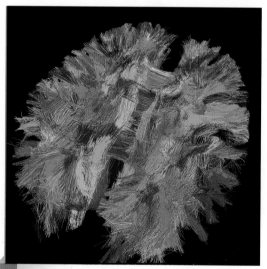

2 **Des zones cérébrales reliées par les prolongements des neurones.** Une technique d'observation permet de mettre en évidence, par différentes couleurs, les différents faisceaux qui relient les zones cérébrales. Un faisceau comprend de nombreux prolongements cytoplasmiques de neurones.

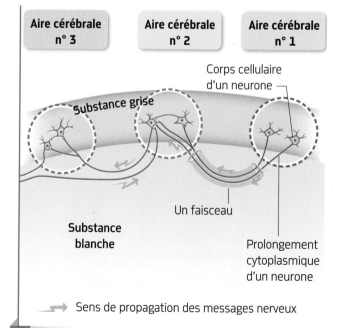

Aire cérébrale n° 3

Aire cérébrale n° 2

Aire cérébrale n° 1

Corps cellulaire d'un neurone

Substance grise

Un faisceau

Substance blanche

Prolongement cytoplasmique d'un neurone

→ Sens de propagation des messages nerveux

3 **Un réseau de neurones, dans le cerveau.** Les neurones communiquent les uns avec les autres au niveau de jonctions, les synapses. Ils forment ainsi un vaste réseau.

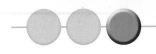
Découvrir la communication entre neurones

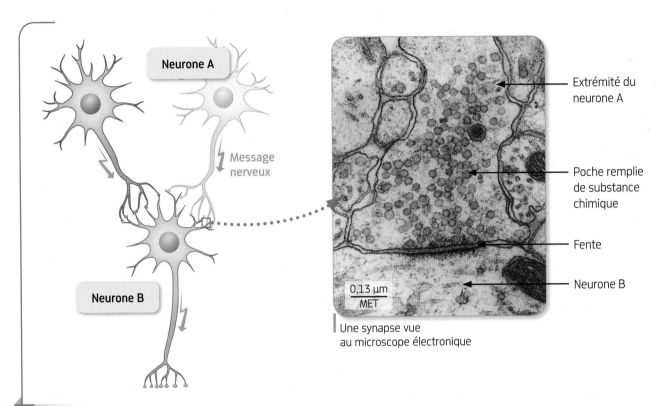

Neurone A

Message nerveux

Neurone B

Extrémité du neurone A

Poche remplie de substance chimique

Fente

Neurone B

0,13 µm
MET

Une synapse vue au microscope électronique

4 **Un réseau de trois neurones.** Au niveau d'une synapse, deux neurones sont séparés par une fente synaptique, d'environ 20 nm, c'est-à-dire 20 millionièmes de mm. Sur chaque neurone, il existe jusqu'à 10 000 synapses.

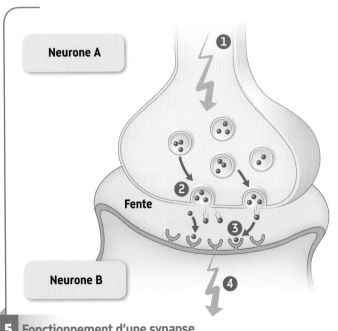

Neurone A

Neurone B

Fente

1 Arrivée d'un message nerveux à l'extrémité du neurone A

2 Déversement de la substance chimique dans la fente synaptique

3 Fixation de la substance chimique sur le neurone B

4 Naissance d'un message nerveux au niveau du neurone B

5 **Fonctionnement d'une synapse.**

4

Comment l'hygiène de vie peut-elle avoir une influence sur le système nerveux ?

➜ **Montrer les effets du sommeil sur le cerveau**

---

1 **Une journaliste expérimente une privation de sommeil.**

Pour les besoins d'une étude, Sarah Chalmer, une journaliste qui avait l'habitude de dormir 8 heures par nuit, a réduit sa durée de sommeil à 4 heures une première nuit puis, après une récupération, à 6 heures cinq nuits consécutives. Durant cette période, la journaliste s'est trouvée distraite et maladroite. Elle avait du mal à maîtriser ses émotions. Elle était déprimée et irritable.

Avant privation de sommeil

Après privation de sommeil

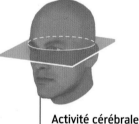

Activité cérébrale

Forte

Faible

Avant

Arrière

Témoin

Avant

Arrière

Privation de sommeil

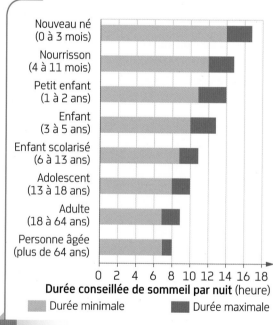

	Durée conseillée de sommeil par nuit (heure)
Nouveau né (0 à 3 mois)	
Nourrisson (4 à 11 mois)	
Petit enfant (1 à 2 ans)	
Enfant (3 à 5 ans)	
Enfant scolarisé (6 à 13 ans)	
Adolescent (13 à 18 ans)	
Adulte (18 à 64 ans)	
Personne âgée (plus de 64 ans)	

0 2 4 6 8 10 12 14 16 18

Durée conseillée de sommeil par nuit (heure)

☐ Durée minimale ☐ Durée maximale

3 **Durée conseillée de sommeil selon l'âge.**

2 **Images cérébrales de sujets.** Les sujets ont eu à regarder des images violentes : les témoins, après avoir passé une nuit normale de huit heures, les autres ayant été privés de sommeil. La zone cérébrale mise en évidence joue un rôle dans la gestion de l'humeur et contrôle la réponse du corps à la peur et à l'anxiété.

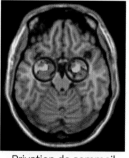

DICO SCIENCES

*Cil d'une cellule : petit prolongement cytoplasmique d'une cellule.

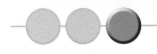

Lire et exploiter des données présentées
sous différentes formes

Relier les bruits à leurs effets sur le système nerveux

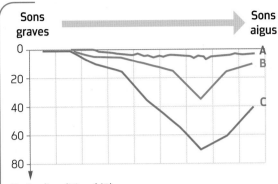

Sons graves → Sons aigus

Perte d'audition (dB)

— **A** Écoute régulière de musique avec son lecteur mp3 depuis 1 an

— **B** Écoute régulière de musique avec son lecteur mp3 depuis 4 ans

— **C** Sorties régulières en discothèque, nombreux concerts depuis 10 ans

4 **Audiogramme réalisé chez trois individus.** Cet examen médical consiste à déterminer l'intensité minimale des sons (en décibels, dB) pour qu'il soient perçus. Par convention, la valeur 0 correspond à la norme. S'il faut augmenter l'intensité du son pour qu'il soit perçu, l'individu présente une perte d'audition. Celle-ci devient significative quand elle atteint 20 dB.

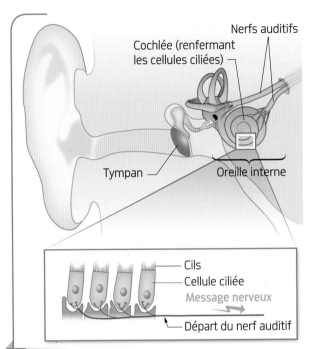

5 **L'oreille, organe de l'audition.** Le son correspond à des vibrations de l'air, conduites jusqu'au tympan qui entre à son tour en vibration. Ces vibrations sont à l'origine d'un mouvement des **cils*** de cellules dans l'oreille interne. Cela génère un message nerveux sensitif qui se propage le long du nerf auditif vers le cerveau.

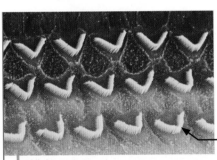

Cils d'une cellule

Cellules saines

1,5 µm
MEB

Cellules exposées à un bruit intense

6 **Aspects des cellules ciliées de l'oreille interne de deux individus.** La lésion suite à l'exposition au bruit intense est irréversible.

7 **Une pratique qui peut dégrader l'audition.** L'écoute prolongée de musique avec un casque est déconseillée. Le volume maximal autorisé pour les baladeurs audio est de 100 dB. Cela équivaut au bruit d'un marteau-piqueur.

5

Comment certaines substances perturbent-elles le système nerveux ?

Étudier les effets de la consommation de drogues

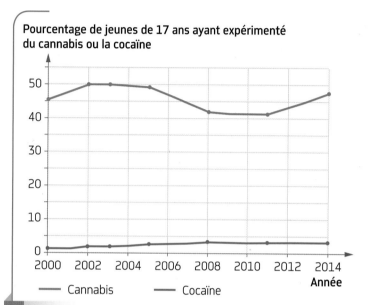

Pourcentage de jeunes de 17 ans ayant expérimenté du cannabis ou la cocaïne

— Cannabis   — Cocaïne

1 **Évolution du pourcentage de Français de 17 ans ayant consommé au moins une fois du cannabis ou de la cocaïne depuis 2000.** Ces substances sont des **drogues***. Leur production, leur distribution et leur usage sont strictement interdits par la loi française. Leur usage est puni d'un an d'emprisonnement et de 3 750 euros d'amende.

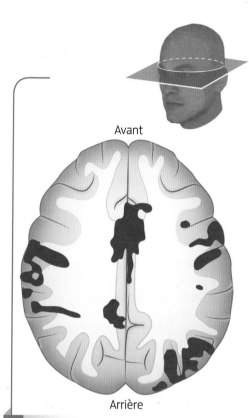

Avant

Arrière

3 **Effets à long terme de la cocaïne sur le cerveau.** La consommation de cocaïne engendre notamment de graves dépressions. On a comparé, par imagerie médicale, le cerveau de 60 personnes cocaïnomanes et de 60 personnes ne consommant aucune drogue. Cette image récapitule l'ensemble des résultats : les zones bleues sont anormalement plus petites chez les cocaïnomanes, ce qui traduit une perte de cellules nerveuses.

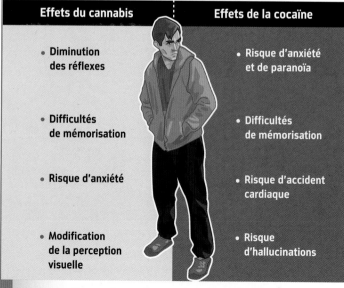

Effets du cannabis	Effets de la cocaïne
• Diminution des réflexes	• Risque d'anxiété et de paranoïa
• Difficultés de mémorisation	• Difficultés de mémorisation
• Risque d'anxiété	• Risque d'accident cardiaque
• Modification de la perception visuelle	• Risque d'hallucinations

2 **Effets sur l'organisme d'une prise de cannabis ou de cocaïne.**

DICO SCIENCES

* **Drogue** : substance naturelle ou synthétique modifiant l'activité mentale, le comportement ou les sensations.
* **Ivresse** : consommation excessive d'alcool à l'origine d'un état d'excitation.
* **Temps de réaction** : durée séparant la vision d'un obstacle à l'appui sur le frein.

 Étudier **les effets de la consommation d'alcool**

Pourcentage de collégiens ayant expérimenté l'alcool ou l'ivresse

100
80
60
40
20
0
6ᵉ   5ᵉ   4ᵉ   3ᵉ

— Alcool   — Ivresse   **Classe**

4 **En 2010, des collégiens français formant un échantillon représentatif ont été interrogés sur leur consommation d'alcool.** On leur a demandé s'ils avaient déjà consommé une boisson alcoolisée et s'ils avaient déjà été **ivres***.

- **Risque de trou de mémoire**

- **Problèmes de maîtrise de soi : comportement impulsif, agressif**

- **Risque d'accident par baisse des réflexes : chute, etc.**

- **Risque d'intoxication alcoolique : vomissements, etc.**

5 **Les effets liés à une consommation excessive d'alcool.**

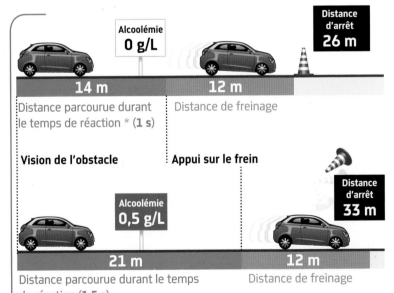

Alcoolémie 0 g/L

Distance d'arrêt 26 m

14 m
Distance parcourue durant le temps de réaction * (**1 s**)

12 m
Distance de freinage

Vision de l'obstacle   **Appui sur le frein**

Alcoolémie 0,5 g/L

Distance d'arrêt 33 m

21 m
Distance parcourue durant le temps de réaction (**1,5 s**)

12 m
Distance de freinage

6 **Distance d'arrêt d'un véhicule roulant à 50 km/h selon l'alcoolémie du conducteur.**

0,2 g D'ALCOOL
PAR LITRE DE SANG C'EST :
ZÉRO
VERRE D'ALCOOL
----------RIEN----------
NIET, NIENTE, NADA, NICHTS, FOYE, KEUD, PEANUTS, QUE DALLE, QUE TCHI, WALOU...

SÉCURITÉ ROUTIÈRE
TOUS RESPONSABLES

7 **Campagne de 2015 contre l'alcool au volant.** Les accidents de la route sont la première cause de mortalité et de handicap des 18-25 ans. Dans un quart de ces accidents, la cause en est une alcoolémie excessive, c'est-à-dire un taux d'alcool dans le sang trop élevé. Pour les jeunes conducteurs ayant obtenu leur permis de conduire depuis moins de trois ans, l'alcoolémie ne doit pas dépasser 0,2 g/L (contre 0,5 g/L pour les autres conducteurs). Cette limite peut être dépassée dès le premier verre d'alcool.

L'essentiel

par le texte

○○○ La réception des informations de l'environnement

ACTIVITÉ
1 p. 244

> Notre environnement envoie à notre organisme de multiples **stimulations** : visuelles, auditives, etc. Elles sont réceptionnées par nos **organes des sens**, par exemple les yeux ou les oreilles, et sont converties en **messages nerveux** sensitifs qui se propagent, le long de nerfs, vers des zones précises du **cortex cérébral**. Notre cerveau reçoit ainsi en permanence de multiples informations.

○○● L'intégration des informations par le cerveau

ACTIVITÉS
2 p. 246
3 p. 248

> Les messages nerveux sensitifs issus des yeux arrivent dans une aire cérébrale corticale précise. Les différentes informations visuelles transmises sont traitées en simultané et en parallèle par différentes zones du cortex. Le cerveau réalise une **intégration** de ces informations afin de fournir une perception visuelle.

> Cette intégration nécessite une **communication** entre différentes zones cérébrales, dont les cellules nerveuses, ou **neurones**, sont le support : grâce à leurs prolongements, les neurones forment un vaste réseau.

> Le message nerveux, arrivé à l'extrémité d'un neurone, atteint une **synapse**. À son niveau, le message nerveux entraîne la libération d'une substance chimique qui se déverse dans la fente synaptique puis se fixe sur l'autre neurone. Ce dernier génère alors un message nerveux.

○○● Les conditions d'un bon fonctionnement du système nerveux

ACTIVITÉS
4 p. 250
5 p. 252

> Nos **comportements** ont des conséquences sur le système nerveux. Ainsi, un **manque de sommeil** entraîne des troubles de l'humeur, en modifiant le fonctionnement cérébral. Certaines situations, comme une exposition prolongée au **bruit**, peuvent altérer les oreilles. Ces dernières transmettent alors moins de messages nerveux au cerveau, pouvant provoquer une surdité.

> La consommation de certaines substances peut également perturber le fonctionnement cérébral ; c'est le cas des **drogues**, comme le cannabis ou la cocaïne, à l'origine de modifications de la perception. Enfin, la consommation d'alcool peut modifier notre comportement, et augmenter le **temps de réaction**, ce qui risque de provoquer des accidents.

MOTS-CLÉS

Cortex cérébral • Organe des sens • Intégration • Neurone • Synapse • Temps de réaction

par l'image

Système nerveux
et comportement responsable

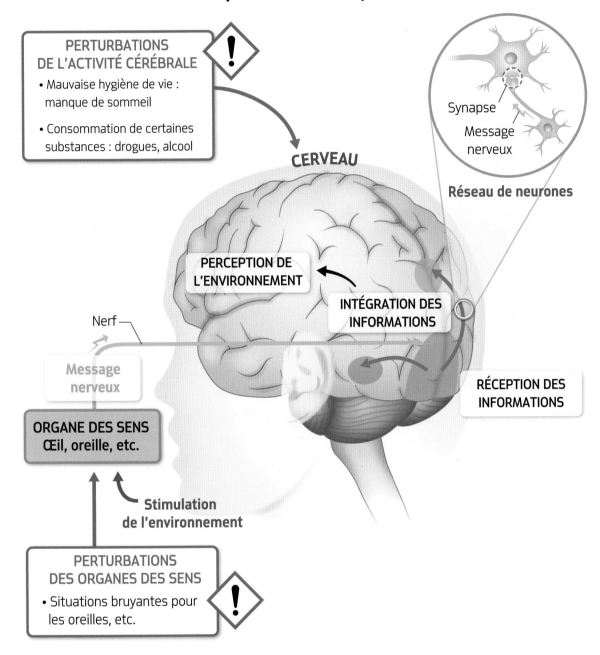

PERTURBATIONS DE L'ACTIVITÉ CÉRÉBRALE ⚠

- Mauvaise hygiène de vie : manque de sommeil
- Consommation de certaines substances : drogues, alcool

CERVEAU

Synapse
Message nerveux

Réseau de neurones

PERCEPTION DE L'ENVIRONNEMENT

INTÉGRATION DES INFORMATIONS

Nerf

Message nerveux

RÉCEPTION DES INFORMATIONS

ORGANE DES SENS
Œil, oreille, etc.

Stimulation de l'environnement

PERTURBATIONS DES ORGANES DES SENS ⚠

- Situations bruyantes pour les oreilles, etc.

Mon bilan de fin de cycle

Attendus

> **Pour mettre en évidence le rôle du cerveau dans la réception et l'intégration d'informations multiples :**
- je décris le trajet des messages nerveux sensitifs depuis un organe des sens jusqu'au cerveau ;
- je compare sur une imagerie médicale l'activité cérébrale suite à des stimulations différentes.

> **Pour relier quelques comportements à leurs effets sur le fonctionnement du système nerveux :**
- j'explique l'effet du bruit sur les cellules ciliées de l'oreille ;
- j'indique les effets de l'alcool, de drogues et du manque de sommeil sur le cerveau.

JE TESTE *mes connaissances*

1 Remue-méninges ●○○

Écrire une phrase avec les mots suivants :

a. message nerveux – stimulation – organe des sens – environnement

b. nerf – message nerveux – cerveau – organe des sens

2 QCM ○○●

Choisir la bonne réponse :

Dans le cerveau, une synapse :

❑ est une stimulation arrivée au cerveau.

❑ est une zone de communication entre deux neurones.

❑ est l'intégration d'informations multiples.

❑ est le prolongement cytoplasmique d'un neurone.

3 MOT CACHÉ ○○●

Reproduire et **compléter** la grille pour trouver le mot caché.

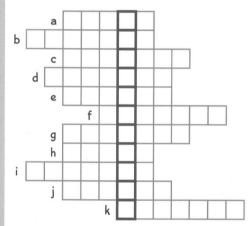

a : Une exposition prolongée à cette stimulation peut léser les oreilles.

b : Cellule nerveuse.

c : Ensemble d'organes qui participent à une même fonction, tels que le cerveau, la moelle épinière et les nerfs.

d : Il reçoit les informations envoyées par les organes des sens.

e : Le cannabis et la cocaïne en sont deux exemples.

f : Elle capte les stimulations sonores.

g : Zone de communication entre deux neurones.

h : Espace entre deux neurones au niveau d'une synapse.

i : S'il n'est pas suffisant, il est à l'origine de troubles de l'humeur.

j : Sa consommation augmente le temps de réaction.

k : Qualifie les messages se propageant le long des nerfs.

JE TESTE *mes compétences*

4 Communiquer sur ses démarches ●○○

Un patient, qui ne présente aucune anomalie au niveau des yeux, se plaint de troubles de la vision. Son médecin lui prescrit un examen afin d'obtenir une image cérébrale.

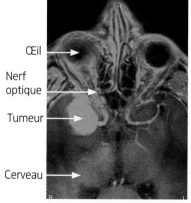

Œil

Nerf optique

Tumeur

Cerveau

1 Patient avec trouble visuel

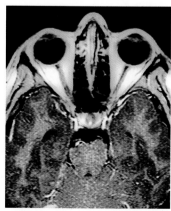

2 Patient sans trouble visuel

➡ À l'aide des documents et de ses connaissances, **expliquer** l'origine du trouble de la vision du patient.

5 Représenter des données sous différentes formes ○○●

Les photographies ci-dessous montrent deux types de cellules de l'organisme.

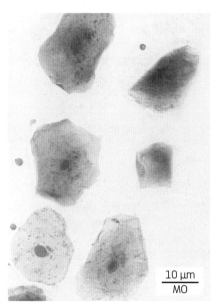

10 µm
MO

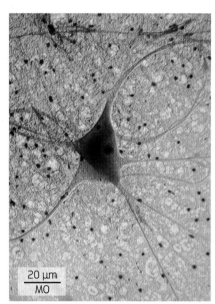

20 µm
MO

1 Cellules buccales. Leur fonction est de protéger la bouche du milieu extérieur.

2 Cellule nerveuse. Sa fonction est d'assurer la propagation des messages nerveux.

➡ **Réaliser** un tableau afin de comparer la structure et la fonction de ces deux types cellulaires.

6 Lire et exploiter des données sous différentes formes ○○●

Le BDNF est une substance chimique produite par les neurones cérébraux. Il maintient les neurones en vie et intervient dans la formation de réseaux de neurones. Il a donc une action protectrice sur le cerveau. Des expériences ont été menées chez des rats afin de mesurer la teneur cérébrale en BDNF dans différentes circonstances.

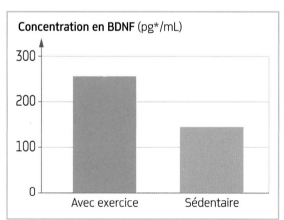

1 Comparaison de la teneur cérébrale en BDNF chez des rats qui ont fait de l'exercice physique pendant 7 jours et chez des rats sédentaires. (* 1 pg = 10^{-12} g)

➡ **Exploiter** les documents afin de montrer que l'activité physique a un effet bénéfique sur le cerveau, jusqu'à un certain seuil.

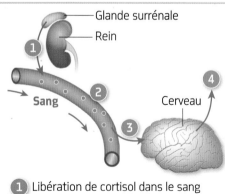

1 Libération de cortisol dans le sang

2 Circulation du cortisol

3 Captation du cortisol par le cerveau

4 Baisse de la production de BDNF

2 Schéma de la modulation de la production de BDNF. Le cortisol est une molécule dont la production augmente lors d'un entraînement excessif.

CHAPITRE 13

Alimentation

Je réactive mes connaissances

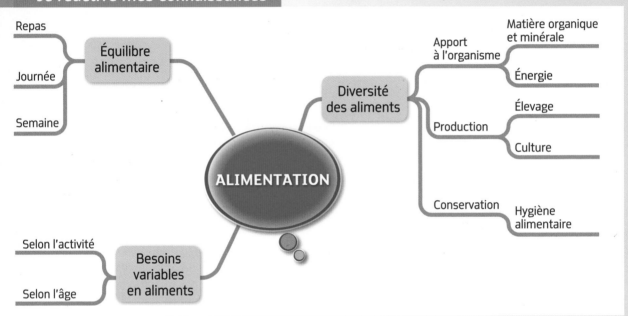

Mes objectifs de fin de cycle

> Expliquer le devenir des aliments dans le tube digestif
> Relier la nature des aliments et leurs apports qualitatifs et quantitatifs afin de comprendre l'importance de l'alimentation pour l'organisme

Activités

1 Les aliments, une source d'énergie

2 Régimes alimentaires et santé

3 Le système digestif

4 Le trajet des aliments

5 La transformation des aliments au cours de la digestion

6 Le devenir des nutriments : l'absorption intestinale

et digestion

Campbell's Soup Cans, ANDY WARHOL (détail), 1965.
Série de 12 toiles de 91 × 61 cm chacune.
Sérigraphie sur toile. Collection privée.

C'est un objet ordinaire issu de la société de consommation, la boîte de soupe Campbell, qui est représenté douze fois dans cette œuvre créée par l'artiste américain Andy Warhol (1928-1987).
Les soupes font partie de notre alimentation quotidienne et contiennent des éléments indispensables au fonctionnement de l'organisme.

Activité

1

J'enquête

Lucas et Hugo sont de vrais jumeaux, élèves en classe de 5ᵉ. Ce matin, ils ont cours d'EPS et, durant le match de basket, Hugo a un malaise.

CONSIGNE > **Expliquer l'origine du malaise de Hugo.**

1 **Un match de basket.** Pendant une séance d'une heure d'EPS, les élèves sont en plein effort physique et dépensent de l'énergie.

Élève Information	Hugo	Lucas
Âge (année)	13	13
Taille (cm)	147	147
Masse (kg)	38	38,5
Activité pendant la séance	Basketball	Assis sur le banc de touche
Dépense énergétique (kilojoule* par heure)	1 500	188

2 **Informations concernant les deux frères.** Lucas a été exclu dès le début du match car il ne respectait pas les règles du jeu.

3 **Le petit déjeuner pris ce matin par Lucas.** Hugo, qui n'avait pas faim, n'a consommé que deux biscuits.

- Un bol de thé (350 mL) avec un morceau de sucre de 6 g
- Deux biscuits secs (17 g)
- Un verre de jus d'orange (100 mL)
- Une pomme (138 g)
- Un yaourt à boire (180 g)

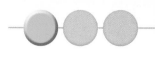
INFORMATIONS NUTRITIONNELLES			
	100 g	1 biscuit	% des AJR par 1 biscuit
Énergie	440 kcal soit 1 840 kJ	36 kcal soit 151 kJ	2 %
Matières grasses	12 g	1 g	1 %
Glucides	73 g	6,1 g	2 %
Fibres alimentaires	3 g	0,3 g	-
Protéines	8 g	0,7 g	1 %
Sel	1,4 g	0,13 g	2 %

AJR : apports journaliers recommandés

4 **Information nutritionnelle sur un paquet de biscuits secs.** En plus de l'eau, des sels minéraux et des vitamines, nos aliments sont constitués par des glucides (ou sucres), des protides et des lipides (ou matières grasses). Ces constituants alimentaires fournissent de l'énergie à l'organisme, que ce dernier peut alors dépenser pour assurer ses différentes activités. L'énergie apportée par les aliments s'exprime en **kilocalorie*** (kcal) ou en **kilojoule*** (kJ).

5 **Les symptômes d'une crise hypoglycémique :** une sensation de faim, des tremblements, des nausées, des troubles de la vision, une fatigue intense. La crise survient lorsque l'alimentation n'apporte pas assez d'énergie à notre organisme. L'individu doit se reposer et manger rapidement, notamment des aliments riches en glucides.

Aliment	Quantité		Valeur énergétique
Un verre de jus d'orange	100 mL		175 kJ
Lait	100 mL		192 kJ
Un bol de thé	350 mL		14 kJ
Un morceau de sucre	6 g		67 kJ
Un biscuit sec	8,5 g		154 kJ
Une tartine de pain	42 g		200 kJ
Céréales (pétales de riz et de blé avec copeaux de chocolat)	100 g		1 700 kJ
Un yaourt à boire	180 g		520 kJ
Une portion de beurre	8 g		250 kJ
Une cuillère de confiture	8 g		120 kJ
Une pomme	138 g		335 kJ

6 Les valeurs énergétiques de quelques aliments.

 **DICO SCIENCES**

* **Kilocalorie (kcal) :** unité pour quantifier l'énergie (1 kcal = 4,18 kJ).
* **Kilojoule (kJ) :** unité pour quantifier l'énergie (1 kJ = 1 000 J).

Comment de bonnes habitudes alimentaires permettent-elles de préserver sa santé ?

 Constater une diversité de bonnes habitudes alimentaires

Famille australienne

Famille cubaine

1 **Aliments consommés par deux familles de pays différents pendant une semaine.** Deux familles ont été photographiées devant l'ensemble des aliments qu'elles consomment en une semaine.

Sucre et produits sucrés	à limiter
Matières grasses	à limiter
Viandes, poissons, œufs	1 à 2 fois par jour
Lait et produits laitiers	3 fois par jour
Légumes et fruits	au moins 5 par jour
Céréales	à chaque repas
Eau	à volonté

2 **La pyramide alimentaire et les groupes d'aliments.** Pour une alimentation équilibrée, permettant de rester en bonne santé, certains aliments doivent être consommés avec modération.

DICO SCIENCES

* **Acide aminé** : constituant de base des protéines.
* **Diabète** : excès de sucre dans le sang.
* **Malnutrition** : maladie causée par le manque ou l'excès d'un ou de plusieurs constituants de l'alimentation.
* **Protéine** : élément du groupe des protides présent dans certains aliments.

 Relier **troubles de la santé et alimentation**

3 **Les principaux constituants des aliments et leur fonction dans l'organisme.**

Les aliments sont constitués de nombreux éléments parmi lesquels on trouve les glucides, les lipides, les protides, les vitamines, l'eau et les sels minéraux. L'organisme ne pouvant pas produire tous ces éléments, il doit les trouver dans l'alimentation.

• Les glucides, ou sucres, sont la principale source d'énergie du corps.

• Les protides comprennent notamment les **protéines***, ils servent de matériaux de construction à nos cellules.

• Les lipides sont une autre source d'énergie et interviennent, entre autres, dans la constitution des membranes de nos cellules.

• Les sels minéraux (calcium, fer, etc.) sont indispensables au fonctionnement de nos organes et entrent dans leur constitution.

• Les vitamines sont indispensables, à faible dose, pour le fonctionnement de nos organes.

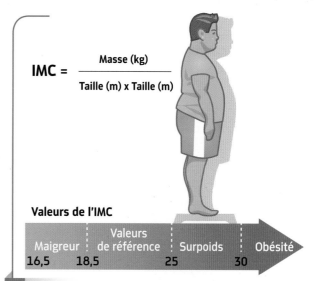

$$IMC = \frac{Masse\ (kg)}{Taille\ (m) \times Taille\ (m)}$$

Valeurs de l'IMC

| Maigreur | Valeurs de référence | Surpoids | Obésité |
| 16,5 | 18,5 | 25 | 30 |

4 **L'obésité, un excès quantitatif.** Lorsque les apports alimentaires dépassent les dépenses, l'individu risque d'être en surpoids, et de devenir obèse : son IMC (indice de masse corporelle) dépasse alors 30. En France, l'obésité concernait 15 % des adultes en 2012 contre à peine 6,1 % en 1980. L'obésité à long terme augmente le risque de développer des maladies de la circulation, des articulations et le **diabète***.

5 **Un enfant atteint de kwashiorkor.**
Certains enfants des pays pauvres, après avoir été sevrés, reçoivent une alimentation suffisante en quantité, constituée uniquement de céréales. Cela entraîne une **malnutrition***, le kwashiorkor, caractérisé par un gonflement de certaines parties du corps.

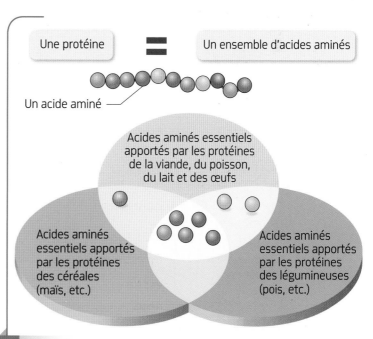

Une protéine **=** Un ensemble d'acides aminés

Un acide aminé

Acides aminés essentiels apportés par les protéines de la viande, du poisson, du lait et des œufs

Acides aminés essentiels apportés par les protéines des céréales (maïs, etc.)

Acides aminés essentiels apportés par les protéines des légumineuses (pois, etc.)

6 **Des acides aminés* essentiels à notre organisme.** Il existe une vingtaine d'acides aminés différents. Parmi eux, huit ne peuvent pas être fabriqués par notre organisme et doivent donc être fournis par l'alimentation. Une carence en l'un de ces huit acides aminés peut provoquer des troubles plus ou moins graves.

Activité **3**

Quelle est l'organisation du système digestif ?

Représenter sa conception initiale du système digestif

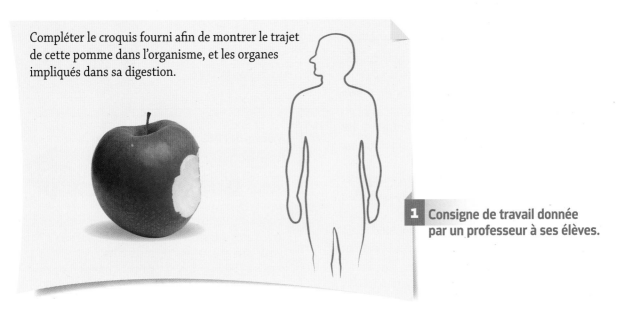

Compléter le croquis fourni afin de montrer le trajet de cette pomme dans l'organisme, et les organes impliqués dans sa digestion.

1 Consigne de travail donnée par un professeur à ses élèves.

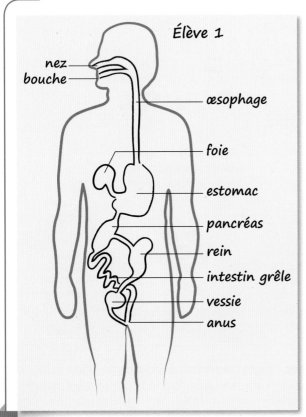

Élève 1

nez
bouche
œsophage
foie
estomac
pancréas
rein
intestin grêle
vessie
anus

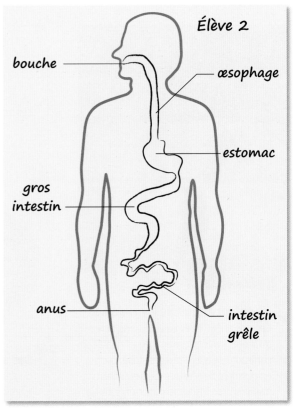

Élève 2

bouche
œsophage
estomac
gros intestin
anus
intestin grêle

2 Deux représentations du système* digestif humain réalisées par des élèves.

Découvrir le système digestif dans une langue étrangère

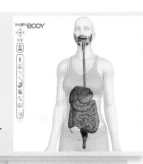

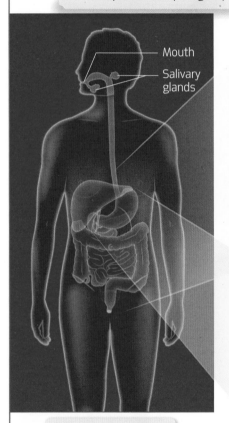

The digestive system in the human body

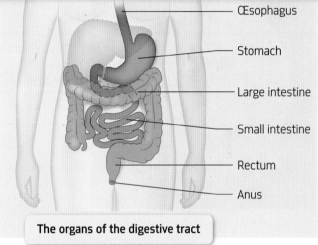

The organs of the digestive tract

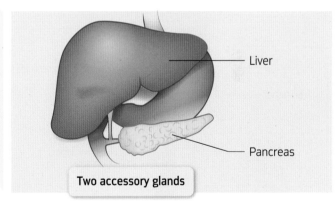

Two accessory glands

3 **Le système digestif humain.** Le nom des organes est écrit en anglais, comme sur le site *Zygotebody*.

4 **Les organes du système digestif.**

Le tube digestif comprend l'ensemble des organes traversés par les aliments et les excréments. Il débute par la bouche puis se poursuit par l'œsophage, l'estomac, l'intestin grêle, le gros intestin, le rectum et se termine par l'anus. Des **glandes annexes*** sont connectées à ce tube : les glandes salivaires, le pancréas, le foie. Ces glandes annexes et certains organes du tube digestif fabriquent les **sucs digestifs*** (salive, suc gastrique, suc pancréatique, suc intestinal). Les glandes annexes et le tube digestif constituent le **système*** digestif.

DICO SCIENCES

* **Glande annexe** : organe intervenant dans la digestion associé au tube digestif.
* **Suc digestif** : liquide participant à la digestion des aliments.
* **Système** : ensemble d'organes qui participent à la même fonction biologique.

Activité

4

Comment progressent les aliments dans le tube digestif et que deviennent-ils ?

↪ Comprendre **comment les aliments progressent dans le tube digestif**

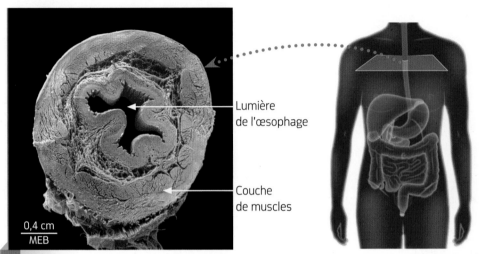

Lumière de l'œsophage

Couche de muscles

0,4 cm
MEB

1 **Coupe transversale d'œsophage.** Les organes du tube digestif, tel l'œsophage, sont constitués d'une couche de muscles. Celle-ci peut se contracter, ce qui diminue le diamètre de la **lumière*** du tube, ou se relâcher, ce qui augmente son diamètre.

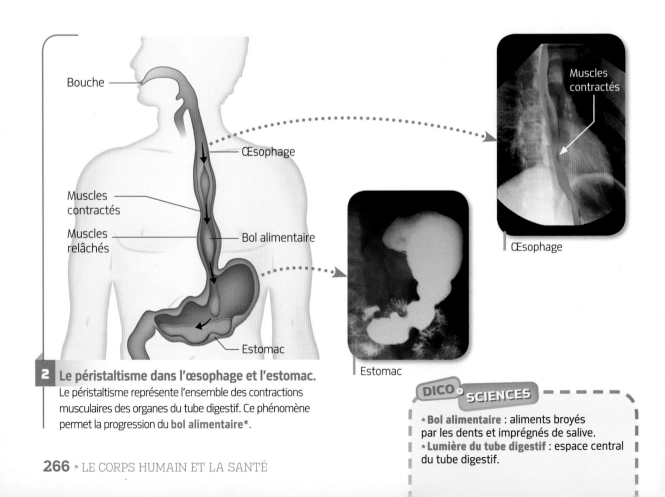

Bouche

Œsophage

Muscles contractés

Muscles relâchés

Bol alimentaire

Estomac

Muscles contractés

Œsophage

Estomac

2 **Le péristaltisme dans l'œsophage et l'estomac.** Le péristaltisme représente l'ensemble des contractions musculaires des organes du tube digestif. Ce phénomène permet la progression du **bol alimentaire***.

DICO ° SCIENCES

***Bol alimentaire** : aliments broyés par les dents et imprégnés de salive.
***Lumière du tube digestif** : espace central du tube digestif.

Comparer l'aspect des aliments dans les organes du tube digestif

Contenu de la bouche

Contenu de l'estomac

Contenu de l'intestin grêle

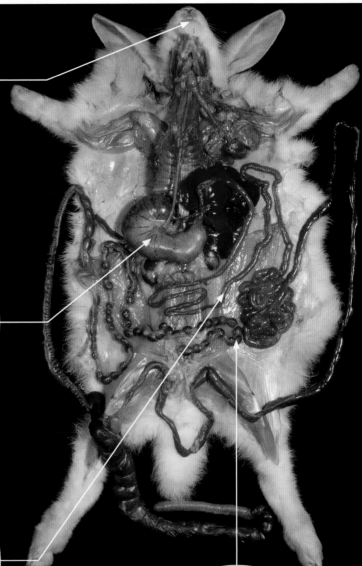

Contenu du
gros intestin

3 Dissection du système digestif
de lapin et aspect des aliments.

5

Comment les aliments sont-ils transformés au cours de la digestion ?

S'interroger sur l'évolution des idées concernant la digestion

G. A. Borelli

Au XVIIe siècle, on pensait que la digestion était un phénomène purement mécanique. **Giovanni Alphonso Borelli** (médecin et physiologiste italien, 1608-1679) réalise des travaux qui semblent valider cette idée.

Vers 1650, il étudie la digestion sur des poules : elles n'ont pas de dents et se nourrissent de graines ainsi que de petits graviers. G. A. Borelli découvre que leur estomac est responsable du broyage des graines, contre les graviers.

Il affirme alors que chez l'humain, c'est le broyage des aliments par les dents, puis par la paroi de l'estomac, qui assure la digestion.

En 1783, **Lazzaro Spallanzani** (biologiste italien, 1729-1799) relate une expérimentation faite sur sa propre digestion.

L. Spallanzani

❝ Je fis entrer dans un tube en verre du liquide de mon estomac ; je mis avec ce suc quelques brins de chair. Je le plaçai dans un fourneau où on éprouvait à peu près la chaleur de mon estomac ; j'y mis aussi un tube semblable avec une quantité d'eau qui était la même que celle du **suc gastrique*** pour me servir de terme de comparaison. Voici les éléments que j'observai. La chair qui était dans le suc gastrique commença à se défaire avant 12 heures et elle continua insensiblement jusqu'à ce qu'au bout de 35 heures, elle avait perdu toute consistance. Il n'en fut pas de même dans le tube où j'avais mis de l'eau : la plus grande partie des fibres charnues plongées dans l'eau étaient encore entières au bout du troisième jour. ❞

Expériences sur la digestion de l'homme et de différentes espèces d'animaux avec des considérations sur sa méthode de faire des expériences et les conséquences pratiques qu'on peut tirer en Médecine de ses découvertes, 1783.

1666 Création de l'Académie royale des sciences en France

1751-1772 Publication de l'*Encyclopédie* de Diderot

1783 Création de l'Académie des sciences de Turin

1656 Grande peste de Naples

1776 Indépendance américaine

1789 Révolution française

1600   1700   1800

En 1752, **René Ferchault de Réaumur** (physicien et naturaliste français, 1683-1757) présente ses études sur la digestion chez des rapaces, les buses. Ces oiseaux ont la particularité de régurgiter, sous forme d'une pelote de réjection, les parties de leurs proies qu'ils ne digèrent pas. Voici un extrait de son mémoire :

❝ Je plaçais dans un tube de fer blanc ouvert par les deux bouts, un morceau de viande. Le tube ainsi garni fut donné à la buse pour son premier déjeuner. Ce ne fut que le lendemain que je trouvai le tube qu'elle venait de rendre : il avait toute sa rondeur, on ne découvrait sur sa surface extérieure aucune trace de frottements. Le morceau de viande avait été réduit peut-être au quart de son premier volume ; ce qui en restait était encore couvert par une espèce de bouillie venue probablement du morceau de viande transformé. ❞

R. A. Ferchault de Réaumur

Sur la digestion, second mémoire. De la manière dont elle se fait dans l'estomac des oiseaux de proie, Histoire de l'Académie royale des sciences, 1752.

1 L'évolution des idées sur la digestion.

Raisonner **sur des expériences actuelles de digestion in vitro**

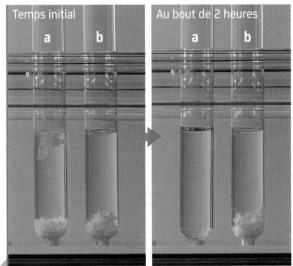

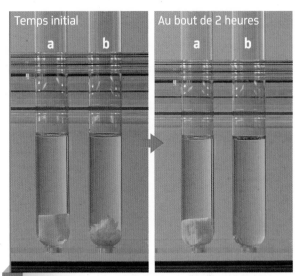

2 **Expérience sur la digestion de petits morceaux de blanc d'œuf.** Des petits morceaux de blanc d'œuf sont placés dans un tube (a) contenant de l'eau et une **enzyme*** extraite du suc gastrique. La même quantité de blanc d'œuf et d'eau est placée dans un second tube (b). L'ensemble est plongé dans un bain marie à 37 °C. Les résultats sont observés au bout de 2 heures. Le blanc d'œuf est riche en protéines.

3 **Expérience sur la digestion de morceaux de blanc d'œuf de taille différente.** Un gros morceau de blanc d'œuf est placé dans un tube (a) contenant de l'eau et une enzyme extraite du suc gastrique. La même quantité de blanc d'œuf, coupé en petits morceaux, d'eau et d'enzyme est placée dans un second tube (b). L'ensemble est plongé dans un bain marie à 37 °C. Les résultats sont observés au bout de 2 heures.

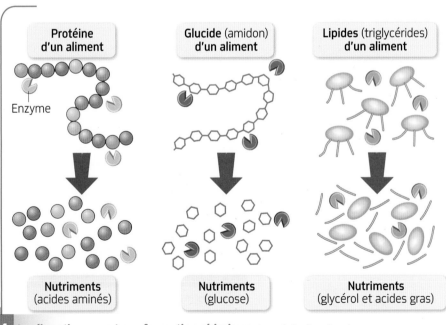

Protéine d'un aliment — Enzyme — Nutriments (acides aminés)

Glucide (amidon) d'un aliment — Nutriments (glucose)

Lipides (triglycérides) d'un aliment — Nutriments (glycérol et acides gras)

4 **La digestion, une transformation chimique.** Lors de la digestion, les grosses molécules contenues dans les aliments subissent des transformations chimiques, sous l'action des enzymes digestives. Elles deviennent des petites molécules solubles, les **nutriments***.

DICO SCIENCES

***Enzyme** : substance chimique, fabriquée par un organisme vivant, participant à la digestion des aliments.

***Nutriment** : élément soluble issu de la digestion des aliments.

***Suc gastrique** : liquide fabriqué par l'estomac, composé notamment d'enzymes.

Activité

6 J'enquête

Yanis déjeune à la cantine avec Léa qui, étant intolérante au gluten, mange un repas spécial préparé à la maison. Yanis lui demande ce qui se passerait si elle mangeait comme lui. Léa répond qu'elle finirait par tomber malade, manquer d'énergie et beaucoup maigrir.

CONSIGNE > Expliquer à Yanis en quoi la maladie de Léa risque de provoquer un important amaigrissement.

1 Quelques aliments contenant du gluten. Le gluten est une protéine contenue dans certaines céréales comme le blé ou le seigle. Les aliments à base de ces céréales contiennent donc du gluten. C'est aussi le cas de nombreux plats industriels et de charcuteries car certains ingrédients ajoutés pour améliorer la texture de ces aliments en contiennent.

2 La maladie cœliaque.

La maladie cœliaque, ou intolérance au gluten, concerne environ 3 personnes sur 1 000. Les individus atteints présentent des troubles digestifs tels que diarrhées et douleurs abdominales, mais aussi un amaigrissement et un manque d'énergie. Le seul traitement connu reste la suppression du gluten de l'alimentation.

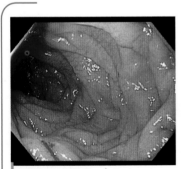

Individu atteint de maladie cœliaque

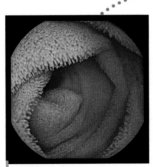

Individu sain

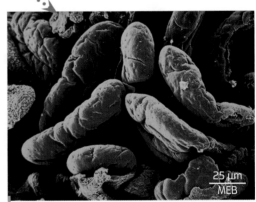

Villosités intestinales

25 µm
MEB

3 Intestin grêle d'un individu sain et d'un individu atteint de la maladie cœliaque. L'endoscopie permet d'obtenir des photographies de l'intérieur de l'intestin grêle. Cette méthode d'exploration des cavités internes de l'organisme utilise un tube optique muni d'un système d'éclairage couplé à une caméra. La paroi de l'intestin grêle de l'individu sain est recouverte de petites structures, les villosités. Chez une personne intolérante, la consommation de gluten modifie la paroi intestinale.

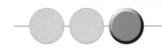
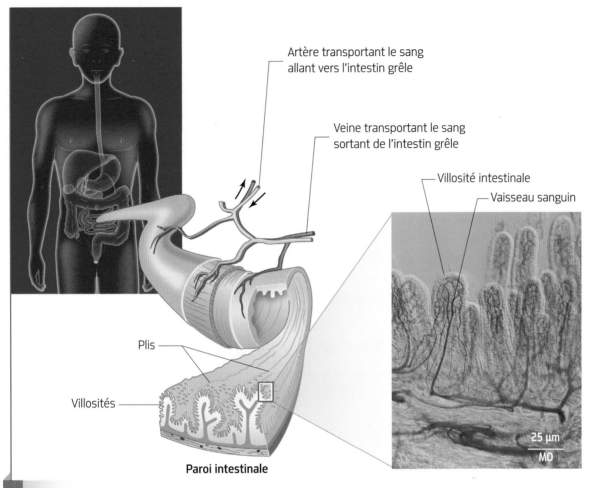

Artère transportant le sang allant vers l'intestin grêle

Veine transportant le sang sortant de l'intestin grêle

Villosité intestinale

Vaisseau sanguin

Plis

Villosités

25 μm

MO

Paroi intestinale

4 **L'intestin grêle avec un détail de la paroi intestinale.** Les villosités intestinales sont des structures de la paroi intestinale dont la surface est estimée à 250 m². Elles multiplient par 20 la surface de contact entre le contenu de l'intestin grêle et le sang. Cette surface est fortement diminuée chez un individu intolérant au gluten. En plus des nombreux vaisseaux sanguins, une villosité possède aussi un vaisseau lymphatique.

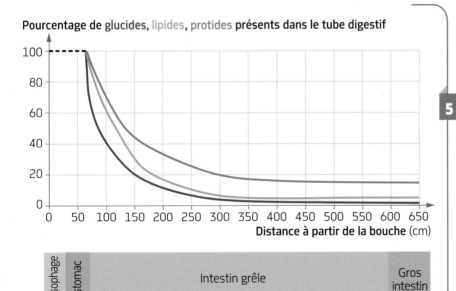

Pourcentage de glucides, lipides, protides présents dans le tube digestif

Distance à partir de la bouche (cm)

Œsophage | Estomac | Intestin grêle | Gros intestin

5 **Évolution de la quantité de nutriments le long du tube digestif chez un individu en bonne santé.** Au cours de la digestion d'un repas, du contenu du bol alimentaire a été prélevé à différents endroits dans le tube digestif, puis analysé. Chez une personne intolérante au gluten, la consommation de gluten augmente la teneur en nutriments dans l'intestin grêle.

par le texte

○○○● **Les besoins nutritionnels et la nature des aliments**

> Les **aliments** sont constitués de matière minérale (eau et sels minéraux) et de glucides, lipides et protides. Ils apportent à l'organisme une certaine quantité d'**énergie**. Ils satisfont les besoins énergétiques qui varient selon les individus, leur âge, leurs activités, etc.

> Notre organisme a des **besoins** quantitatifs mais aussi qualitatifs. En effet, l'alimentation doit fournir suffisamment d'énergie (aspect **quantitatif**) à notre organisme, mais elle doit aussi lui apporter tous les éléments indispensables (aspect **qualitatif**) : une alimentation qualitativement pauvre est à l'origine de troubles de la santé. Des **régimes alimentaires** différents permettent de satisfaire les besoins nutritionnels, en respectant les quantités recommandées des aliments des différents **groupes**.

ACTIVITÉS

1 p. 260
2 p. 262

○○○● **Le trajet des aliments dans le tube digestif**

> Les aliments consommés progressent dans le **tube digestif,** constitué de différents organes. Ils sont peu à peu **transformés** par le processus de la **digestion**. Les aliments non transformés forment les excréments.

> Des **glandes annexes** sont associées au tube digestif : l'ensemble constitue le **système digestif**.

ACTIVITÉS

3 p. 264
4 p. 266

○○○● **La transformation des aliments au cours de la digestion**

> La **digestion**, qui débute dans la bouche et se termine dans l'intestin grêle, est un processus à la fois **chimique** et **mécanique**. L'action chimique des **enzymes digestives** est renforcée par l'action mécanique des dents et des contractions de la paroi du tube digestif.

> Les **enzymes digestives** contribuent à transformer les molécules alimentaires de grosse taille en petites molécules solubles, les **nutriments**.

> Les nutriments issus de la digestion passent dans le sang ou la lymphe au niveau de la paroi de l'intestin grêle, richement vascularisée : c'est l'**absorption intestinale**.

ACTIVITÉS

5 p. 268
6 p. 270

MOTS-CLÉS

Absorption intestinale • Besoins nutritionnels • Enzyme digestive • Système digestif • Nutriment

Alimentation et digestion

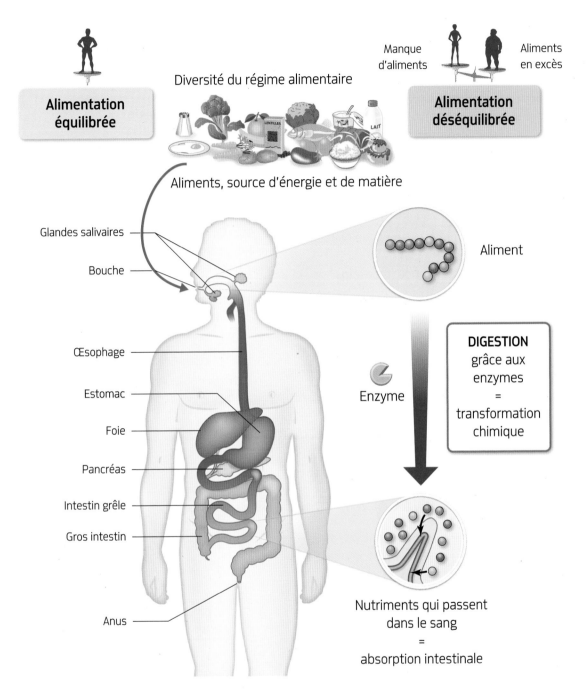

Alimentation
équilibrée

Diversité du régime alimentaire

Manque
d'aliments

Aliments
en excès

Alimentation
déséquilibrée

Aliments, source d'énergie et de matière

Glandes salivaires

Bouche

Aliment

Œsophage

Estomac

Foie

Pancréas

Intestin grêle

Gros intestin

Anus

Enzyme

DIGESTION
grâce aux
enzymes
=
transformation
chimique

Nutriments qui passent
dans le sang
=
absorption intestinale

Mon bilan de fin de cycle

Attendus

> **Pour expliquer le devenir des aliments dans le tube digestif :**
• je décris leur trajet dans le tube digestif, et comment se fait leur transformation en nutriments ;
• je présente le rôle chimique des enzymes et le rôle mécanique des dents.

> **Pour relier la nature des aliments et leurs apports qualitatifs et quantitatifs afin de comprendre l'importance de l'alimentation pour l'organisme :**
• j'ai conscience que le bon fonctionnement de l'organisme nécessite un apport d'énergie et de certains éléments ;
• je repère la quantité d'énergie et les éléments apportés par un aliment à l'organisme ;
• je cite les trois principaux constituants des aliments, et ce qu'ils apportent à l'organisme.

JE TESTE *mes connaissances*

1 QCM ●○○○

Choisir la bonne réponse.

Une alimentation équilibrée :

❏ fournit à l'organisme des apports énergétiques supérieurs aux dépenses.
❏ fournit à l'organisme des apports énergétiques inférieurs aux dépenses.
❏ fournit à l'organisme des apports énergétiques équivalents aux dépenses.
❏ n'est pas nécessaire pour être en bonne santé.

2 Remue-méninges ○●○

Écrire une phrase à partir des mots de chaque ligne.

a. régime alimentaire – groupes – besoins nutritionnels
b. énergie – aliment – source – organisme

3 Mémoriser le vocabulaire spécifique du chapitre ○○●

Associer chaque mot à sa définition.

Mots :
a. Enzyme
b. Nutriment
c. Absorption intestinale
d. Besoins nutritionnels

Définitions :
1. Passage des nutriments dans le sang au niveau de la paroi de l'intestin grêle
2. Élément soluble issu de la digestion des aliments
3. Substance chimique qui participe à la digestion des aliments
4. Quantité de nutriments permettant à l'organisme de se développer et de fonctionner correctement

JE TESTE *mes compétences*

4 Calculer avec des nombres rationnels, de manière exacte ●○○

Valeur nutritionnelle moyenne	Pour 100 g de pruneaux dénoyautés
Valeur énergétique	210 kcal soit 878 kJ
Protides	3 g
Glucides	49 g
Lipides	0,2 g

Valeur nutritionnelle moyenne	Pour 100 g
Valeur énergétique	460 kcal soit 1 923 kJ
Protides	7,0 g
Glucides	67,0 g
Lipides	18,0 g

Informations nutritionnelles sur deux emballages alimentaires.

➡ Pour 100 g, trouver quel est l'aliment le plus énergétique et indiquer sa valeur énergétique.
➡ Calculer l'apport énergétique, en kJ, de 25 g de pruneaux et de 12,5 g de biscuits.

5 Interpréter des résultats et en tirer des conclusions ○○●

L'amylase est une enzyme contenue dans la salive. On réalise des expériences in vitro afin de tester l'action de l'amylase sur l'amidon (grosse molécule glucidique contenue dans de nombreux aliments comme le pain). On utilise deux réactifs : la liqueur de Fehling et l'eau iodée.

Réactif	Couleur du réactif	Couleur du réactif après mise en contact avec :	
		glucose	amidon
Liqueur de Fehling			
Eau iodée			

1 Deux réactifs permettant de mettre en évidence deux glucides : glucose et amidon.

Expérience	Réactif	Couleur des réactifs au début de l'expérience	Couleur des réactifs après 10 minutes
Tube 1 (amylase + amidon à 37 °C)	Liqueur de Fehling	Bleu	Rouge brique
	Eau iodée	Bleu-noir	Jaune
Tube 2 (amidon + eau à 37 °C)	Liqueur de Fehling	Bleu	Bleu
	Eau iodée	Bleu-noir	Bleu-noir
Tube 3 (amylase + eau à 37 °C)	Liqueur de Fehling	Bleu	Bleu
	Eau iodée	Jaune	Jaune

2 Présentation des expériences et des résultats obtenus.

➡ En s'appuyant sur les résultats, expliquer l'action de l'amylase sur l'amidon.

6 Représenter des données sous différentes formes ○○●

La digestion transforme les aliments en nutriments tels que le glucose, qui se retrouve dans la lumière de l'intestin grêle.

	Glucose (g/L de sang)
Sang entrant dans l'intestin grêle	0,9
Sang sortant de l'intestin grêle	2,1

1 Teneur en glucose du sang au niveau de l'intestin grêle.

➡ Réaliser un croquis de villosités intestinales pour montrer ce que deviennent les nutriments arrivés dans la lumière de l'intestin grêle.

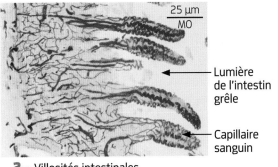

Lumière de l'intestin grêle

Capillaire sanguin

25 µm
MO

2 Villosités intestinales.

Le monde et la santé

Je réactive mes connaissances

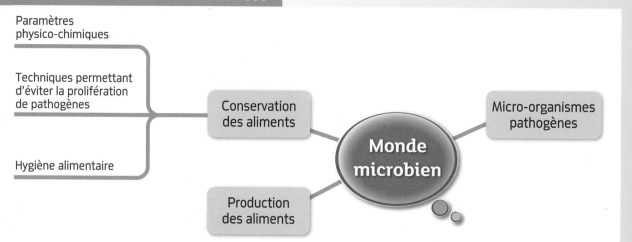

Paramètres physico-chimiques

Techniques permettant d'éviter la prolifération de pathogènes

Hygiène alimentaire

Conservation des aliments

Production des aliments

Monde microbien

Micro-organismes pathogènes

Mes objectifs de fin de cycle

> Relier le monde microbien hébergé par notre organisme et son fonctionnement

> Expliquer les réactions qui permettent à l'organisme de se préserver des micro-organismes pathogènes

> Argumenter l'intérêt des politiques de prévention et de lutte contre la contamination et/ou l'infection

Activités

1 L'ubiquité des micro-organismes
2 Des micro-organismes bénéfiques
3 Des micro-organismes pathogènes
4 De la contamination à l'infection
5 La lutte de l'organisme au début d'une infection
6 Les symptômes de la lutte contre une infection persistante
7 La lutte de l'organisme contre une infection bactérienne persistante
8 La lutte de l'organisme contre une infection virale persistante
9 Prévenir et soigner une infection
10 Politiques de santé publique et choix individuels

microbien

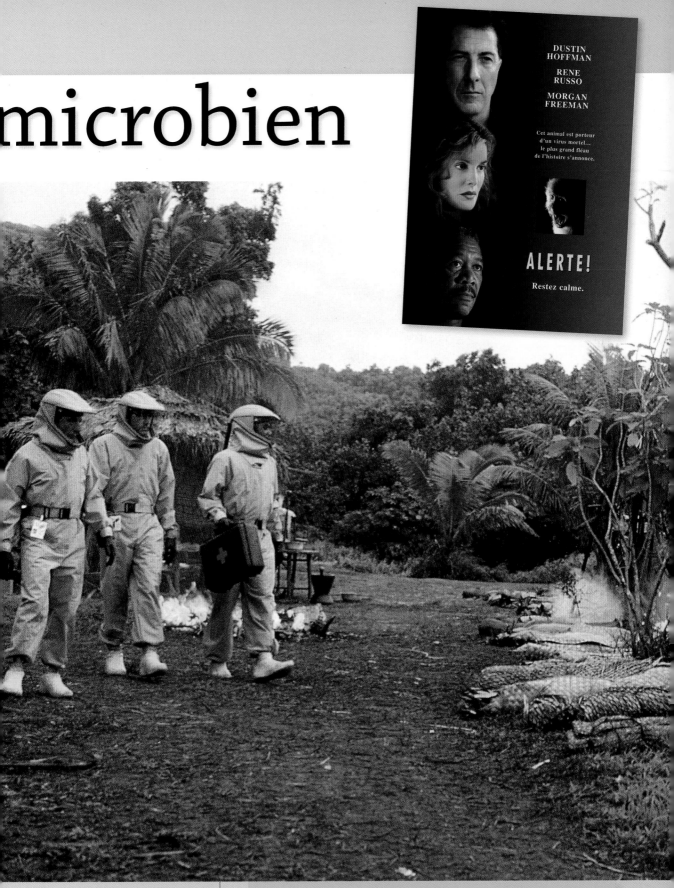

ALERTE!

Restez calme.

DUSTIN
HOFFMAN

RENE
RUSSO

MORGAN
FREEMAN

Cet animal est porteur
d'un virus mortel...
le plus grand fléau
de l'histoire s'annonce.

Alerte ! (1995), film américain de
WOLFGANG PETERSEN. Scène en Afrique
avec Cuba Gooding Jr.,
Dustin Hoffman, Kevin Spacey.

Un virus mortel importé d'Afrique est responsable d'une épidémie foudroyante dans la ville californienne de Cedar Creek. C'est le début de ce film catastrophe de 1995. Bien que décrivant un virus imaginaire, cette œuvre témoigne des craintes des populations humaines à l'égard de certains micro-organismes.

1

Quelle est la place des micro-organismes dans l'environnement ?

→ **Comparer** la taille de micro-organismes de notre environnement

Nom : bactérie (organisme unicellulaire sans noyau)
Composition : matière organique, matière minérale
Matériel génétique : dans le cytoplasme
Mode de reproduction : en autonomie, par division
Abondance dans l'air : entre 1 et 11 millions par m³ d'air
Abondance dans l'eau de mer : 1 million par mL

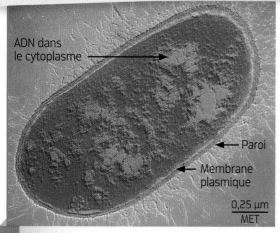

ADN dans le cytoplasme

Paroi

Membrane plasmique

0,25 µm
MET

1 Une bactérie de l'espèce *Bacillus subtilis*.

Nom : virus
Composition : matière organique, matière minérale
Matériel génétique : dans une enveloppe virale
Mode de reproduction : uniquement grâce à la cellule qu'il **parasite***
Abondance dans l'air : entre 2 et 40 millions par m³ d'air.
Abondance dans l'eau de mer : 10 millions par mL

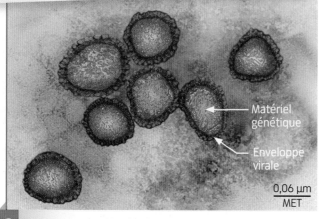

Matériel génétique

Enveloppe virale

0,06 µm
MET

2 Virus responsable du rhume.

3 **Des micro-organismes (ou microbes) omniprésents dans l'environnement.**

En 2013, une équipe de scientifiques américains parcourt le métro new-yorkais avec l'objectif de réaliser l'inventaire des bactéries qui y vivent. Avec des cotons-tiges, les scientifiques frottent toutes les surfaces touchées par les 5,5 millions de voyageurs quotidiens : poignées, sièges, barres, tourniquets, etc. Au total, ils comptabilisent 637 espèces de bactéries. La plupart des espèces identifiées ont un impact positif, mais certaines sont à l'origine de maladies.

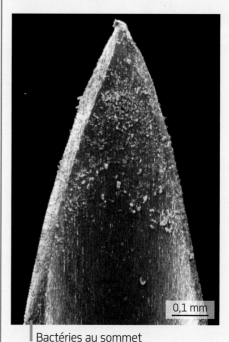

0,1 mm

Bactéries au sommet d'une aiguille

DICO **SCIENCES**

***Parasiter** : établir une relation dans laquelle un des partenaires réduit la survie de son hôte.
***Ubiquité des micro-organismes** : extrême abondance dans l'environnement.

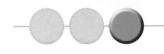
Observer des micro-organismes en association avec notre corps

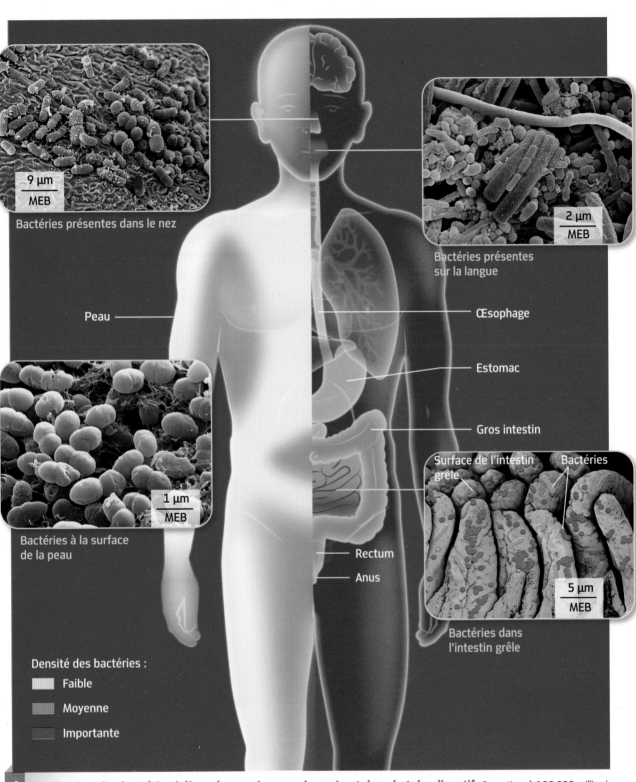

9 μm
MEB

Bactéries présentes dans le nez

2 μm
MEB

Bactéries présentes
sur la langue

Peau

Œsophage

Estomac

Gros intestin

Surface de l'intestin grêle   Bactéries

1 μm
MEB

Bactéries à la surface
de la peau

Rectum

Anus

5 μm
MEB

Bactéries dans
l'intestin grêle

Densité des bactéries :

Faible

Moyenne

Importante

4 **Localisation des bactéries hébergées sur le corps humain et dans le tube digestif.** On estime à 100 000 milliards le nombre de bactéries hébergées par le corps humain, soit près de dix fois plus que le nombre de cellules d'un individu. Cela représente une masse comprise entre 1 et 2 kg pour un individu de 70 kg. En plus des bactéries vivant sur notre peau (entre 100/cm² et 1 million/cm²), ou dans notre nez, la plupart vivent dans notre tube digestif, notamment dans l'intestin grêle. L'ensemble de ces bactéries forme le microbiome.

Activité

2

J'enquête

Dès qu'elle touche quelque chose, Emma s'empresse d'utiliser son flacon de gel hydro-alcoolique. Elle déteste les microbes et ne veut surtout pas être en contact avec eux de peur d'être malade.

CONSIGNE > **Expliquer à Emma que certains micro-organismes sont bénéfiques pour l'organisme humain.**

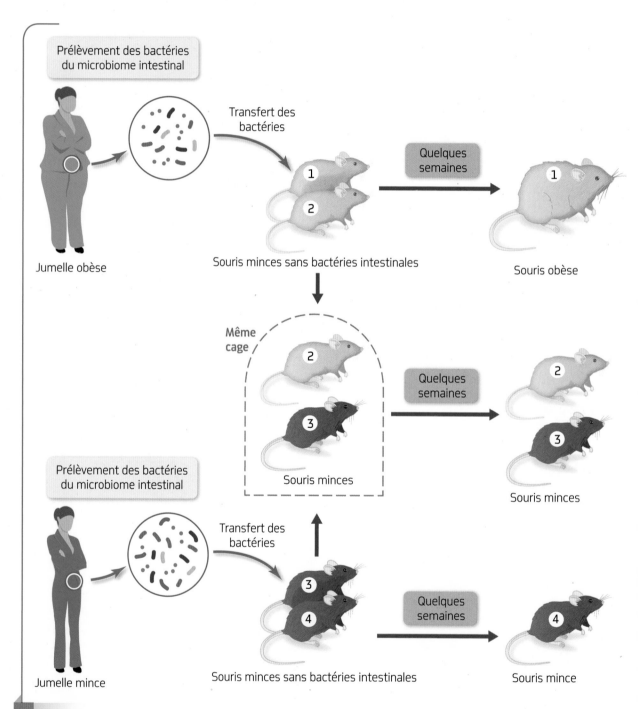

Prélèvement des bactéries du microbiome intestinal

Transfert des bactéries

Quelques semaines

Jumelle obèse

Souris minces sans bactéries intestinales

Souris obèse

Même cage

Quelques semaines

Souris minces

Souris minces

Prélèvement des bactéries du microbiome intestinal

Transfert des bactéries

Quelques semaines

Jumelle mince

Souris minces sans bactéries intestinales

Souris mince

1 **Le rôle du microbiome intestinal dans l'obésité.** En 2013, on a transféré le microbiome intestinal de sœurs jumelles, une obèse, l'autre mince, dans l'intestin de deux lots de souris ne contenant aucune bactérie. Les souris ont été soumises au même régime alimentaire et ont été placées soit en isolement, soit dans la même cage. Les souris ont un comportement coprophage : elles mangent leurs crottes, récupérant ainsi nutriments, vitamines et bactéries du microbiome.

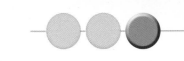
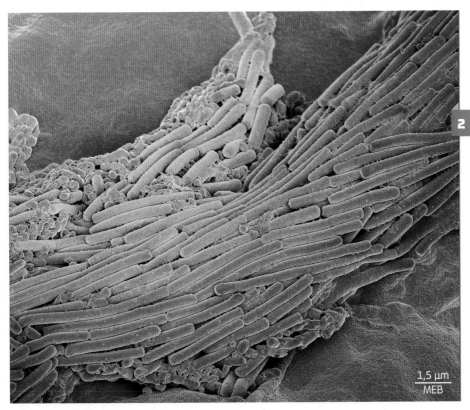

2 **L'origine d'une infection intestinale : la multiplication de la bactérie *Clostridium difficile*.** En détruisant les bactéries du microbiome intestinal, la prise d'antibiotiques à long terme favorise l'installation de la bactérie *Clostridium difficile*. Il s'agit d'une bactérie **pathogène***, à l'origine de diarrhées parfois graves et pouvant nécessiter une hospitalisation.

1,5 µm
MEB

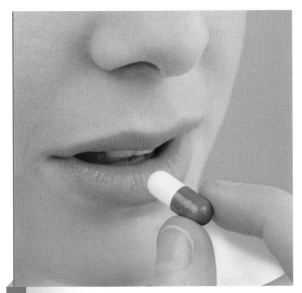

3 **Traitement à partir de bactéries d'un microbiome humain.** Une étude a été réalisée chez des patients qui présentaient des infections régulières à la bactérie *Clostridium difficile*. Le traitement consistait à avaler une gélule contenant le microbiome intestinal d'individus sains.

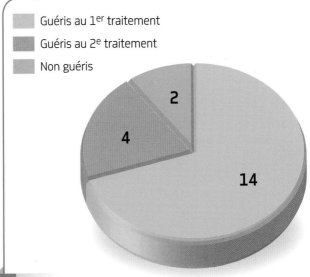

■ Guéris au 1er traitement
■ Guéris au 2e traitement
■ Non guéris

2

4

14

4 **Résultats du traitement à partir de bactéries d'un microbiome humain** sur 20 patients atteints d'infections à *Clostridium difficile*. Un individu guéri ne présente plus d'infections régulières.

DICO SCIENCES

*Pathogène : qui provoque une maladie.

Activité 3

J'enquête

Chaque année en France, 8 000 personnes sont victimes d'intoxications alimentaires provoquées par une bactérie, la salmonelle. Parmi elles, 300 en meurent.

CONSIGNE > Proposer un protocole expérimental qui montre l'importance du lavage des mains pour lutter contre les intoxications alimentaires. Proposer d'autres moyens et pratiques permettant de limiter ce risque.

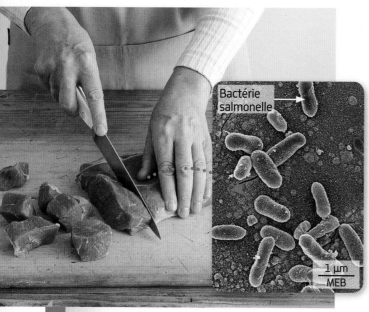

1 Une personne cuisinant de la viande. Des bactéries sont présentes sur la peau observée au microscope.

Bactérie salmonelle

1 μm
MEB

2 Des salmonelles sur de la viande préparée.
Les salmonelles sont naturellement présentes dans l'intestin humain. Suite à un mauvais lavage des mains, elles peuvent souiller les aliments. La consommation d'aliments contenant au moins 100 000 de ces bactéries peut provoquer une **intoxication alimentaire*** plus ou moins grave, la salmonellose, caractérisée par des vomissements et des diarrhées.

0,5 μm
MEB

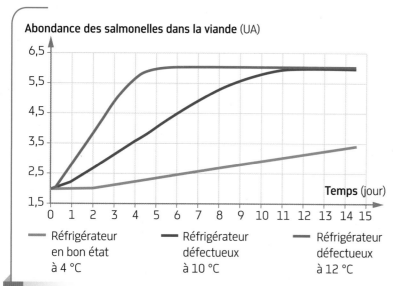

Abondance des salmonelles dans la viande (UA)

Temps (jour)

— Réfrigérateur en bon état à 4 °C
— Réfrigérateur défectueux à 10 °C
— Réfrigérateur défectueux à 12 °C

3 Étude de la vitesse de multiplication des salmonelles en fonction de la température de différents réfrigérateurs.

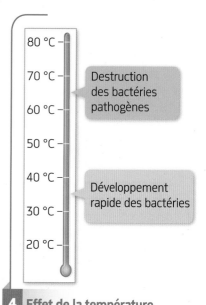

Destruction des bactéries pathogènes

Développement rapide des bactéries

4 Effet de la température sur la survie des bactéries.

1 **Se mouiller** les mains avec de l'eau

2 **Verser** du savon dans le creux de sa main

3 **Se frotter** les mains pendant 15 à 20 secondes : doigts, paumes, dessus des mains et poignets

4 **Nettoyer** la zone entre ses doigts

5 **Nettoyer** également ses ongles

6 **Rincer** ses mains sous l'eau

7 **Sécher** ses mains avec un essuie-mains à usage unique

8 **Fermer** le robinet avec l'essuie-mains puis jeter celui-ci dans une poubelle

5 Un lavage des mains efficace.

6 **Simulation de la présence de micro-organismes sur les mains : aspect de mains non lavées.** Afin d'évaluer l'efficacité de différentes façons de se laver les mains, on peut se frotter les mains avec un gel contenant des billes ayant la taille de micro-organismes. Un éclairage par une lampe spéciale permet de révéler l'abondance de ces billes.

DICO SCIENCES

*Intoxication alimentaire : maladie déclenchée par la consommation d'aliments contenant des micro-organismes pathogènes.

Comment les micro-organismes pathogènes peuvent-ils entrer dans le corps et s'y développer ?

Comprendre l'origine d'une contamination

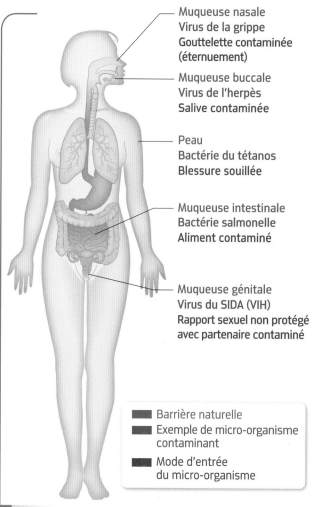

Muqueuse nasale
Virus de la grippe
Gouttelette contaminée
(éternuement)

Muqueuse buccale
Virus de l'herpès
Salive contaminée

Peau
Bactérie du tétanos
Blessure souillée

Muqueuse intestinale
Bactérie salmonelle
Aliment contaminé

Muqueuse génitale
Virus du SIDA (VIH)
Rapport sexuel non protégé
avec partenaire contaminé

■ Barrière naturelle
■ Exemple de micro-organisme contaminant
■ Mode d'entrée du micro-organisme

1 **Barrières naturelles de l'organisme humain.** Un micro-organisme pathogène qui parvient à franchir une barrière naturelle du corps est à l'origine d'une contamination.

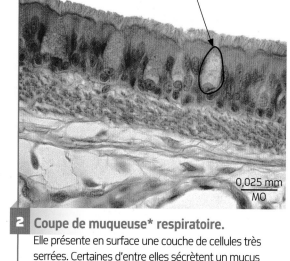

Air contenant des micro-organismes

Cellule à mucus

0,025 mm
MO

2 **Coupe de muqueuse* respiratoire.**
Elle présente en surface une couche de cellules très serrées. Certaines d'entre elles sécrètent un mucus qui permet l'élimination de la plupart des micro-organismes. Ceux qui survivent peuvent alors franchir cette barrière et pénétrer à l'intérieur du corps.

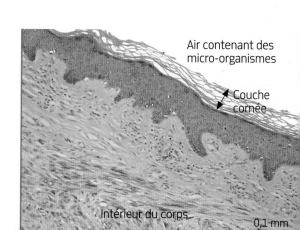

Air contenant des micro-organismes

Couche cornée

Intérieur du corps

0,1 mm
MO

3 **Coupe de peau.** La partie superficielle de la peau, la couche cornée, est constituée de cellules mortes. La moindre blessure peut rompre cette couche protectrice.

DICO SCIENCES

***Infection** : multiplication de micro-organismes pathogènes dans un être vivant.
***Muqueuse** : couche de cellules tapissant la paroi des organes, en contact avec le milieu extérieur.
***Symptôme** : signe d'une maladie.

Comprendre l'origine d'une infection en réalisant un algorithme

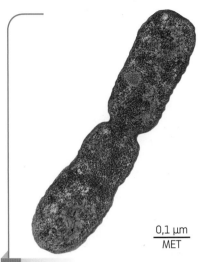

0,1 μm
MET

4 **Multiplication d'une bactérie.**
Chaque bactérie peut rapidement se multiplier lorsqu'elle trouve des conditions favorables. Ainsi, d'une génération à l'autre, leur nombre double. Les **symptômes*** d'une maladie se déclarent généralement lorsque le nombre de bactéries pathogènes dans le corps humain devient important.

LOGICIEL
Protocole
• Ouvrir le logiciel *Algobox*.
• Réaliser un algorithme permettant de calculer le nombre de bactéries présentes au bout de *n* générations dans un milieu qui en contient initialement 10.

```
Console                                              ▶ Lancer Algorithme

***Algorithme lancé***                               ☐ Mode pas à pas
On considère un milieu contenant au temps initial 10 bactéries.
D'une génération à l'autre, le nombre de bactéries double.     ▷ Continuer
Entrez le nombre n de générations bactériennes:
Entrer n : 23                                           ⊘ Arrêter
Le nombre de bactéries au bout de 23 générations est : 83886080
***Algorithme terminé***                               💾 Imprimer

                                                      📄 Exporter en Pdf
<                                                  >
                                                       Fermer
```

5 **Résultat d'un algorithme généré avec le logiciel Algobox.**

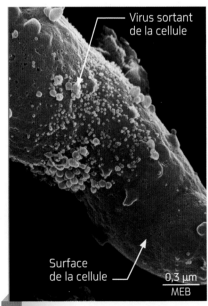

Virus sortant de la cellule

Surface de la cellule

0,3 μm
MEB

6 **Nombreux virus sortant d'une cellule humaine.**

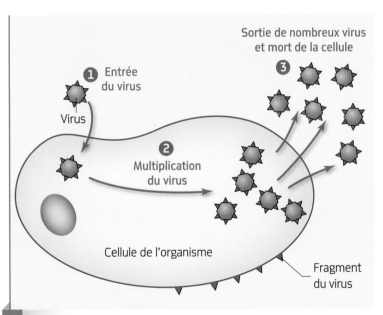

Sortie de nombreux virus et mort de la cellule

3

1 Entrée du virus

Virus

2 Multiplication du virus

Cellule de l'organisme

Fragment du virus

7 **Les étapes de l'infection* d'une cellule par un virus.** Un virus peut pénétrer dans une cellule et s'y multiplier : au bout de quelques heures, la cellule renferme 10 000 nouveaux virus. Elle présente alors des fragments viraux à sa surface. Les nouveaux virus sortent de la cellule infectée, provoquant sa mort.

5

J'enquête

Romain s'est blessé au niveau du poignet. Sa plaie, gonflée et rouge, lui fait très mal et il souhaite comprendre ce qui se produit dans son corps.

CONSIGNE > **Expliquer à Romain le phénomène qui se déroule au niveau de sa blessure.**

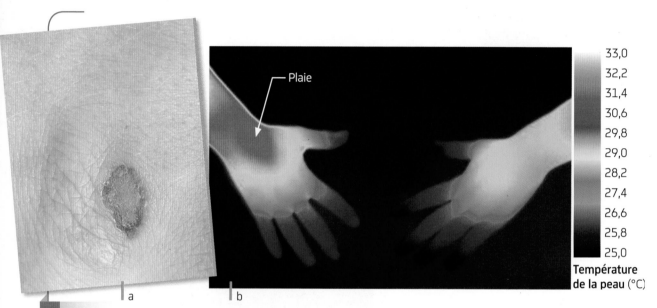

Plaie

| | 33,0 |
| 32,2 |
| 31,4 |
| 30,6 |
| 29,8 |
| 29,0 |
| 28,2 |
| 27,4 |
| 26,6 |
| 25,8 |
| 25,0 |

Température de la peau (°C)

a   b

1 **Les symptômes de la réaction à une blessure.**

a. Aspect de la blessure de Romain au bout de quelques heures. Parfois, un liquide jaunâtre, le pus, suinte au niveau de la plaie.

b. **Thermographie*** des mains et des poignets de Romain au bout de quelques heures.

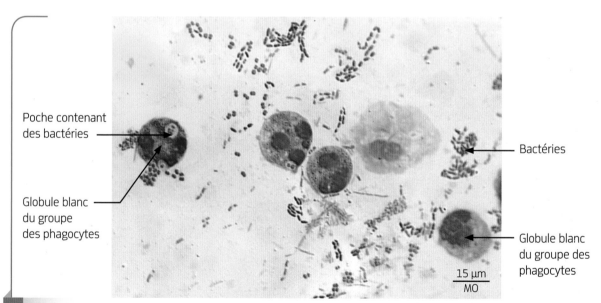

Poche contenant des bactéries

Bactéries

Globule blanc du groupe des phagocytes

Globule blanc du groupe des phagocytes

15 µm
MO

2 **Une goutte de pus au niveau d'une blessure récente, observée au microscope.** Certaines cellules de l'organisme, les globules blancs (ou leucocytes), jouent un rôle fondamental dans la défense contre les micro-organismes. Parmi les leucocytes, les phagocytes reconnaissent les micro-organismes pathogènes et les éliminent, par un mécanisme appelé phagocytose.

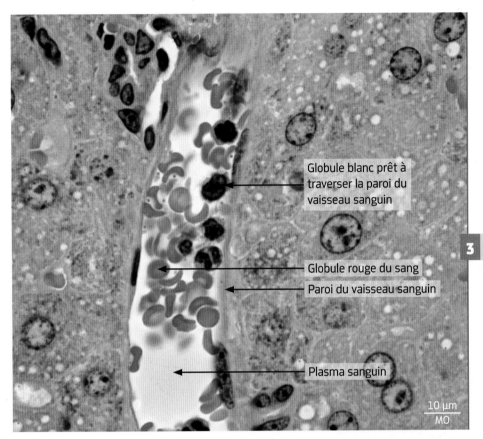

Globule blanc prêt à traverser la paroi du vaisseau sanguin

Globule rouge du sang

Paroi du vaisseau sanguin

Plasma sanguin

10 μm
MO

3 **Vaisseau sanguin, dans un tissu infecté.** De nombreux globules blancs sont présents dans le sang. Lors d'une infection, ils traversent la paroi des vaisseaux sanguins, accompagnés d'un peu de **plasma sanguin***. Cela crée une rougeur, un gonflement et de la chaleur au niveau de la zone infectée.

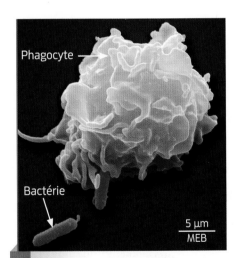

Phagocyte

Bactérie

5 μm
MEB

4 **Phagocyte englobant une bactérie.** Les phagocytes sont des cellules appartenant aux globules blancs.

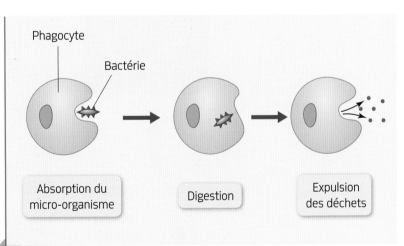

Phagocyte

Bactérie

Absorption du micro-organisme

Digestion

Expulsion des déchets

5 **L'élimination des micro-organismes.** Les phagocytes sont capables de reconnaître et d'éliminer les micro-organismes pathogènes. Ils les absorbent, avant de les digérer et d'expulser les déchets devenus inoffensifs. Cette réponse, appelée phagocytose, suffit généralement à stopper l'infection.

DICO SCIENCES

* **Plasma sanguin** : partie liquide du sang.
* **Thermographie** : technique permettant d'observer les variations de température à la surface d'un corps.

Activité 6

J'enquête

Romain n'a pas bien soigné une blessure au poignet. Quelques jours plus tard, il se plaint de fièvre et de douleur à l'aisselle.

CONSIGNE > Expliquer à Romain que ces symptômes, bien que pénibles, présentent un aspect positif.

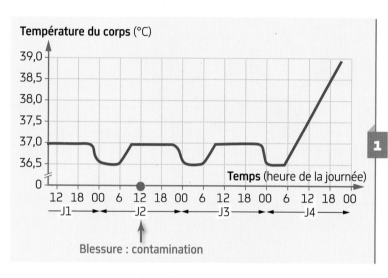

1 **Variation de la température du corps de Romain pendant quelques jours.**
La fièvre est une élévation de la température corporelle au-dessus de la température normale (autour de 37 °C). Au-dessus de 40 °C, la fièvre peut représenter un risque mortel pour l'individu, il est donc important de ne pas la laisser trop s'élever.

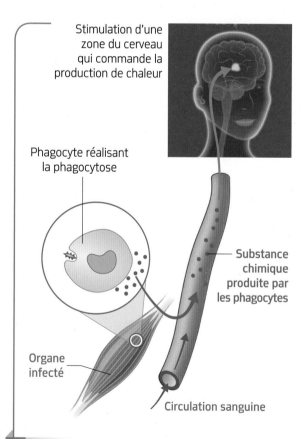

Stimulation d'une zone du cerveau qui commande la production de chaleur

Phagocyte réalisant la phagocytose

Substance chimique produite par les phagocytes

Organe infecté

Circulation sanguine

2 **Le mécanisme de déclenchement de la fièvre.**
La fièvre est un mécanisme déclenché par l'organisme, en réponse à une infection.

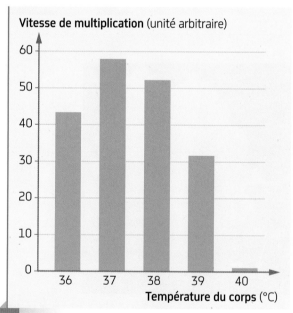

3 **Vitesse de multiplication des bactéries pathogènes en fonction de la température corporelle de l'être humain.**

DICO SCIENCES

* **Frottis sanguin** : dépôt et étalement de sang sur une lame.
* **Ovoïde** : de forme ovale.

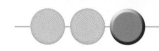
	Personne infectée	Valeur normale
Nombre de globules rouges (par mm³ de sang)	4 315 000	4 000 000 à 5 000 000
Nombre de lymphocytes (par mm³ de sang)	5 203	1 000 à 4 000

5 Résultats de l'analyse sanguine d'une personne infectée depuis quelques jours.

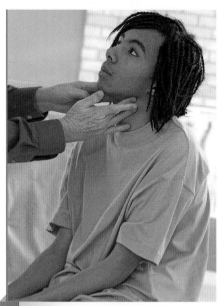

4 **Palpation des ganglions lymphatiques en cas de douleur liée à une infection.** Un ganglion est un organe **ovoïde*** qui contient des cellules, les lymphocytes.

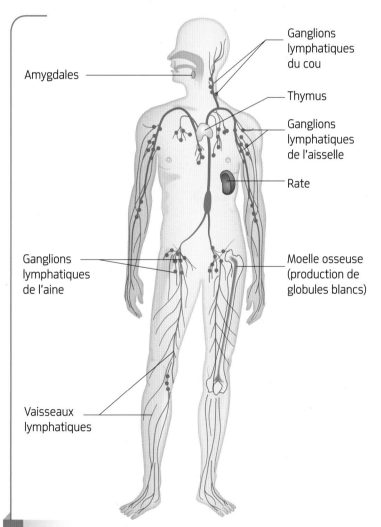

7 **Les organes impliqués dans la réponse immunitaire.**
Le corps renferme de nombreux organes immunitaires. La moelle osseuse produit de nombreuses cellules dont les lymphocytes. Ces derniers se déplacent ensuite, notamment dans les ganglions lymphatiques. Lors d'une infection, ce sont les ganglions les plus proches du lieu d'entrée du micro-organisme qui gonflent, provoquant une douleur.

6 **Un frottis sanguin*.** Les lymphocytes sont des globules blancs ; ils sont impliqués dans les réactions immunitaires qui mettent du temps à se déclencher.

Comment l'organisme lutte-t-il contre une infection bactérienne qui se prolonge ?

Étudier des expériences historiques sur l'immunité

Expérience 1

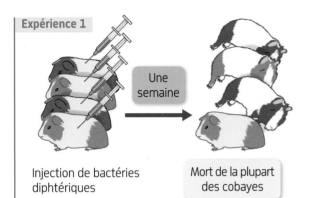

Une semaine

Injection de bactéries diphtériques

Mort de la plupart des cobayes

Expérience 2

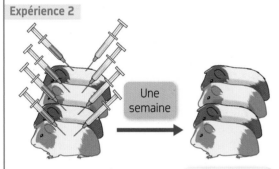

Une semaine

Injection de bactéries diphtériques et du **sérum*** d'un cobaye ayant survécu

Survie de tous les cobayes

Expérience 3

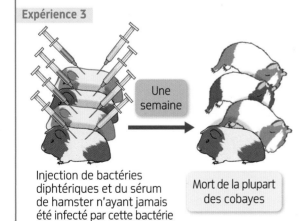

Une semaine

Injection de bactéries diphtériques et du sérum de hamster n'ayant jamais été infecté par cette bactérie

Mort de la plupart des cobayes

1 **Expériences de Emil Adolf von Behring sur la défense de l'organisme contre la bactérie diphtérique.** La diphtérie est la plus grande cause de mortalité infantile au xixe siècle. Elle se caractérise par l'apparition de membranes blanchâtres dans la gorge, qui peuvent entraîner la mort par asphyxie.

Emil Behring und seine Assistenten im Laboratorium.

2 **Emil Adolf von Behring dans son laboratoire en plein travail sur des cobayes, dans les années 1890** (à droite). À cette époque, certains scientifiques pensent que seule la phagocytose permet de lutter contre les micro-organismes. D'autres pensent que le sang renferme des substances dissoutes qui participent aux réactions immunitaires. Von Behring (1854-1917), médecin allemand, a obtenu le prix Nobel de médecine en 1901 pour ses travaux sur l'immunité.

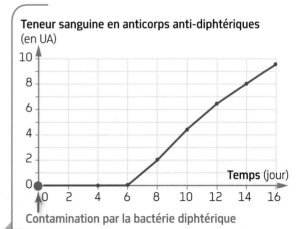

Teneur sanguine en anticorps anti-diphtériques (en UA)

Temps (jour)

Contamination par la bactérie diphtérique

3 **Teneur en anticorps anti-diphtériques dans le sang d'un cobaye guéri de l'expérience 1.** Les anticorps sont des molécules impliquées dans la neutralisation des bactéries pathogènes.

Comprendre le mode d'action des anticorps et leur origine

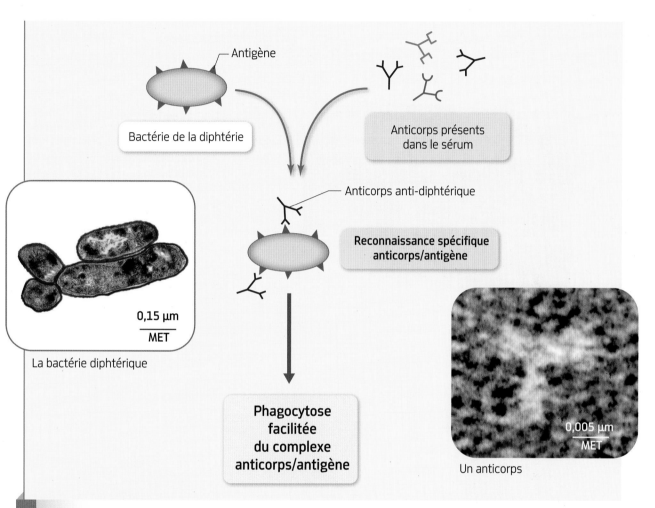

Antigène

Bactérie de la diphtérie

Anticorps présents dans le sérum

Anticorps anti-diphtérique

Reconnaissance spécifique anticorps/antigène

0,15 µm
MET

La bactérie diphtérique

Phagocytose facilitée du complexe anticorps/antigène

0,005 µm
MET

Un anticorps

4 **L'association anticorps et antigène.** Les micro-organismes portent des molécules, les antigènes. Les antigènes peuvent être reconnus par d'autres molécules en forme de Y, présentes dans le **sérum***, les anticorps. Les anticorps fixés aux antigènes forment alors des complexes qui sont plus facilement phagocytés : c'est la dernière étape de la réponse immunitaire lente. Outre les bactéries, les anticorps peuvent neutraliser les virus quand ils n'ont pas encore pénétré dans les cellules de l'organisme.

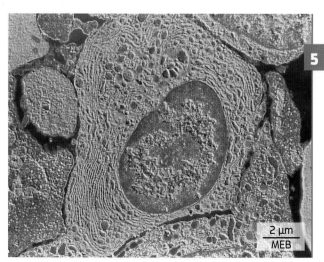

2 µm
MEB

5 **Un type de globule blanc à l'origine de la production d'anticorps.** Les lymphocytes B sont des globules blancs capables de reconnaître un antigène. Après cette reconnaissance, ils se multiplient et sont à l'origine d'une production d'anticorps spécifiques de l'antigène.

DICO SCIENCES

*Sérum : partie liquide du sang, dépourvue de certaines protéines.

8

Comment l'organisme se défend-il contre une infection virale persistante ?

Comprendre le rôle des lymphocytes T à partir de résultats expérimentaux

1 **Remise du Prix Nobel à Doherty et Zinkernagel.**
En 1996, Peter C. Doherty (biologiste australien né en 1940) et Rolf M. Zinkernagel (médecin suisse né en 1944) obtiennent le prix Nobel de médecine pour leur découverte du mode de reconnaissance des cellules infectées par un virus, par le système immunitaire. Les travaux pour lesquels ils ont été primés ont été réalisés entre 1973 et 1975.

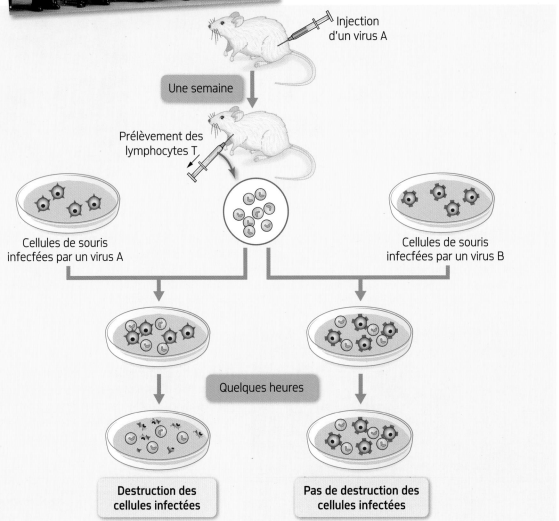

Injection d'un virus A

Une semaine

Prélèvement des lymphocytes T

Cellules de souris infecfées par un virus A

Cellules de souris infecfées par un virus B

Quelques heures

Destruction des cellules infectées

Pas de destruction des cellules infectées

2 **Une expérience montrant la lutte du système immunitaire contre les virus.**
Les lymphocytes T sont des globules blancs spécialisés dans la lutte contre les cellules infectées par un virus.

↳ **Découvrir le mode d'action des lymphocytes T**

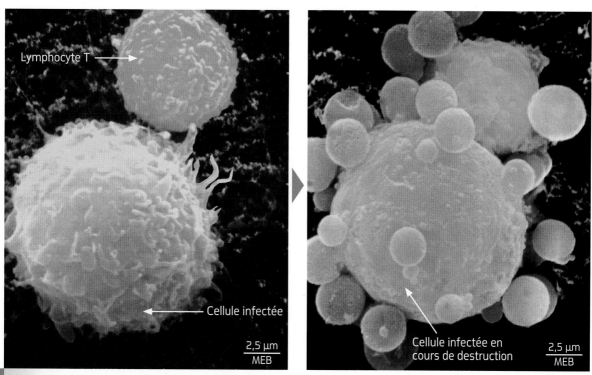

3 Un lymphocyte T, près d'une cellule infectée par un virus, à deux moments.

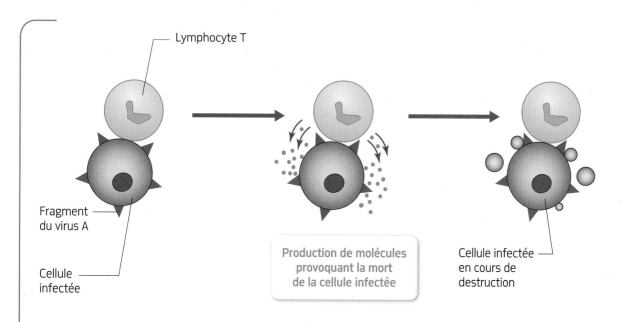

4 **Étapes de la destruction d'une cellule infectée par le virus A.** Les cellules infectées par les virus sont détruites par un groupe de globules blancs, les lymphocytes T. Un lymphocyte T est capable de reconnaître une cellule infectée par un virus. À la suite de cette reconnaissance, le lymphocyte T détruit par contact direct la cellule infectée et les virus qu'elle contient.

9 Comment aider l'organisme à se défendre contre les infections ?

→ **Proposer des moyens de prévenir une infection**

1 **Désinfection d'une plaie.** L'application d'un antiseptique sur une plaie permet d'éliminer les bactéries et les virus, et ainsi d'éviter l'infection.

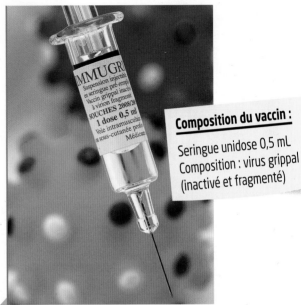

Composition du vaccin :

Seringue unidose 0,5 mL
Composition : virus grippal
(inactivé et fragmenté)

2 **Composition du vaccin contre la grippe, maladie provoquée par un virus.** Le principe d'un vaccin est d'injecter des antigènes ayant perdu leur pouvoir pathogène. Les vaccins permettent de prévenir certaines infections virales et bactériennes.

3 **La vaccination : le déclenchement provoqué de la mémoire immunitaire.**

Des souris reçoivent une injection d'antigène D jamais rencontré. Cinq semaines plus tard, on injecte à nouveau chez ces souris le même antigène D, et un antigène E jamais rencontré.

Lors d'un premier contact avec un antigène, les quelques lymphocytes capables de le reconnaître se multiplient. La majorité de ces lymphocytes participent à la réponse immunitaire, une petite fraction devient des cellules mémoires. Ces dernières possèdent une durée de vie très longue et sont capables d'agir plus rapidement et plus efficacement contre le même antigène lors d'une rencontre ultérieure. La vaccination provoque dans l'organisme une réponse immunitaire primaire avec formation de cellules mémoires. Lors d'une rencontre ultérieure avec le micro-organisme pathogène, une réponse secondaire se met en place, éliminant le micro-organisme avant que les symptômes de la maladie ne s'installent.

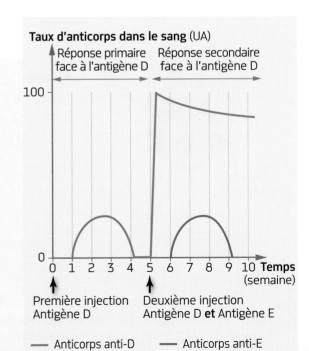

Taux d'anticorps dans le sang (UA)

Réponse primaire face à l'antigène D | Réponse secondaire face à l'antigène D

Première injection Antigène D

Deuxième injection Antigène D **et** Antigène E

— Anticorps anti-D   — Anticorps anti-E

Proposer **un moyen de soigner une infection bactérienne**

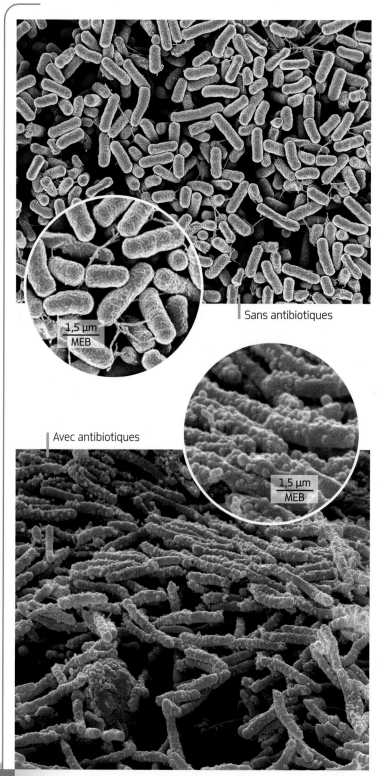

Sans antibiotiques

1,5 μm
MEB

Avec antibiotiques

1,5 μm
MEB

5 Choix d'un antibiotique efficace.

Les bactéries peuvent se développer sur un milieu nutritif en formant des colonies bactériennes, visibles à l'œil nu. Si l'on dépose un antibiotique sur ce milieu, il diffuse et montre ainsi son action éventuelle contre les bactéries.

On peut prescrire un antibiogramme à une personne chez qui l'on suspecte une infection bactérienne. Pour cela, le prélèvement biologique du patient est étalé sur le milieu nutritif avec plusieurs pastilles, chacune contenant un antibiotique différent. Après mise en culture, l'efficacité de l'antibiotique est évaluée au regard du développement des bactéries autour de la pastille. Ce résultat oriente le médecin pour choisir l'antibiotique à prescrire.

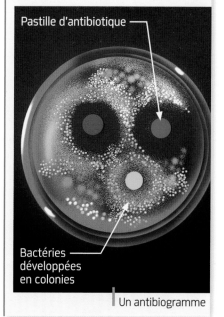

Pastille d'antibiotique

Bactéries
développées
en colonies

Un antibiogramme

4 **Effet d'un antibiotique sur des bactéries.** Les antibiotiques agissent uniquement sur les bactéries. Il existe de nombreux antibiotiques ; certains agissent en provoquant la déformation de la paroi bactérienne puis la mort des bactéries. D'autres ont des modes d'action différents.

10

Quels sont les effets des politiques et des choix individuels de santé sur la population ?

⟵ **Identifier l'impact d'une politique de santé sur la population**

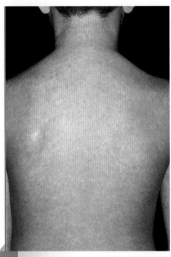

1 **Jeune enfant atteint par la rougeole.**
La rougeole est une maladie infantile virale se caractérisant par l'apparition de très nombreuses petites plaques rouges sur la peau. Elle peut évoluer vers différentes complications, voire entraîner la mort. Avant l'apparition de la vaccination, la rougeole était la première cause mondiale de mortalité par infection, avec 6 millions de décès par an.

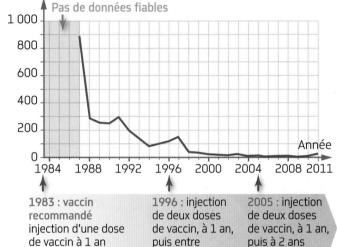

Nombre de cas de rougeole pour 100 000 habitants

Pas de données fiables

1983 : vaccin recommandé injection d'une dose de vaccin à 1 an

1996 : injection de deux doses de vaccin, à 1 an, puis entre 11 et 13 ans

2005 : injection de deux doses de vaccin, à 1 an, puis à 2 ans

Évolution des politiques de vaccination

2 **Nombre de cas de rougeole entre 1984 et 2011 en France métropolitaine.** Le vaccin contre la rougeole a été commercialisé pour la première fois en 1966. Il n'a jamais fait l'objet d'une vaccination obligatoire, mais il est recommandé depuis 1983 en France. L'estimation du nombre de cas de rougeole n'est fiable qu'à partir de 1987, après la création d'un réseau de surveillance.

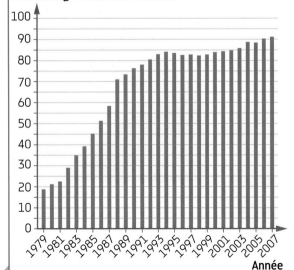

Pourcentage d'individus vaccinés

3 **Évolution de la couverture vaccinale* contre la rougeole en France.**

Couverture vaccinale	Conséquences sur la population
> 95 %	Interruption de la transmission de la maladie
Entre 90 et 95 %	Épidémies périodiques (plus de 5 ans entre deux épidémies)
Moins de 90 %	Épidémies fréquentes (moins de 5 ans entre deux épidémies)

4 **Conséquences de différentes couvertures vaccinales de la population sur les épidémies* de rougeole.**

DICO SCIENCES

* **Couverture vaccinale** : proportion d'individus vaccinés dans une population.
* **Épidémie** : augmentation du nombre de personnes infectées.

Faire ses choix individuels en matière de vaccination

5 Article d'un site Internet d'information scientifique daté du 13 septembre 2011.

ROUGEOLE : L'ÉPIDÉMIE A DÉJÀ FAIT 6 MORTS EN FRANCE

Les cas de rougeole se multiplient en France, et les décès sont désormais au nombre de six. La couverture vaccinale insuffisante a permis cette épidémie, qui commence à contaminer les pays voisins. [...] « Depuis 2008, précise l'académicien Pierre Bégué, plus de 20 000 cas ont été déclarés à l'Institut de veille sanitaire et l'on observe en 2011 une nette progression puisque 14 500 déclarations ont été faites entre les mois de janvier et juin » contre 5 000 sur l'ensemble de l'année 2010 (deux décès). Les régions les plus touchées par cette vague épidémique se situent dans le Sud de la France. « Cette recrudescence de la rougeole est d'autant plus grave qu'elle concerne plus particulièrement les nourrissons de moins d'un an et les adultes », ajoute-t-il.

Rougeole : l'épidémie a déjà fait 6 morts en France, septembre 2011 © Futura-sciences, D.R.

6 Les raisons avancées par les familles qui ne vaccinent pas leurs enfants.

Les principaux motifs pour lesquels certaines personnes ne font pas vacciner l'un de leurs enfants sont les suivants :
– la vaccination représente une violation des droits de l'individu ;
– les maladies sont peu dangereuses au regard des risques de complication d'un vaccin ;
– il s'agit d'un oubli de la famille ;
– la vaccination n'a pas été proposée par le médecin.

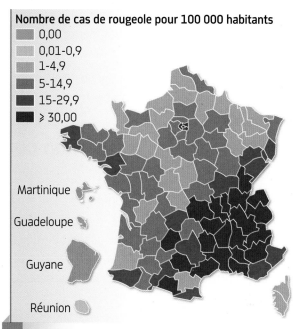

Le carnet de santé attribué à chaque individu à la naissance permet de suivre ses vaccinations

Couverture vaccinale (en %)
- Pas de données
- < 86
- 86-89,9
- 90-94,9
- ⩾ 95

Martinique
Guadeloupe
Guyane
Réunion

7 La couverture vaccinale contre la rougeole par département entre 2003 et 2008.

Nombre de cas de rougeole pour 100 000 habitants
- 0,00
- 0,01-0,9
- 1-4,9
- 5-14,9
- 15-29,9
- ⩾ 30,00

Martinique
Guadeloupe
Guyane
Réunion

8 Nombre de cas de rougeole pour 100 000 habitants par département en 2011.

L'essentiel

par le texte

●●●● L'ubiquité des micro-organismes

> Les **micro-organismes**, ou microbes, sont des êtres vivants microscopiques : il s'agit principalement des bactéries et des virus. Le monde microbien est omniprésent dans l'environnement, y compris sur le corps humain et à l'intérieur. La plupart des micro-organismes hébergés par l'être humain ne sont pas dangereux et contribuent à le maintenir en bonne santé.

> Certains micro-organismes peuvent entraîner une maladie : ils sont **pathogènes**. La **contamination** s'effectue par la peau ou par les muqueuses. Une fois dans le corps, les microbes trouvent des conditions favorables à leur développement et s'y multiplient, soit de façon autonome pour les bactéries, soit en parasitant une cellule pour les virus : c'est le début de l'**infection**.

ACTIVITÉS

1 p. 278
2 p. 280
3 p. 282
4 p. 284

●●●● Les réactions immunitaires

> Dès la contamination, une **réponse immunitaire rapide** se met en place. Dans la zone infectée, des globules blancs, les **phagocytes**, sortent des vaisseaux sanguins et vont **phagocyter** les micro-organismes. Si l'infection n'est pas stoppée, une **réponse immunitaire plus lente** se met place. Elle se manifeste souvent par une **fièvre** et par un **gonflement des ganglions**.

> Les **lymphocytes B** luttent contre les infections bactériennes. Ils sont capables de reconnaître les **antigènes** bactériens, puis sont à l'origine de la production des **anticorps** spécifiques circulant dans le sang. Les anticorps se fixent aux pathogènes, l'ensemble activant la phagocytose. Les **lymphocytes T** luttent contre les cellules infectées par un virus. Ils reconnaissent les fragments viraux portés par les cellules infectées puis les détruisent par contact direct.

> Après le contact avec un antigène, des lymphocytes mémoires se forment. Ils agissent plus vite et en plus grand nombre lors d'un autre contact avec le même antigène.

ACTIVITÉS

5 p. 286
6 p. 288
7 p. 290
8 p. 292

●●●● L'intérêt de la prévention contre la contamination et l'infection

> Au niveau individuel, chacun peut veiller à diminuer les risques de contamination en appliquant des mesures d'**hygiène**, prévenir les infections par la **vaccination** et soigner les infections bactériennes par des **antibiotiques**.

> À l'échelle de la population, la mise en place de **politiques de santé publique** permet de lutter contre la propagation des pathogènes.

ACTIVITÉS

9 p. 294
10 p. 296

MOTS-CLÉS

Contamination • Phagocytose • Antigène • Anticorps • Lymphocyte • Vaccination

par l'image

Le monde microbien et la santé

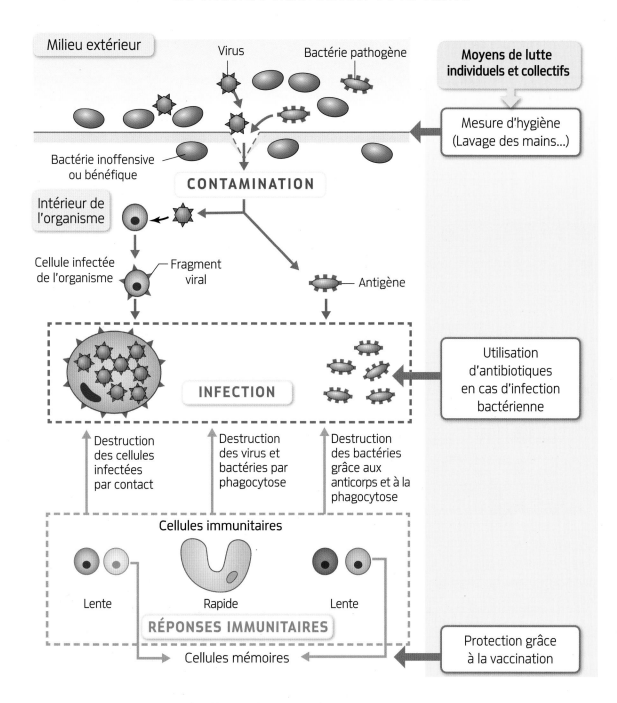

Mon bilan de fin de cycle

Attendus

> **Pour relier le monde microbien hébergé par notre organisme et son fonctionnement :**
• je cite deux groupes de micro-organismes et j'explique en quoi certains sont bénéfiques et d'autre nuisibles.

> **Pour expliquer les réactions qui permettent à l'organisme de se préserver des micro-organismes pathogènes :**
• je présente les réactions immunitaires assurées par les phagocytes et les lymphocytes.

> **Pour argumenter l'intérêt des politiques de santé contre la contamination et/ou l'infection :**
• j'explique en quoi les choix individuels de vaccination peuvent avoir des conséquences à l'échelle de la population et je justifie l'intérêt de certaines campagnes d'hygiène.

1 Mémoriser le vocabulaire spécifique du chapitre ○○○●

Associer le mot à la définition qui lui correspond.

a. Contamination
b. Phagocyte
c. Muqueuse
d. Pathogène

1. Qualifie un micro-organisme pouvant causer une maladie
2. Voie d'entrée possible d'un micro-organisme dans le corps
3. Entrée d'un micro-organisme pathogène dans le corps
4. Globule blanc impliqué au début d'une infection

2 Vrai ou Faux ○○○●

	V	F
Bactéries et virus sont toujours dangereux pour l'organisme.		
La fièvre est une réaction de l'organisme permettant de lutter contre une infection.		
L'augmentation du nombre de globules rouges est le signe d'une infection.		
La présence de bactéries pathogènes dans un organisme peut lui être bénéfique.		
Une infection est due à la multiplication de pathogènes dans l'organisme.		

3 Remue-méninges ○○○●

Écrire une phrase avec les mots de chaque ligne :

a. virus – lymphocyte T – cellule infectée
b. bactérie – antibiotique – virus
c. antigène – non pathogène – vaccin

4 Restituer des connaissances ○○○●

a. **Expliquer** en quelques phrases comment les lymphocytes B luttent contre une infection.

b. **Indiquer** deux moyens permettant de lutter contre la contamination.

JE TESTE *mes compétences*

5 Reconnaître des situations de proportionnalité ○○○●

➡ **Calculer** la taille réelle d'une bactérie et celle d'une cellule animale.

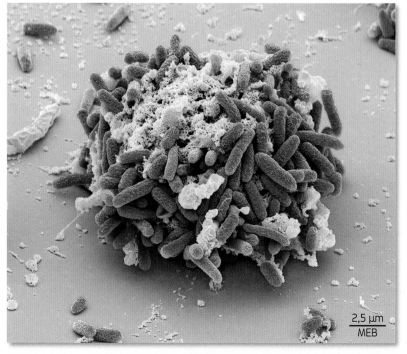

2,5 µm
MEB

🔎 Une cellule animale (en blanc) entourée par des bactéries (en rouge).

6 Passer d'une représentation à une autre ○○●

En cas de traitement par un antibiotique suite à une infection bactérienne, il est très fortement déconseillé d'interrompre son traitement avant le délai précisé par le médecin.

➡ À l'aide du document, **expliquer** les raisons pour lesquelles il peut être dangereux d'arrêter trop tôt son traitement antibiotique.

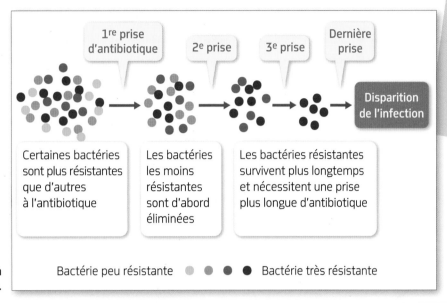

Certaines bactéries sont plus résistantes que d'autres à l'antibiotique

Les bactéries les moins résistantes sont d'abord éliminées

Les bactéries résistantes survivent plus longtemps et nécessitent une prise plus longue d'antibiotique

Effet d'un traitement antibiotique.

Bactérie peu résistante ● ● ● ● Bactérie très résistante

7 Lire et exploiter des données ○○●

En 1880, le scientifique français Louis Pasteur (1822-1895) réalise des expériences sur des poules en leur injectant des bactéries responsables du choléra.

➡ En utilisant le document et ses connaissances, **expliquer** comment les poules du groupe B ont survécu, alors qu'elles ont reçu des injections d'une jeune culture de bactéries du choléra comme celles du groupe A.

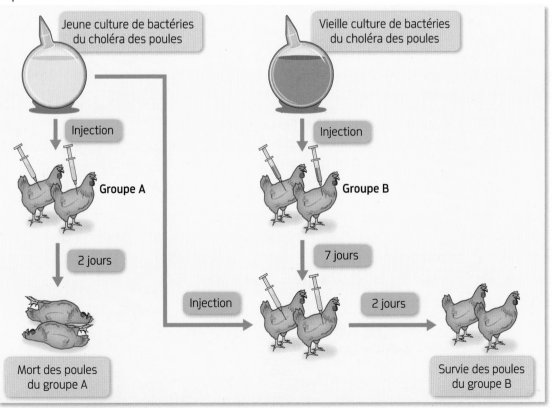

Les expériences de Pasteur.

Reproduction sexuel

Je réactive mes connaissances

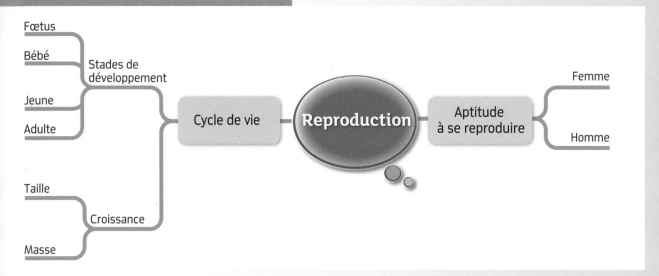

Fœtus

Bébé

Stades de
développement

Jeune

Adulte

Cycle de vie

Reproduction

Aptitude
à se reproduire

Femme

Homme

Taille

Croissance

Masse

Mes objectifs de fin de cycle

> Relier le fonctionnement des appareils reproducteurs à partir
de la puberté aux principes de la maîtrise de la reproduction
> Expliquer sur quoi reposent les comportements responsables
dans le domaine de la sexualité

Activités

1 Les manifestations de la puberté

2 Anatomie et fonctionnement de l'appareil reproducteur masculin

3 Anatomie de l'appareil reproducteur féminin

4 Fonctionnement de l'appareil reproducteur féminin

5 La formation d'un nouvel individu

6 Fertilité et contraception

7 Aide à la procréation

8 Des comportements sexuels responsables

et comportement responsable

Le printemps/l'artiste et sa famille, **ERNST EITNER**, 1901. Huile sur toile, 198 × 150 cm. Kunsthalle, Hambourg, Allemagne.

Dans ce tableau, le peintre allemand Ernst Eitner (1867-1955), un représentant du mouvement impressionniste, souligne le renouveau de la nature au printemps avec un arbre en fleurs, des rayons du soleil et des végétaux bien verts. Un couple profite de cette belle journée au jardin, en déjeunant, avec son enfant, né quelques semaines plus tôt.

Comment la puberté se manifeste-t-elle ?

Repérer des changements physiques au moment de la puberté

1 **Groupe de jeunes de 13 ans ayant commencé leur puberté.** La puberté est une période au cours de laquelle le corps commence à se transformer pour donner un individu apte à se reproduire. Elle s'accompagne de changements physiques. Chez les filles, comme chez les garçons, ces transformations ne se déroulent pas à la même vitesse, ni dans le même ordre.

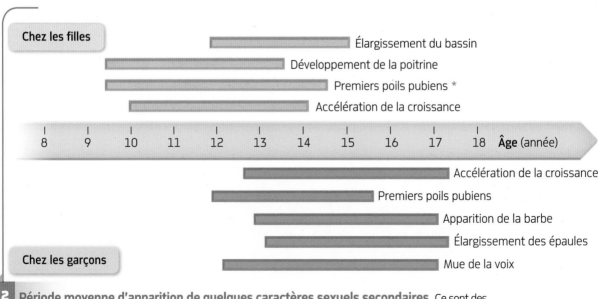

Chez les filles

Élargissement du bassin
Développement de la poitrine
Premiers poils pubiens *
Accélération de la croissance

| 8 | 9 | 10 | 11 | 12 | 13 | 14 | 15 | 16 | 17 | 18 | **Âge** (année) |

Accélération de la croissance
Premiers poils pubiens
Apparition de la barbe
Élargissement des épaules
Mue de la voix

Chez les garçons

2 **Période moyenne d'apparition de quelques caractères sexuels secondaires.** Ce sont des particularités physiques qui, mis à part les organes sexuels, permettent de distinguer les hommes des femmes.

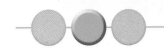

Repérer **des changements du fonctionnement de l'organisme**

3 Titeuf s'interroge sur la puberté.

> **Pourquoi on dit que c'est l'âge bête ?**
>
> On dit « âge bête » ou « âge ingrat ». Dans les deux cas, c'est pas très sympa à entendre. En fait, ce sont les adultes qui disent ça. Les adolescents se rendent bien compte qu'ils sont en train de changer pour devenir des grands. Alors ils se comportent comme s'ils avaient la même indépendance que leurs parents. Et parfois ils vont un peu trop loin (comme exiger de pouvoir sortir tard la nuit sans dire où ils vont) et comme les parents ne sont pas d'accord avec ces exigences, ça provoque des engueulades. C'est pas drôle, mais ces engueulades ont un côté positif : elles permettent aussi de grandir dans sa tête.
>
> *Le Guide du zizi sexuel*, par Hélène Bruller et Zep, page 17. © Éditions Glénat, 2001.

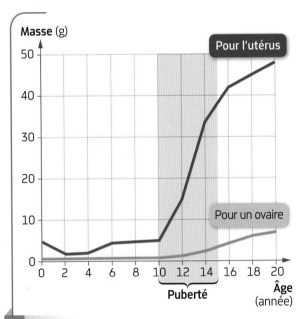

4 Évolution de la masse de deux organes reproducteurs chez la fille : l'utérus et l'ovaire.

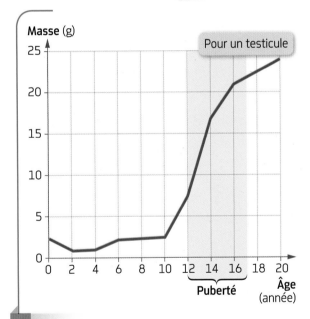

5 Évolution de la masse d'un organe reproducteur chez le garçon : le testicule.

6 Des signes visibles du fonctionnement des appareils reproducteurs.

Le début du fonctionnement des appareils reproducteurs a des conséquences visibles au niveau de l'individu.

Chez les hommes, cela se manifeste par des éjaculations. Une éjaculation correspond à une émission de sperme, un liquide blanchâtre, par le pénis. Ce phénomène apparaît généralement entre 13 et 15 ans.

Chez les femmes, cela se manifeste par les règles. Les règles correspondent à un écoulement de sang par le vagin. Elles apparaissent généralement entre 11 et 14 ans.

DICO SCIENCES

*∗**Pubien** : désigne la zone en bas de l'abdomen, au-dessus des organes reproducteurs.

2

Comment l'appareil reproducteur masculin est-il organisé et comment fonctionne-t-il ?

➜ **Présenter le trajet du sperme dans l'appareil reproducteur**

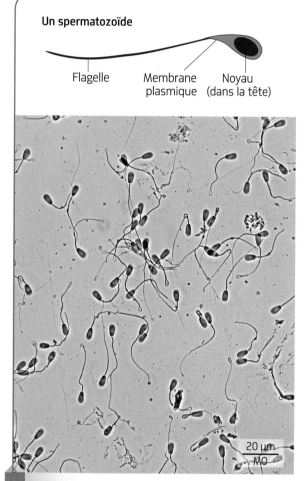

Un spermatozoïde

Flagelle — Membrane plasmique — Noyau (dans la tête)

20 µm
MO

1 Sperme humain. Une éjaculation libère entre 2 et 6 mL de sperme. Un millilitre de sperme renferme 20 millions à 200 millions de **spermatozoïdes***, ou gamètes mâles. Leur flagelle, capable d'onduler, assure leur déplacement. En plus des spermatozoïdes, le sperme contient un liquide, le liquide séminal, qui nourrit les spermatozoïdes.

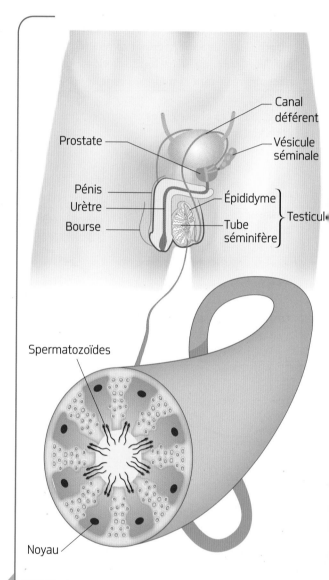

Prostate — Canal déférent

Vésicule séminale

Pénis — Épididyme

Urètre — Testicule

Bourse — Tube séminifère

Spermatozoïdes

Noyau

2 L'appareil reproducteur masculin. Les caractères sexuels primaires désignent les organes reproducteurs. Chez l'homme, les testicules produisent les spermatozoïdes au sein des tubes séminifères. Cette production est continue, de la puberté à la mort. Lors d'une éjaculation, les spermatozoïdes, stockés au niveau de l'épididyme, se mélangent au liquide séminal et sortent du pénis, l'ensemble constituant le sperme.

DICO SCIENCES

* **Barbillon** : pli de chair tombant de chaque côté du bec.
* **Castré** : désigne un animal auquel on a enlevé les testicules ou les ovaires.
* **Spermatozoïde** : cellule reproductrice (ou gamète) mâle capable de se déplacer.

Expliquer le fonctionnement de l'appareil reproducteur

Numéro de l'expérience	Protocole	Résultat de l'expérience
Expérience 1	Aucune action.	• Développement normal des testicules. • Production normale de spermatozoïdes.
Expérience 2	Destruction d'une zone du cerveau.	• Les testicules diminuent de taille. • Arrêt de la production de spermatozoïdes.
Expérience 3	Injections, dans le sang de l'animal de l'expérience 2, d'extraits obtenus à partir du broyage de parties de cerveau.	• Les testicules reprennent leur taille normale. • La production de spermatozoïdes reprend.

3 **Mise en évidence expérimentale d'un contrôle des testicules chez la souris mâle.** Les extraits obtenus à partir du broyage de certaines zones du cerveau renferment des substances chimiques fabriquées par ces zones cérébrales. Chez l'homme, ces substances chimiques ont une teneur dans le sang qui augmente fortement à partir de la puberté.

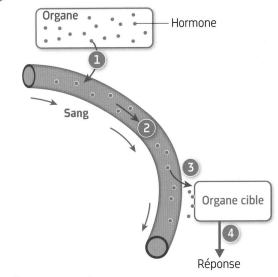

1 Libération de l'hormone dans le sang par un organe

2 Circulation de l'hormone

3 Fixation de l'hormone sur un organe cible

4 Réponse de l'organe cible à l'hormone

4 **La notion d'hormone.** Une hormone est une substance produite par un organe, qui circule dans le sang et agit sur un autre organe, appelé organe cible.

Coq

Chapon

5 **La mise en place des caractères sexuels secondaires.** Les chapons sont des coqs qui ont été **castrés*** plusieurs semaines après leur naissance. Le coq possède une crête développée et des **barbillons*** rouges : ce sont des caractères sexuels secondaires. Les testicules sont à l'origine de la sécrétion d'une hormone sexuelle, la testostérone. Des injections répétées de testostérone à un chapon sont suivies du développement de sa crête et de ses barbillons. Chez l'homme, le taux sanguin de testostérone, très faible durant l'enfance, augmente dès le début de la puberté et se stabilise à la fin de celle-ci.

Comment l'appareil reproducteur féminin est-il organisé ?

↳ **Comparer** des représentations de l'appareil reproducteur à une imagerie médicale

Dessin de Manon

- ovule
- ovaire
- ovulation
- trompe utérine
- utérus
- muqueuse
- vagin

Croquis de l'appareil génital féminin

Dessin de Shun

- trompe utérine
- ovule
- ovaire
- utérus
- col de l'utérus
- vagin

Croquis de l'appareil génital féminin

1 **Deux représentations d'élèves concernant l'appareil reproducteur féminin.** Le professeur a demandé de représenter l'appareil reproducteur féminin et de souligner en rouge l'organe fabriquant les cellules reproductrices de la femme.

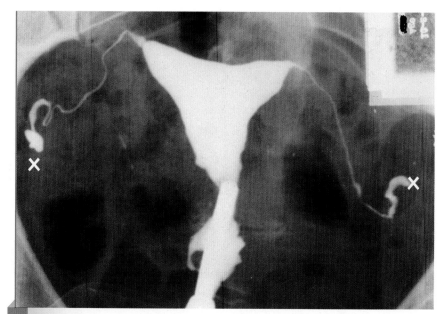

DICO · SCIENCES

*Ménopause : période de la vie d'une femme, autour de 50 ans, où leurs ovaires cessent de fonctionner.

2 **Radiographie de l'appareil reproducteur féminin.** Cette radiographie est obtenue en injectant dans l'utérus un produit qui se répand et apparaît clair lors de l'examen radiologique. Les ovaires, invisibles par cette technique, ont été repérés par des croix.

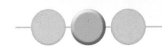
Comparer ces représentations à des observations microscopiques

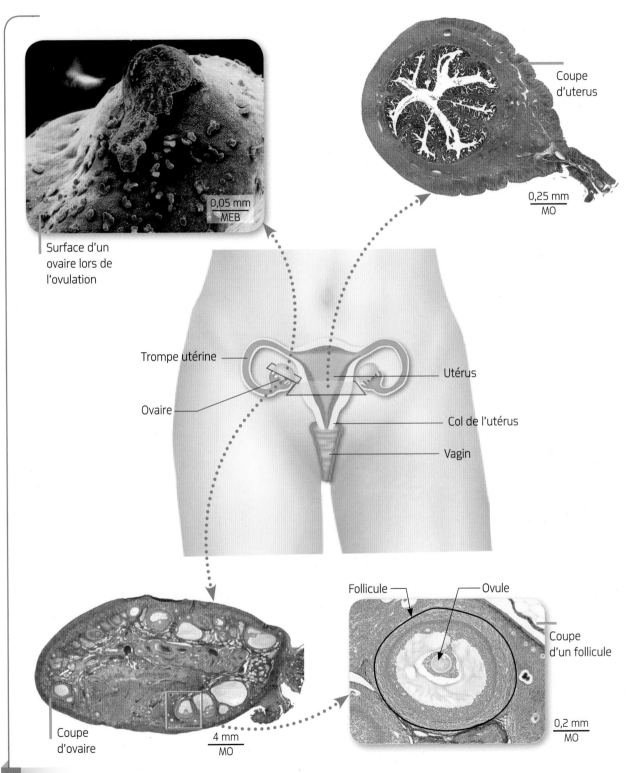

Surface d'un ovaire lors de l'ovulation

0,05 mm
MEB

Coupe d'uterus

0,25 mm
MO

Trompe utérine

Ovaire

Utérus

Col de l'utérus

Vagin

Coupe d'ovaire

4 mm
MO

Follicule

Ovule

Coupe d'un follicule

0,2 mm
MO

3 **L'appareil reproducteur féminin.** À la puberté, l'ovaire contient un stock de quelques milliers d'ovules, les cellules reproductrices femelles (ou gamètes femelles). Dans un ovaire, chaque ovule est contenu dans un petit regroupement de cellules ovariennes, l'ensemble constitue un follicule. Environ tous les 28 jours, un ovule est expulsé par un ovaire : c'est l'ovulation. Chaque ovaire est responsable de l'ovulation en alternance et les deux fonctionnent de la puberté à la **ménopause***.

4

J'enquête

Emma et sa grande sœur Juliette discutent à propos des règles. Emma pense que les règles se déclenchent quand une fille fait du sport, les vibrations faisant saigner les ovaires. Sa grande sœur lui dit qu'elle a tort.

CONSIGNE > Expliquer à Emma à quoi correspondent les règles et ce qui les déclenche.

AVRIL			MAI			JUIN		
1	L	EPS	1	M		1	S	●
2	M	●	2	J	●	2	D	
3	M	●	3	V	●	3	L	EPS
4	J	●	4	S	●	4	M	
5	V	●	5	D		5	M	
6	S	●	6	L	EPS	6	J	
7	D		7	M		7	V	
8	L		8	M		8	S	
9	M		9	J		9	D	
10	M		10	V		10	L	EPS ●
11	J		11	S		11	M	
12	V		12	D		12	M	
13	S		13	L	EPS ●	13	J	
14	D		14	M		14	V	
15	L	●	15	M		15	S	
16	M		16	J		16	D	
17	M		17	V		17	L	EPS
18	J		18	S		18	M	
19	V		19	D		19	M	
20	S		20	L	EPS	20	J	
21	D		21	M		21	V	
22	L	EPS	22	M		22	S	
23	M		23	J		23	D	
24	M		24	V		24	L	EPS
25	J		25	S		25	M	●
26	V		26	D		26	M	●
27	S		27	L	EPS	27	J	●
28	D		28	M		28	V	●
29	L	EPS	29	M		29	S	●
30	M	●	30	J	●	30	D	
			31	V	●			

| Vacances scolaires
● Règles
● Ovulation

1 **Calendrier d'une jeune fille sur trois mois.** Une jeune fille a noté sur son calendrier les dates de ses règles et de ses séances d'EPS. Grâce à des tests d'ovulation, elle a aussi pu indiquer les dates d'ovulation.

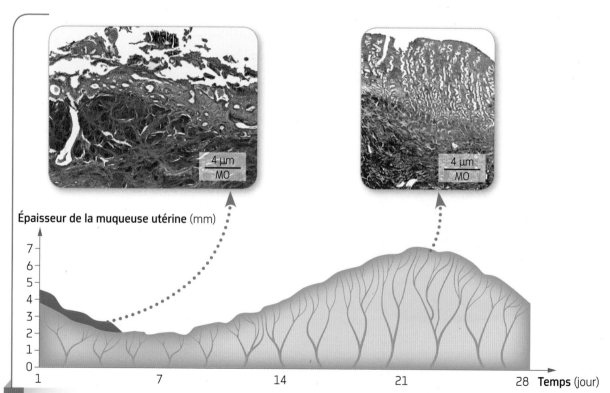

2 **Évolution de l'épaisseur de la muqueuse utérine* au cours d'un cycle.** Le début du cycle correspond aux règles, constituées de lambeaux de muqueuse utérine et de sang. Lorsque la muqueuse utérine est épaisse, elle est très riche en vaisseaux sanguins. Par convention, le premier jour des règles correspond au premier jour du cycle utérin.

Compétence *Proposer une ou des hypothèses pour résoudre un problème*

Témoin : aucune intervention

Muqueuse utérine : développement normal
Ovaires : activité normale

Expérience 1 :
Ablation* des ovaires

Expérience 2 :
Ablation des ovaires +
injections d'extraits ovariens

Expérience 3 :
Destruction d'une partie
du cerveau

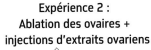

Aucun développement
de la muqueuse utérine

Développement
de la muqueuse
utérine

Pas de développement
de la muqueuse utérine
Pas d'activité ovarienne

3 **Mise en évidence du contrôle de l'utérus.** On prend un lot de souris femelles pour étudier l'action des ovaires et du cerveau sur l'utérus. Chez la femme, la teneur du sang en certaines hormones cérébrales augmente fortement à partir de la puberté.

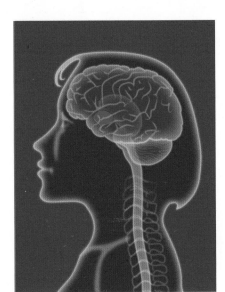

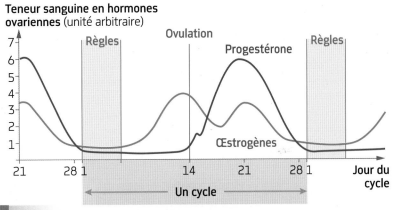

4 **Une zone du cerveau à l'origine du contrôle de l'activité ovarienne.** Cette zone agit sur les ovaires par l'intermédiaire d'hormones cérébrales.

5 **Hormones ovariennes et contrôle de l'activité de l'utérus.** À partir de la puberté, les ovaires sécrètent deux types d'hormones sexuelles : les œstrogènes et la progestérone. Ces hormones interviennent notamment dans le développement des caractères sexuels secondaires. Au cours d'un cycle, le taux d'œstrogènes augmente progressivement : une fois le taux maximal atteint, **autour du 14e jour,** l'ovulation se déclenche. Lorsque le taux des hormones ovariennes chute, les règles se produisent.

DICO SCIENCES

* **Ablation** : opération consistant à retirer un élément du corps.
* **Muqueuse utérine** : couche superficielle de la paroi interne de l'utérus.

Activité

5

Comment la procréation mène-t-elle à la naissance d'un nouvel individu ?

➤ **Découvrir les premières étapes menant à la formation d'un futur individu**

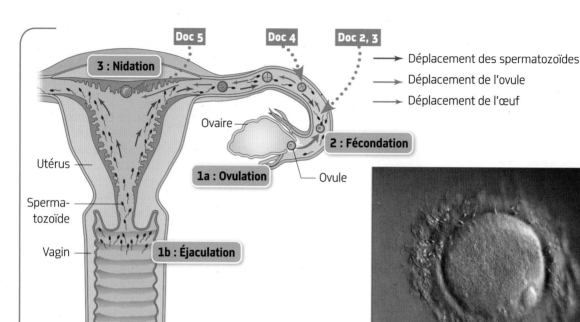

Doc 5 | Doc 4 | Doc 2, 3

3 : Nidation

→ Déplacement des spermatozoïdes
→ Déplacement de l'ovule
→ Déplacement de l'œuf

Ovaire

2 : Fécondation

1a : Ovulation

Ovule

Utérus

Sperma-tozoïde

Vagin

1b : Éjaculation

1 **De l'ovulation à la formation du futur individu.** La durée de vie des spermatozoïdes dans les voies reproductrices féminines est de cinq jours, alors que celle d'un ovule est de 24 heures. Ainsi, généralement, seuls les rapports sexuels ayant lieu entre 5 jours avant l'ovulation et 1 jour après peuvent conduire à une grossesse.

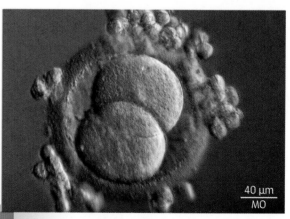
40 µm
MO

2 **Des spermatozoïdes au contact d'un ovule.** Les spermatozoïdes arrivent près de l'ovule, dans une trompe, quelques heures après un rapport sexuel.

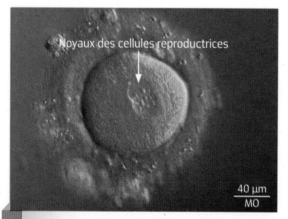
Noyaux des cellules reproductrices
40 µm
MO

3 **Formation de la cellule-œuf*.** Lors de la fécondation, un seul spermatozoïde pénètre dans l'ovule : les noyaux de deux cellules reproductrices fusionnent, formant celui de la cellule-œuf.

40 µm
MO

4 **Un embryon à deux cellules.** En migrant vers l'utérus, la cellule-œuf subit des divisions cellulaires successives et elle devient un embryon. Une semaine après la fécondation a lieu la **nidation***.

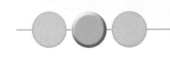
Découvrir **les étapes menant à la naissance d'un nouvel individu**

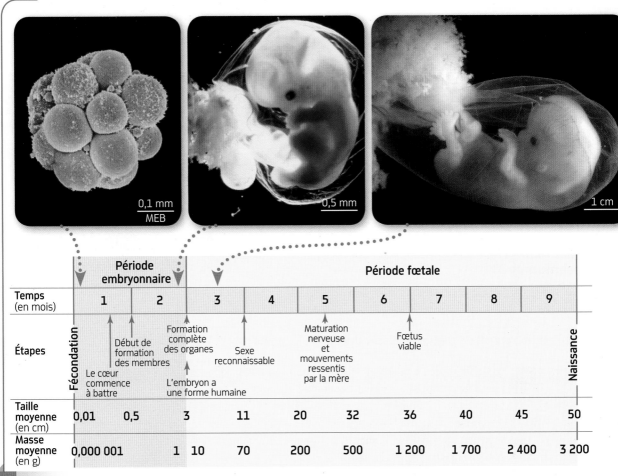

	Période embryonnaire			Période fœtale						
Temps (en mois)	1	2	3	4	5	6	7	8	9	
Étapes	Fécondation — Le cœur commence à battre	Début de formation des membres	Formation complète des organes — L'embryon a une forme humaine	Sexe reconnaissable	Maturation nerveuse et mouvements ressentis par la mère	Fœtus viable				Naissance
Taille moyenne (en cm)	0,01	0,5	3	11	20	32	36	40	45	50
Masse moyenne (en g)	0,000 001		1	10	70	200	500	1 200	1 700	2 400	3 200

5 **Étapes du développement du futur individu lors de la grossesse.** Depuis la nidation et durant la grossesse, la femme n'a plus de règles.

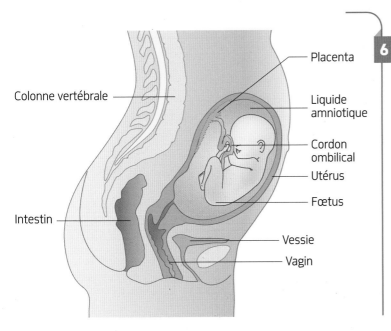

- Colonne vertébrale
- Intestin
- Placenta
- Liquide amniotique
- Cordon ombilical
- Utérus
- Fœtus
- Vessie
- Vagin

6 **La nutrition du fœtus au cours de la grossesse.** L'embryon, puis le fœtus, se développe dans une poche, l'amnios, remplie de liquide. Il se nourrit et respire grâce à un organe mis en place dès le début de la grossesse, le placenta. Cet organe permet les échanges entre le sang de la mère et celui du fœtus. Après environ neuf mois de grossesse, des contractions de l'utérus expulsent le fœtus à l'extérieur : c'est l'accouchement.

DICO SCIENCES

- **Cellule-œuf** : première cellule du futur individu, issue de la fécondation.
- **Nidation** : implantation de l'embryon dans l'utérus.

Activité 6
Comment maîtriser sa propre fertilité ?

Empêcher la survenue d'une grossesse

Âge des femmes \ Contraceptif	Stérilet*	Implant, patch	Pilule	Préservatif	Autre
15 - 19 ans	-	2,8 %	78,9 %	18,3 %	-
20 - 24 ans	3,7 %	5,4 %	83,4 %	7,2 %	0,3 %
25 - 34 ans	20,3 %	6,2 %	63,4 %	8,7 %	1,4 %
35 - 49 ans	38,2 %	3,8 %	41 %	11,1 %	5,9 %

1 Principales méthodes contraceptives* utilisées par les femmes françaises en 2010.

2 **Un préservatif masculin.** Il établit une barrière étanche que les spermatozoïdes ne traversent pas.

3 Pilule et implant, deux méthodes de contraception féminine.

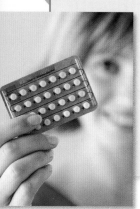

La pilule la plus utilisée, appelée œstroprogestative, comprend 28 comprimés : la femme doit en prendre un quotidiennement à la même heure. Les 21 premiers comprimés renferment des hormones sexuelles de synthèse, les sept derniers en sont dénués. C'est durant cette dernière semaine que les règles surviennent.

Un implant se présente sous la forme d'un petit bâtonnet que le médecin pose sous la peau du bras. Il contient des hormones sexuelles de synthèse et est efficace trois ans.

Pose d'un implant

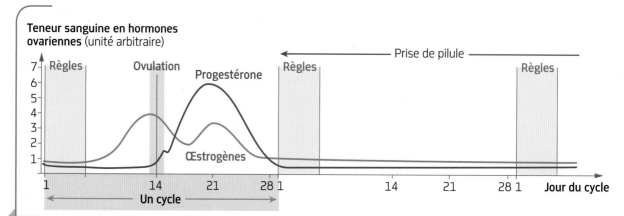

4 Évolution des teneurs sanguines en hormones ovariennes naturelles lors d'une mise sous pilule œstroprogestative.

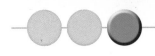

↳ Mettre **un terme à une grossesse non désirée**

Simone Veil.

5 **Discours de Simone Veil à l'Assemblée nationale en 1974.**
Elle présente sa loi relative à l'interruption volontaire de grossesse (IVG).

> Je le dis avec toute ma conviction : l'avortement doit rester l'exception, l'ultime recours pour des situations sans issue. Mais comment le tolérer sans qu'il perde ce caractère d'exception, sans que la société paraisse l'encourager ? Je voudrais tout d'abord vous faire partager une conviction de femme – Je m'excuse de le faire devant cette Assemblée presque exclusivement composée d'hommes : aucune femme ne recourt de gaieté de cœur à l'avortement. Il suffit d'écouter les femmes.

Nombre d'IVG pratiquées pour 1 000 femmes en 2013

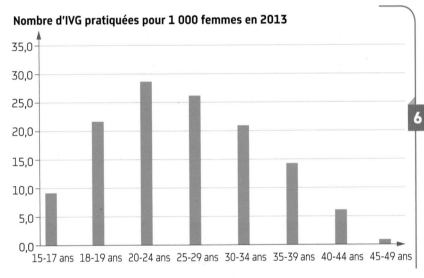

6 **Nombre d'interruptions volontaires de grossesse en France en 2013 selon l'âge des femmes.** Une grossesse non désirée peut survenir dans diverses circonstances. Elle est soumise à une législation qui diffère selon les pays dans lesquels elle est autorisée. Dans tous les cas, l'IVG ne doit pas se substituer à une méthode contraceptive.

7 **Les deux méthodes d'interruption volontaire de grossesse et leurs délais légaux en France.**

L'IVG médicamenteuse
Délai : jusqu'à la fin de la 5e semaine de grossesse.
Lieu : dans un établissement de santé, un cabinet médical, un centre de planification ou de santé.
Méthode : deux prises de médicaments espacées de 36 à 48 heures.
Effet : saignements pendant une dizaine de jours.
Suite : visite de contrôle entre le 14e et le 21e jour après la deuxième prise.

L'IVG instrumentale
Délai : jusqu'à la fin de la 12e semaine de grossesse.
Lieu : à l'hôpital.
Méthode : aspiration de l'embryon sous anesthésie locale ou générale. Hospitalisation de quelques heures.
Effet : dans certains cas, présence de fièvre, pertes de sang, douleurs abdominales.
Suite : visite de contrôle entre le 14e et le 21e jour après l'intervention.

DICO SCIENCES

* **Méthode contraceptive** : méthode empêchant qu'un rapport sexuel n'entraîne une grossesse.
* **Stérilet** : dispositif placé par un médecin dans l'utérus de la femme, empêchant la nidation d'un éventuel embryon.

Activité

7

J'enquête

Vous êtes médecin dans un centre d'aide à la procréation ; vous recevez Sandrine et Yoann, un couple qui essaie d'avoir un enfant depuis plusieurs années.

CONSIGNE > **Après avoir expliqué à Sandrine et Yoann les causes de leur infertilité*, vous leur préciserez comment ils peuvent néanmoins avoir un enfant.**

Sperme de Yoann

Sperme d'un individu fertile

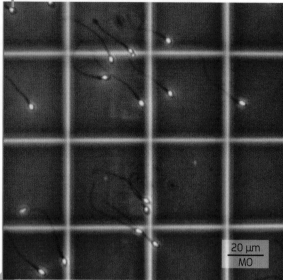

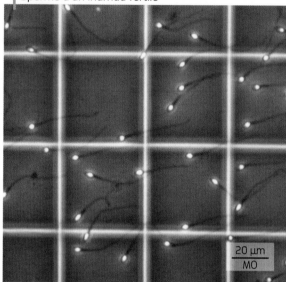

20 µm
MO

20 µm
MO

1 **Sperme de Yoann et sperme d'un individu fertile.** Certains couples sont infertiles car le sperme de l'homme ne présente pas assez de spermatozoïdes, ou parce qu'il contient trop de spermatozoïdes morts ou anormaux. La qualité du sperme est évaluée lors d'un examen appelé spermogramme.

Jour du cycle	Valeur mesurée (unité arbitraire)	Valeur de référence (unité arbitraire)
J4	0,4	entre 0,2 et 1
J10	1,9	entre 0,5 et 2,5
J13	3,8	entre 1 et 4,2
J20	1,8	entre 0,6 et 2,3

2 **Résultats de dosages d'œstrogènes réalisés par Sandrine à différents moments de son cycle.**

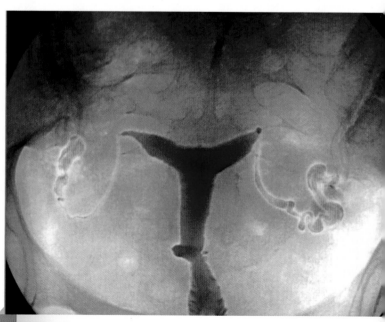

3 **Radiographie de l'appareil reproducteur de Sandrine.**

DICO SCIENCES

***Infertilité** : incapacité d'un couple d'avoir un enfant suite à une période de deux ans de rapports sexuels réguliers.

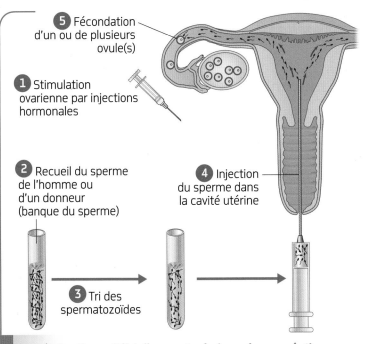

5 Fécondation d'un ou de plusieurs ovule(s)

1 Stimulation ovarienne par injections hormonales

2 Recueil du sperme de l'homme ou d'un donneur (banque du sperme)

3 Tri des spermatozoïdes

4 Injection du sperme dans la cavité utérine

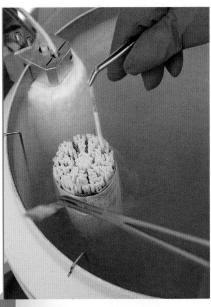

5 **Conservation de sperme à – 200 °C dans une banque de sperme.** Lorsque le sperme de l'homme est particulièrement pauvre en spermatozoïdes, le couple peut avoir recours à un don de sperme.

4 **L'insémination artificielle, une technique de procréation médicalement assistée (PMA).** Cette technique est destinée aux couples dont la femme a des problèmes d'ovulation ou un col de l'utérus empêchant le passage des spermatozoïdes. Elle est aussi proposée à des couples dont l'homme présente un sperme de faible qualité.

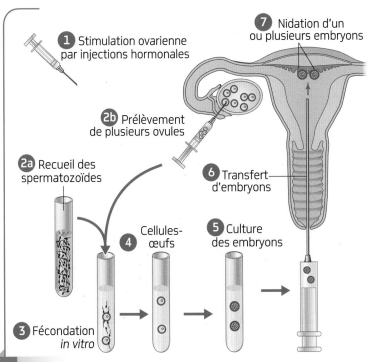

1 Stimulation ovarienne par injections hormonales

7 Nidation d'un ou plusieurs embryons

2b Prélèvement de plusieurs ovules

2a Recueil des spermatozoïdes

6 Transfert d'embryons

4 Cellules-œufs

5 Culture des embryons

3 Fécondation *in vitro*

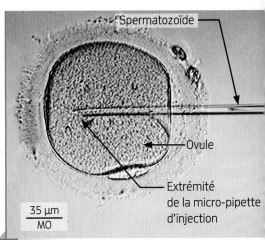

Spermatozoïde

Ovule

Extrémité de la micro-pipette d'injection

$\dfrac{35\ \mu m}{MO}$

7 **Un type particulier de fécondation *in vitro*, l'ICSI.** L'ICSI, ou injection intra-cytoplasmique d'un spermatozoïde, est utilisée dans des situations où l'homme n'a pas suffisamment de spermatozoïdes fécondants. Pour cela, au lieu de laisser se dérouler la fécondation *in vitro*, on injecte directement un spermatozoïde dans l'ovule, sous microscope à l'aide d'une micropipette.

6 **La FIVETE, une technique de procréation médicalement assistée.** La FIVETE (fécondation *in vitro* et transfert d'embryon) est utilisée pour résoudre des problèmes liés à l'ovulation et à la rencontre des gamètes.

Activité

8

Comment accompagner la sexualité de comportements responsables, vis-à-vis de soi et de l'autre ?

↩ Se protéger et protéger autrui contre les infections sexuellement transmissibles

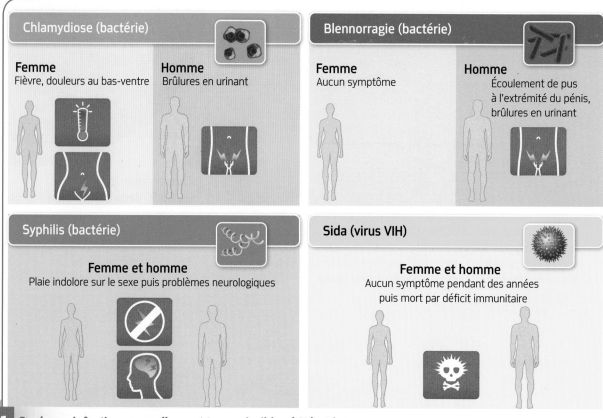

Chlamydiose (bactérie)

Femme
Fièvre, douleurs au bas-ventre

Homme
Brûlures en urinant

Blennorragie (bactérie)

Femme
Aucun symptôme

Homme
Écoulement de pus à l'extrémité du pénis, brûlures en urinant

Syphilis (bactérie)

Femme et homme
Plaie indolore sur le sexe puis problèmes neurologiques

Sida (virus VIH)

Femme et homme
Aucun symptôme pendant des années puis mort par déficit immunitaire

1 **Quelques infections sexuellement transmissibles (IST) et leurs symptômes.** Les IST sont liées à un rapport sexuel non protégé avec un partenaire infecté.

VIH, chlamydia, syphilis... la meilleure défense, c'est le préservatif

Plus d'informations au 0800 840 800 ou sur sida-info-service.org

2 **Campagne de prévention contre les IST.**

3 **Remise du prix Nobel de médecine 2008 à Françoise Barré-Sinoussi, chercheuse française, pour la découverte du VIH.** Luc Montagnier en était colauréat. Depuis la découverte du VIH en 1983, la recherche a progressé avec la mise au point de traitements allongeant l'espérance de vie des malades. Cependant, il n'existe actuellement aucun vaccin contre ce virus.

Fonder ses choix de comportement responsable vis-à-vis de sa santé sur des arguments scientifiques

Se respecter et respecter les autres

4 **Extrait d'un forum : message d'une jeune fille s'interrogeant sur les rapports sexuels.**

J'ai 17 ans, et je sors avec mon copain depuis maintenant 4 mois. Je suis encore vierge, pas lui. Il me dit assez souvent qu'il veut faire l'amour avec moi, qu'il en a vraiment envie. Mais moi j'ai peur que ça se passe mal, de ne pas savoir m'y prendre, et aussi d'avoir mal. Jusqu'à maintenant, il a été patient, mais il commence à insister. Je suis amoureuse de lui et je ne veux pas risquer de le perdre. Comment faire pour passer ce cap qui m'empêche d'être heureuse à 100% avec lui ? J'ai besoin de vos conseils.

5 **Extrait d'un forum : message d'un jeune homme se posant des questions sur son orientation sexuelle.** L'orientation sexuelle est définie par le sexe par lequel un individu est attiré, il s'agit de l'hétérosexualité, la plus fréquente, l'homosexualité et la bisexualité. L'orientation sexuelle relève de l'intimité des personnes et donc de la sphère privée. La **discrimination*** fondée sur l'orientation sexuelle d'un individu est réprimée par la loi.

Bonjour, je m'appelle Boris et j'ai 16 ans. Avec les filles, j'assure, il n'y a pas de problème … heureusement d'ailleurs, je suis normal. Mais depuis quelques mois, je n'arrête pas de penser à un garçon qui vient d'arriver à mon club de sport. Il ne sort plus de ma tête et il m'attire beaucoup physiquement. Je n'ose en parler à personne car j'ai peur que les gens se moquent de moi. Que dois-je faire ? Qui peut m'aider ? Je suis perdu…

6 **Des sites et des lieux d'information.** Ce site www.onsexprime.fr, et un lieu comme le planning familial, permettent d'avoir des informations et des échanges sur les interrogations liées à la sexualité.

 **DICO SCIENCES**

*Discrimination : traiter différemment quelqu'un par rapport au reste d'un groupe.

L'essentiel

par le texte

⦿⦿⦿⦾ L'acquisition de la fonction de reproduction à la puberté

> Au cours de la **puberté**, le corps se transforme et l'appareil reproducteur devient fonctionnel. L'individu commence à produire des gamètes ou cellules reproductrices (**spermatozoïde** ou **ovule**). Les caractères sexuels secondaires, permettant de distinguer les sexes, se développent.

> Chez l'homme, les **testicules** produisent en continu les spermatozoïdes. Chez la femme, tous les 28 jours environ, un **ovaire** libère un ovule lors de l'**ovulation**. La **muqueuse utérine** présente une épaisseur qui varie selon un cycle d'environ 28 jours. Le début du cycle est marqué par les **règles**. Autour du 14e jour survient l'ovulation.

> Un rapport sexuel autour de la période de l'ovulation peut donner lieu à l'union d'un spermatozoïde et d'un ovule lors de la **fécondation**. La **cellule-œuf** qui en résulte se multiplie et devient un embryon, puis un fœtus, qui se développe dans l'utérus. Au terme de la grossesse, qui dure neuf mois, l'accouchement permet la naissance du nouvel individu.

ACTIVITÉS

1 p. 304
2 p. 306
3 p. 308
4 p. 310
5 p. 312

⦿⦿⦿⦾ Le contrôle hormonal de la fonction de reproduction

> L'appareil reproducteur est contrôlé par des **hormones** : ce sont des substances produites par un organe, agissant à distance sur un autre organe cible et transportées par le sang. Chez l'homme, une zone du cerveau contrôle les testicules grâce à des **hormones cérébrales**. En réponse, les testicules produisent une **hormone sexuelle**, la testostérone, qui stimule l'apparition et le maintien des caractères sexuels secondaires. Chez la femme, des **hormones cérébrales** agissent sur les ovaires. Ces derniers produisent alors des hormones sexuelles, les œstrogènes et la progestérone, qui contrôlent l'utérus. Les règles sont dues à la diminution de la teneur sanguine en hormones ovariennes.

ACTIVITÉS

2 p. 307
4 p. 311

⦿⦿⦿⦿ Des comportements responsables

> Les relations sexuelles peuvent entraîner une grossesse non désirée, ou transmettre des **infections sexuellement transmissibles (IST)** ; elles doivent donc être accompagnées de **comportements responsables** de la part des deux partenaires comme l'utilisation du préservatif et le recours à des **méthodes contraceptives**.

> Les techniques de **procréation médicalement assistée (PMA)** permettent d'aider les couples infertiles à concevoir un enfant. Elles se basent sur les connaissances acquises sur la reproduction humaine.

ACTIVITÉS

6 p. 314
7 p. 316
8 p. 318

MOTS-CLÉS

• Spermatozoïde • Ovule • Cellule-œuf • Fécondation • Puberté • Hormone •
IST • PMA • Infertilité

par l'image

Reproduction et comportement sexuel responsable

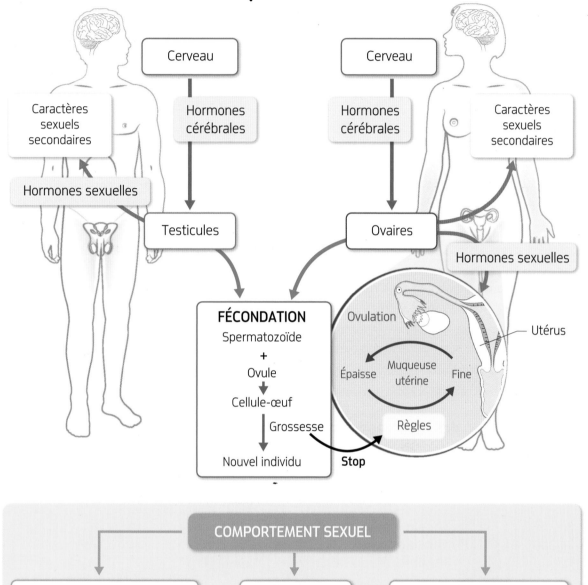

Cerveau

Caractères sexuels secondaires

Hormones cérébrales

Hormones sexuelles

Testicules

Cerveau

Hormones cérébrales

Ovaires

Caractères sexuels secondaires

Hormones sexuelles

FÉCONDATION

Spermatozoïde
+
Ovule
↓
Cellule-œuf
↓ Grossesse

Nouvel individu

Stop

Ovulation

Utérus

Épaisse   Muqueuse utérine   Fine

Règles

COMPORTEMENT SEXUEL

Responsable
• se protéger : contre les IST
• respecter le partenaire

Dépendant
• de l'individu

Maîtrisé
• choisir : contraception
• remédier à l'infertilité : PMA

Mon bilan de fin de cycle

Attendus

> Pour relier le fonctionnement des appareils reproducteurs à partir de la puberté aux principes de la maîtrise de la reproduction :
• j'explique comment les hormones de la pilule permettent d'éviter une grossesse ;
• je relie des techniques de PMA à des troubles des appareils reproducteurs.

> Pour expliquer sur quoi reposent les comportements responsables dans le domaine de la sexualité :
• je présente des moyens de lutter contre les IST et d'éviter une grossesse non désirée.

JE TESTE *mes connaissances*

1 Mémoriser le vocabulaire du chapitre ○ ● ○

Associer chaque définition au mot qui lui correspond.
a. Lieu où a lieu la fécondation.
b. Partie de l'utérus dont l'épaisseur varie.
c. Phénomène ayant lieu autour du 14e jour du cycle féminin.
d. Émission de sperme.

1. Ovulation   2. Trompe   3. Éjaculation   4. Muqueuse

2 Remue-méninges ○ ○ ●

Écrire une phrase avec les mots de chaque ligne.
a. PMA – couple – infertilité
b. IST – préservatif – protection
c. hormone sexuelle – pilule – contraceptif

3 MOT CACHÉ ○ ● ○

Recopier et **compléter** la grille pour retrouver le mot caché.

a : Organe appartenant à l'appareil génital de l'homme.
b : Organe fabriquant les spermatozoïdes.
c : Peau entourant les testicules.
d : Écoulement de sang chez la femme arrivant environ 1 fois par mois.
e : Organe où se déroule la grossesse.
f : Implantation de l'embryon dans l'utérus.
g : Organe contenant les ovules.

JE TESTE *mes compétences*

4 Proposer une ou des hypothèses pour résoudre un problème ○ ● ○

Le syndrome des testicules cachés est une maladie qui entraîne une stérilité à l'âge adulte.

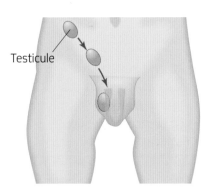

Testicule

1 Migration des testicules lors du développement du fœtus. Vers le milieu de la grossesse, chez un fœtus mâle, les testicules, initialement en position abdominale, migrent dans les bourses. La température y est d'environ 34 °C. Lorsque les testicules ne migrent pas, l'individu est atteint du syndrome des testicules cachés.

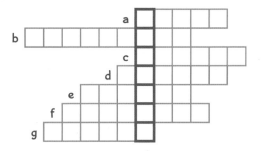

Spermatozoïdes

100 µm
MO

Coupe de tube séminifère d'individu fertile

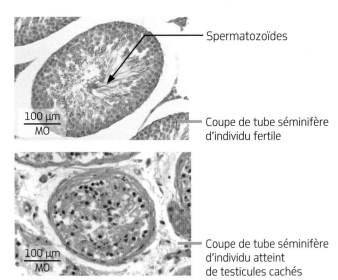

100 µm
MO

Coupe de tube séminifère d'individu atteint de testicules cachés

2 Coupes transversales de tubes séminifères chez un individu fertile et chez un individu atteint du syndrome des testicules cachés. La formation des spermatozoïdes ne se déroule pas correctement à 37 °C. Elle ne peut se faire que si la température du testicule est d'environ 34 °C.

➔ À l'aide des document, **expliquer** les causes de cette maladie et l'origine de cette stérilité.

5 Communiquer sur ses démarches en argumentant ◯◉◯

Un garçon de 17 ans souffre d'un retard de puberté. Sa pilosité n'est pas développée,
sa voix n'a pas mué et sa croissance est ralentie.
Le médecin demande une série de tests ; il propose, après les résultats,
un traitement à base d'injections d'hormones cérébrales par voie sanguine.

Teneur sanguine / État de l'individu	Hormones cérébrales (UA)	Testostérone (UA)
Pubère	entre 2 et 10	entre 3 et 12
Souffrant d'un retard de puberté	0,9	0,8

Résultats des tests.

➡ En utilisant le document et ses connaissances, **montrer** que le traitement proposé
est pertinent, puis **expliquer** comment ce traitement permet à l'individu de devenir pubère.

6 Proposer une ou des hypothèses
pour résoudre un problème ou une question ◯◯◉

La pilule du lendemain est une contraception d'urgence. Elle doit être utilisée le plus tôt possible
après un rapport sexuel éventuellement fécondant, de préférence dans un délai de 12 heures,
pouvant aller jusqu'à 3 jours au maximum. En France, la loi impose aux pharmacies la délivrance
gratuite de la pilule du lendemain aux femmes mineures. Elle peut également être donnée
aux lycéennes par les infirmières scolaires et les plannings familiaux.

Évolution de la concentration en hormone
cérébrale chez une jeune fille de 17 ans.

➡ **Exploiter** le document pour formuler une hypothèse
sur le mode d'action de la pilule du lendemain.

Organiser une conférence-débat

1. S'exprimer en utilisant la langue française à l'écrit
2. Coopération et réalisation de projets
3. Responsabilité, sens de l'engagement et de l'initiative
4. Conception, création, réalisation

Une conférence permet de créer un moment d'information et de dialogue autour d'un thème.
C'est l'occasion de faire intervenir un-e spécialiste et d'organiser un débat.

> Choisir un thème de conférence et un intervenant, le-a conférencier-ère

● **Choix du thème**

BOÎTE À THÈME EPI

– Alimentation et entraînement.
– Médecine, sport et biotechnologies.
– Campagnes de protection (ouïe, par exemple) ou de prévention (consommation de tabac, par exemple).
– Maîtrise de la reproduction dans différents pays.
– Vision et création artistique.
– Propagation de la lumière, couleurs.

Le thème de la conférence est important : le plus grand nombre de personnes doit être intéressé. Une fois le thème trouvé, en discuter avec ses camarades est un bon moyen de s'assurer que c'est un choix judicieux : si aucun d'eux n'accroche, il vaut mieux changer de thème.

● **Choix de l'intervenant-e**

L'intervenant-e joue un grand rôle : une intervention pertinente peut laisser un excellent souvenir de votre conférence. Chercher une personne dont le métier est en lien direct avec le thème choisi.

Le conseil en +

Une conférence-débat dure 1 h à 1 h 30. Elle comprend deux phases : le ou les conférencier(s) présentent d'abord un exposé d'une trentaine de minutes, souvent à l'aide d'un diaporama numérique. Ensuite s'ouvre le débat au cours duquel le public est invité à poser des questions et faire des remarques.

> Choisir un lieu, une date

Trouver dans le collège un lieu où se déroulera la conférence : cela peut être une grande salle de classe ou le réfectoire. La taille de la salle détermine le nombre de personnes pouvant y assister. Penser à demander l'accord de la ou du chef d'établissement pour réserver la salle.

Choisir ensuite une date et un horaire. Pour qu'un maximum de collégiens se déplacent à la conférence, privilégier un horaire après la fin des cours, vers 17 h 30 – 18 h 00.

Le conseil en +

Laissez-vous environ un mois et demi pour organiser la conférence-débat.

> Préparer l'intervention du conférencier ou de la conférencière

Contacter le-a conférencier-ère et lui présenter le projet. Ne pas oublier de lui indiquer la date.

Définir, ensemble, le contenu et la durée de l'intervention (maximum de 30 minutes pour que l'auditoire reste attentif).

Si plusieurs conférencier-ère-s interviennent, prévoir la même durée d'intervention pour chacun.

Le conseil en +

Pendre contact avec l'intervenant-e dès que la date de la conférence est fixée. Une semaine avant la conférence, relancer le conférencier.

> Gérer la logistique pour la conférence

● Communiquer sur la conférence

Pour que de nombreuses personnes participent, il est important de communiquer autour de la conférence :
– réaliser une campagne d'affichage au sein du collège ;
– demander l'autorisation d'informer chaque classe ;
– rédiger un article dans le journal du collège ;
– utiliser les réseaux sociaux.

Ne pas oublier de préciser la date, le lieu, le thème et le nom du conférencier ou de la conférencière.

● Matériel

Lors de la conférence, il est possible que l'intervenant-e ait besoin d'un ordinateur et d'un vidéoprojecteur. Selon la taille de la salle, un micro pour le-a conférencier-ère et un autre pour le public (pour poser des questions) seront peut-être nécessaires.

Bien repérer la salle avant la conférence, compter le nombre de chaises.

> Mener la conférence-débat

Avant le début de la conférence, vérifier que les chaises pour le public sont bien disposées, que le vidéoprojecteur et les micros fonctionnent.

Pour lancer la conférence, commencer par présenter rapidement le thème puis l'intervenant-e, en évitant d'écorcher son nom.

Durant le débat, donner la parole à l'auditoire (une personne doit se déplacer dans la salle pour faire passer le micro) et gérer le temps de parole de chacun. Si le public n'ose pas intervenir, commencer par poser des questions préparées à l'avance.

À la fin de la conférence-débat, remercier le-a conférencier-ère ainsi que tous les participant-e-s, puis ranger la salle.

> Garder la trace de la conférence et la diffuser

Si la conférence a été enregistrée ou filmée, prévoir de la mettre en ligne sur l'ENT. Cela peut aussi être l'occasion de rédiger un article pour la gazette du collège.

Parcours avenir
DES MÉTIERS

Ambulancier/ambulancière

La plupart du temps, les **ambulanciers-ères** sont salarié-e-s de petites entreprises et ont des **horaires irréguliers**. Il faut s'attendre à travailler parfois la nuit, le week-end et les jours fériés.

Principales activités
- Transporter des personnes blessées ou malades vers un établissement hospitalier et les aider à s'installer dans le véhicule.
- Surveiller l'état du patient après discussion avec les médecins ou les infirmiers.
- Assurer des tâches administratives : vérifier que le patient dispose d'une prescription médicale pour le transport, par exemple.

Compétences requises
- Avoir une conduite prudente.
- Avoir une bonne condition physique car certaines interventions sont éprouvantes.
- Être réactif-ve : certaines situations doivent être gérées dans l'urgence, avec calme.

Études nécessaires
- Il faut détenir un permis de conduire (catégorie B) depuis au moins trois ans et avoir un diplôme d'état d'ambulancier-ère. Il s'obtient après une formation de 18 semaines, accessible sans condition de diplôme.

Opticien/opticienne lunetier

L'**opticien-ne**, au-delà de l'aspect commercial du métier, doit aussi être capable, par exemple, de **polir des verres** ou de les **insérer** dans les montures.

Principales activités
- Aider les clients à choisir leurs lunettes ou lentilles.
- Effectuer des mesures ou ajustements pour centrer, ajuster les verres.
- Rendre la boutique accueillante en mettant en valeur ses produits.

Compétences requises
- Être minutieux-se et précis-e pour mesurer la taille des verres à poser ou montrer comment poser des lentilles.
- Avoir le sens commercial pour inciter le client à acheter un produit adapté.
- Gérer les stocks et commander les produits.

Études nécessaires
- Niveau Bac + 2 : BTS *Opticien lunetier*.

Technicien/technicienne biologiste

Le-la **technicien-ne biologiste** peut **travailler dans un laboratoire** d'analyses médicales, de recherche mais également **dans le secteur industriel** (domaine de l'environnement, cosmétique, pharmaceutique, etc.).

Principales activités
- Effectuer différentes analyses biologiques selon des protocoles élaborés par le-la responsable.
- Rédiger des comptes rendus d'analyses.
- Mettre en service et assurer la maintenance du matériel utilisé.

Compétences requises
- Disposer de bonnes connaissances en biologie et être capable de manipuler avec précision.
- Maîtriser l'informatique.
- Connaître les normes de sécurité pour manipuler certains produits.

Études nécessaires
- Niveau Bac + 2 : BTS *Analyses de biologie médicale* ou DUT *Génie biologique*.
- Niveau Bac + 3 : licence professionnelle en biologie ou en biochimie.

Chirurgien/chirurgienne

Principales activités
- Recevoir les patients en consultation préopératoire et poser un diagnostic.
- Pratiquer des interventions chirurgicales selon sa spécialité et diriger l'équipe du bloc opératoire.
- Assurer le suivi postopératoire des patients.

Compétences requises
- Être habile et précis-e pour mener à bien une intervention, sans mettre en danger la vie du patient.
- Avoir le sens de la communication pour rassurer les patients.
- Avoir le sens des responsabilités.

Études nécessaires
- Bac + 11 : après le bac, la formation commence par une première année commune aux études de santé. Cette première année se termine par un concours très sélectif.

> Dans le domaine de la chirurgie, il existe de **nombreuses spécialités** : neurochirurgien-ne (système nerveux), chirurgien-ne cardiaque (cœur), chirurgien-ne orthopédiste (squelette), chirurgien-ne pédiatre (spécialisé-e dans les interventions des nourrissons et des enfants), etc.

Masseur/masseuse kinésithérapeute

Principales activités
- Prendre connaissance de l'état du patient, à partir d'un courrier du médecin ou de résultats d'examens.
- Utiliser des techniques variées pour traiter le patient : massages, étirements avec ou sans poids.
- Estimer le nombre de séances à pratiquer pour remédier au trouble.

Compétences requises
- Avoir une bonne résistance physique pour manipuler des personnes de corpulence variée.
- Avoir le sens du contact pour rassurer les patients, les conseiller et les motiver dans leur parcours de soin.
- Être attentif-ve car une erreur de manipulation peut aggraver le souci de santé du patient.

Études nécessaires
- Bac + 4 : le diplôme d'état de masseur-se kinésithérapeute se prépare en trois ans après une année préparatoire (première année commune aux études de santé, première année de licence de biologie).

> Un-e **masseur-se kinésithérapeute** peut, après concours, devenir responsable d'un service dans un établissement hospitalier ou **enseigner** dans une école paramédicale.

Filière d'avenir
Le génie génétique

■ Le génie génétique est défini par des procédés de biologie moléculaire permettant d'identifier, d'isoler, de modifier et de transférer des gènes d'un organisme à un autre. Les applications sont multiples et concernent de nombreux secteurs d'activité comme :
- l'agroalimentaire ;
- les cosmétiques ;
- la recherche pharmaceutique ;
- la santé.

■ Les applications en recherche médicale sont aussi nombreuses : la vaccination et production d'hormones de synthèse résultent du génie génétique. Le développement des thérapies géniques ou cellulaires laissent espérer, dans un futur proche, des thérapies ciblées et personnalisées pour les malades.

Des exemples de métiers
► Technicien-ne supérieur-e spécialisé-e dans les bio-industries.
► Conseiller-ère en développement pharmaceutique.
► Ingénieur-e de recherche.
► Chercheur-se en biologie.

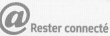 **Rester connecté**
http://www.culturecommunication.gouv.fr/
http://www.rh.inserm.fr/
http://www.onisep.fr/Decouvrir-les-metiers/

Sommaire

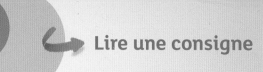

Fiche Méthode

1 **Lire une consigne**

Il est très important, lors d'une activité ou d'une évaluation, de bien lire une consigne.

Quelques exemples de consignes
■ Décrire la structure d'une cellule végétale.
■ Citer deux exemples de relations qui s'établissent entre deux espèces animales d'un écosystème.
■ Montrer que les feuilles représentent une grande surface de contact entre l'air et la plante.

> Pour comprendre une consigne

1. Lire la consigne en entier.

2. Repérer les mots importants :

    a. Le(s) verbe(s) d'action : il(s) renseigne(nt) sur le travail à faire.

    b. Les mots clés : ils permettent d'éviter de répondre hors-sujet.

■ Décrire la **structure** d'une **cellule végétale**.
■ Citer deux exemples de **relations** qui s'établissent entre deux **espèces animales** d'un **écosystème**.
■ Montrer que les **feuilles** représentent une grande **surface de contact** entre l'air et la plante.

> Signification des principaux verbes d'action

– **Citer** : énoncer précisément un ou plusieurs éléments, sans donner d'explication.

– **Comparer** : présenter les points communs et différences entre plusieurs éléments.

– **Conclure** : résumer les éléments de sa démarche dans un bilan concis.

– **Décrire** : dire ce que l'on voit, sans donner d'explication.

– **Déduire** : établir une conséquence logique.

– **Expliquer** : faire comprendre en reliant la cause et la conséquence.

– **Exploiter un document** : décrire le document puis faire une déduction à partir des informations qu'il apporte.

– **Identifier** : déterminer la nature de quelque chose.

– **Indiquer** : donner un renseignement.

– **Justifier** : trouver dans ses connaissances ou dans des documents les éléments qui montrent la réalité d'une affirmation.

– **Montrer que/démontrer que** : retrouver par un raisonnement le résultat qui est clairement énoncé dans la consigne.

– **Prouver** : apporter une preuve.

Construire un tableau de comparaison

Certaines activités nécessitent de comparer des éléments tirés d'un texte. Un tableau à double entrée permet de présenter cette comparaison.

 Méthode

● **Déterminer le nombre de lignes et de colonnes du tableau**

– Repérer dans la consigne les éléments que l'on souhaite comparer et les critères de comparaison.

– Lire le texte et chercher combien d'éléments on doit comparer et combien il y a de critères de comparaison.

– *Remarque* : le tableau comporte autant de colonnes que d'éléments à comparer (plus une pour la colonne de titres) et autant de lignes que de critères de comparaison (plus une pour la ligne de titres).

● **Construire le tableau**

– Tracer à la règle un tableau avec le bon nombre de lignes et de colonnes.

– Séparer la case en haut à gauche en deux et en diagonale : c'est la case double entrée. Indiquer dans les deux parties de cette case le titre des colonnes (éléments à comparer) et celui des lignes (critères de comparaison).

– Noter les intitulés des colonnes et des lignes. Préciser éventuellement les unités.

– Remplir le tableau : placer les informations dans les cases, à l'intersection de la ligne et de la colonne qui leur correspondent.

– Ajouter un titre commençant par : « Tableau présentant … ».

 Exemple

Énoncé	Brouillon
Construire un tableau pour comparer les caractéristiques des deux planètes présentées dans le texte.	D'après la consigne, les deux planètes sont les éléments à comparer et leurs caractéristiques sont les critères de comparaison.
Parmi les huit planètes du système solaire, celle qui ressemble le plus à la Terre est Vénus. En effet, Vénus possède un diamètre à l'équateur de 12 102 kilomètres, une température moyenne de surface de 460 °C et une distance au Soleil de 108 millions de kilomètres. En comparaison, la Terre possède un diamètre à l'équateur de 12 756 kilomètres, une température moyenne de surface de 15 °C et une distance au Soleil de 150 millions de kilomètres.	Il y a deux planètes à comparer : Vénus et la Terre. Il y a trois critères de comparaison : *diamètre*, *distance au Soleil* et *température moyenne*. Le tableau possède donc 2 + 1 = 3 colonnes et 3 + 1 = 4 lignes.

Exemple de réponse

Case double entrée

Caractéristique \ Planète	Terre	Vénus
Diamètre à l'équateur (km)	12 756	12 012
Température moyenne de surface (°C)	15	460
Distance au Soleil (million de km)	150	108

Critères de réussite

- Le nombre de lignes et de colonnes est cohérent.
- Le titre des lignes et des colonnes est pertinent.
- Le contenu des cases est exact.
- Le titre est cohérent.
- Le tableau est soigné.

Tableau présentant les caractéristiques de deux planètes

Fiche Méthode

Une courbe présente des données chiffrées et permet de visualiser facilement leur évolution. On peut construire une courbe à partir d'un tableau qui présente des couples de valeurs.

> Exemple

Un couple de valeurs

Heure de la journée	0	4	8	12	16	20	24
Température (°C)	11	12	18	21	22	19	13

> Méthode

Pour construire deux axes gradués :
– Construire deux axes perpendiculaires. L'axe vertical correspond à la grandeur étudiée.
– Choisir une origine, une échelle pour les axes, selon les valeurs du tableau.
– Graduer les axes régulièrement, en respectant cette échelle.
– Indiquer la grandeur représentée et son unité à l'extrémité des axes.

Pour positionner un couple de valeurs :
– Repérer la bonne valeur sur l'axe horizontal (abscisses) et construire une ligne pointillée verticale passant par cette valeur.
– Repérer l'autre valeur sur l'axe vertical (ordonnées) et construire une ligne pointillée horizontale passant par cette autre valeur.
– L'intersection de ces lignes pointillées correspond à un point de la courbe.

Procéder de même pour tous les couples de valeurs.

Relier, à main levée, les points obtenus.

Ajouter un titre à la courbe, selon le modèle suivant : Évolution de « AXE VERTICAL » en fonction de « AXE HORIZONTAL ».

Critères de réussite

- Les axes sont correctement gradués.
- Tous les points du tableau sont correctement positionnés.
- La courbe est tracée à main levée.
- La courbe présente un titre correct.

Application

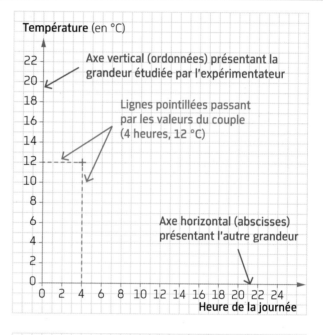

Axe vertical (ordonnées) présentant la grandeur étudiée par l'expérimentateur

Lignes pointillées passant par les valeurs du couple (4 heures, 12 °C)

Axe horizontal (abscisses) présentant l'autre grandeur

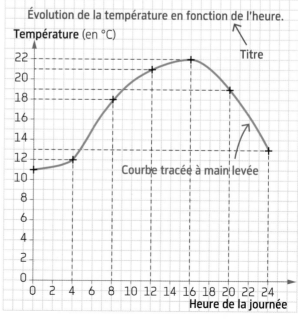

Évolution de la température en fonction de l'heure.

Titre

Courbe tracée à main levée

Décrire une courbe

Décrire une courbe revient à présenter l'évolution de la grandeur étudiée.

> Exemple

Le graphique ci-dessous montre l'évolution de la masse d'un manchot pendant les premières semaines de sa vie.

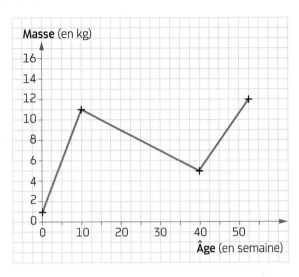

Critères de réussite

- Il y a autant de phrases que de segments dans la courbe.
- Chaque phrase comporte le bon verbe.
- Chaque phrase comporte des données chiffrées exactes, avec les unités.

> Méthode	**Application**
● Au brouillon	**Brouillon**
– Commencer par compter le nombre de segments qu'il y a dans la courbe : il faudra rédiger autant de phrases qu'il y a de segments.	La courbe est faite par trois segments. La description de la courbe comprend donc trois phrases. 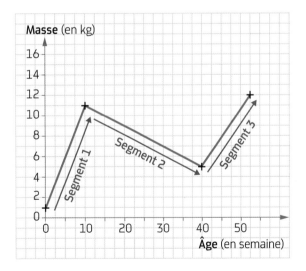
● Rédaction	
– Rédiger une phrase par segment de courbe.	
– Chaque phrase comporte l'un des verbes suivants : *augmenter, diminuer* ou *rester stable*.	**Exemple de réponse**
– Chaque phrase indique le moment de début et de fin et les valeurs du phénomène mesuré.	De 0 à 10 semaines, la masse du manchot augmente : elle passe de 1 kg à 11 kg.
– <u>Remarque</u> : c'est le phénomène mesuré sur l'axe vertical qui évolue ; il ne faut donc pas dire que la courbe augmente ou diminue, mais que la grandeur étudiée augmente ou diminue.	De 10 à 40 semaines, la masse du manchot diminue jusqu'à 5 kg. De 40 à 52,5 semaines, elle augmente jusqu'à 12 kg.

5 → Mettre en relation les informations issues de plusieurs documents

Certaines activités nécéssitent de répondre à un problème à partir de plusieurs documents.
Il faut donc mettre en relation les informations issues de ces documents.

Méthode

● **Préparer un brouillon**

– Lire plusieurs fois le problème et les documents.

– Noter l'idée essentielle apportée par chaque document en lien avec le problème. Une idée peut être apportée par un seul document ou par la mise en relation de plusieurs.

– Établir un ordre logique d'exploitation des documents pour trouver une démarche de résolution.

● **Rédiger la réponse**

– Organiser la réponse en plusieurs paragraphes : un pour chaque idée essentielle.

– Faire attention à ce que chaque paragraphe présente les informations puis l'idée essentielle des documents.

– Terminer par un court bilan, qui répond directement au problème.

> Exemple

Énoncé	Brouillon
Alexis a 15 ans, il est peu sportif et mange beaucoup. Sa mère lui conseille de faire attention à ce qu'il mange afin de préserver sa santé. **Problème :** *Comment l'alimentation d'Alexis met-elle sa santé en danger ?*	Le document **1** montre l'apport énergétique des repas d'Alexis au cours d'une journée. Au total : 3 451,5 kcal/jour.

Doc 1 : L'alimentation d'une journée classique d'Alexis

Petit déjeuner : 748 kcal	Déjeuner : 1 sandwich de 210 g (509 kcal) 500 mL de soda (205 kcal) 135 g de frites (443,5 kcal) 1 glace chocolat de 150 g (330 kcal)	Goûter : 305 kcal
		Dîner : 911 kcal

Le document **2** montre qu'Alexis a besoin de 3 000 kcal par jour.

Idée essentielle des documents 1 et 2 : l'alimentation d'Alexis lui fournit plus d'énergie qu'il ne lui en faut.

Doc 2 : Les apports énergétiques quotidiens recommandés

Âge	Hommes	Femmes
10 ans	2 000 kcal/j	1 800 kcal/j
15-20 ans	3 000 kcal/j	2 800 kcal/j
20-45 ans	2 500 kcal/j	2 300 kcal/j
45-65 ans	2 200 kcal/j	2 000 kcal/j
> 65 ans	2 000 kcal/j	1 800 kcal/j

Doc 3 : Des troubles liés à l'alimentation

• Une alimentation qualitativement pauvre en certains éléments peut être à l'origine de carences alimentaires.

• Une alimentation en excès, avec des apports énergétiques supérieurs aux besoins, peut être à l'origine de l'obésité, dangereuse pour la santé.

Le document **3**, enfin, montre qu'une alimentation en excès peut provoquer l'obésité, qui est dangereuse.

Idée essentielle : Alexis peut devenir obèse.

Exemple de réponse

– Dans le document **1**, on constate que l'alimentation d'Alexis lui fournit 3 451,5 kcal en une journée. Or, d'après le document **2**, l'alimentation d'un jeune garçon de 15 ans, comme Alexis, devrait lui fournir 3 000 kcal/jour. On peut ainsi déduire que l'alimentation d'Alexis lui fournit trop d'énergie.

– D'après le document **3**, une alimentation en excès est à l'origine de l'obésité. Ainsi, Alexis pourrait devenir obèse s'il continue de manger autant.

Alexis consomme plus d'aliments qu'il ne devrait. Cela peut être à l'origine d'une future obésité, dangereuse pour sa santé.

Critères de réussite

● La réponse est organisée en plusieurs paragraphes.

● Chaque paragraphe comprend des informations issues d'un ou plusieurs documents.

● Chaque document comprend une idée essentielle en lien avec le problème.

● Les documents sont exploités dans un ordre logique.

● La réponse se termine par un court bilan qui récapitule la réponse au problème.

6 Construire une carte mentale

Une carte mentale est une représentation de toutes les idées autour d'un sujet, et des relations existant entre ces idées. Elle donne à la fois une vision d'ensemble et une vision détaillée. Elle est personnelle et représente la manière dont on pense. On peut réaliser une carte mentale sur tous les sujets.

> Exemple

Construire la carte mentale de la recette du gâteau au yaourt.

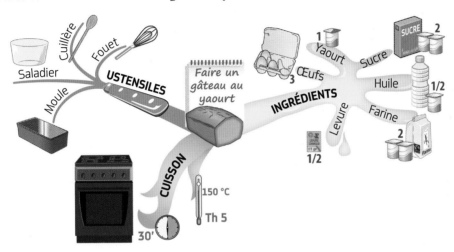

> Méthode	Brouillon
– Indiquer le sujet central au mileu de la feuille.	**Sujet central :** le gâteau.
– Relier le sujet aux différentes idées principales par des grosses branches.	
– Noter le nom de l'idée principale sur les grosses branches, en les faisant ressortir en lettres capitales, par exemple.	**Idées principales :** USTENSILES, INGRÉDIENTS et CUISSON.
– Chaque branche doit avoir une couleur différente et peut prendre la forme d'un dessin représentant l'idée. Il est préférable de les représenter de manière courbe, car cela rend la lecture plus fluide.	
– Prolonger les grosses branches par des petites branches pour indiquer des idées secondaires en rapport avec l'idée principale. Noter l'idée secondaire en lettres minuscules.	**Idées secondaires :** USTENSILES : fouet, cuillère, saladier et moule. INGRÉDIENTS : œufs, yaourt, sucre, huile, faine, levure. CUISSON : 30 minutes, thermostat 5 (150 °C).
– Numéroter, si besoin, les idées lorsqu'il existe un sens de lecture ou d'exécution.	
– Ajouter des illustrations sur la carte mentale afin de la rendre plus agréable à lire et encore plus personelle.	

Réaliser un dessin d'observation

Un dessin d'observation est une représentation fidèle de la réalité. Il respecte la forme générale et les proportions de l'objet observé, ainsi que ses principales caractéristiques. C'est un outil de communication : il contient des informations scientifiques (légendes, titre).

> Méthode

● Préparer le dessin

– Prendre une feuille blanche, un crayon à papier bien taillé et une gomme, car le dessin, les légendes et le titre seront réalisés au crayon à papier.

● Observer/repérer les informations utiles de l'objet à dessiner

Pour dessiner le plus fidèlement possible un objet, il faut d'abord bien l'observer et repérer :

– sa forme générale ;

– les différents éléments qui le composent ;

– les relations qui existent entre les différents éléments.

● Réaliser le dessin d'observation

– Commencer par tracer la forme générale de l'objet en respectant ses proportions. Il est important que l'objet dessiné soit suffisamment grand et au centre de la feuille.

  Attention à ne pas appuyer trop fort sur le crayon pour pouvoir effacer si besoin.

– Dessiner ensuite les éléments qui composent l'objet observé. Pour dessiner exactement ce que l'on voit, de fréquents allers-retours entre l'objet observé et le dessin sont nécessaires.

– Terminer le dessin par les détails de chaque élément.

● Indiquer les légendes et le titre

– Les légendes sont placées sur l'un des côtés du dessin, de préférence à droite.

– Les traits de légende sont horizontaux et tracés à la règle. Ils ne doivent pas se croiser.

– Le titre est complet : il indique l'objet dessiné, et éventuellement le mode d'observation et le grossissement.

> Exemple de dessin d'observation

Doc 3 p. 129

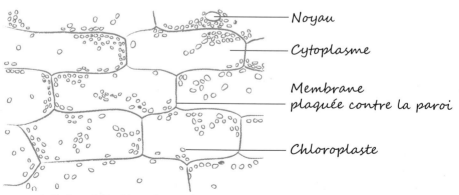

Cellules d'élodée, observées au microscope optique
(grossissement : 100)

légendes :
Noyau
Cytoplasme
Membrane plaquée contre la paroi
Chloroplaste

Une cellule, ayant une petite taille, ne peut être observée qu'au microscope. Il existe deux grandes catégories de microscopes.

> Le microscope optique (ou photonique)

Avec un microscope optique, l'échantillon à observer est traversé par de la lumière. L'échantillon, déposé sur une lame, peut être coloré afin d'obtenir un meilleur contraste. Ce type de microscope grossit efficacement jusqu'à 1 000 fois la taille de l'échantillon ; au-delà, les images deviennent floues.

➡ Dans le manuel, les photographies d'objets observés au microscope optique sont repérées par le symbole ‾‾MO‾‾

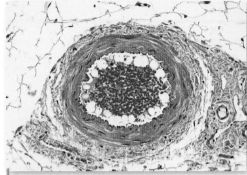

Observation au microscope optique d'un vaisseau sanguin contenant des globules rouges, dans un muscle.

> Le microscope électronique

Un microscope électronique n'utilise pas de lumière, mais un faisceau d'électrons qui traverse l'échantillon ou qui balaie sa surface.

Les microscopes électroniques les plus perfectionnés permettent de grandir l'échantillon plus de 1 000 000 de fois. L'image obtenue est en noir et blanc. Elle est éventuellement colorisée par l'expérimentateur, à l'aide d'un traitement informatique, qui génère de fausses couleurs.

Il existe deux catégories de microscopes électroniques : à transmission et à balayage.

– Dans un microscope électronique à transmission, des électrons traversent l'échantillon. L'image obtenue montre l'intérieur de l'échantillon.

➡ Dans le manuel, les photographies d'objets observés au microscope électronique à transmission sont repérées par le symbole ‾‾MET‾‾

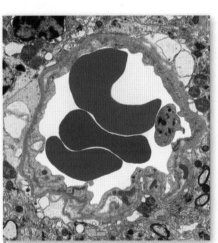

Observation au microscope électronique à transmission d'un vaisseau sanguin contenant trois globules rouges, dans un muscle.

– Dans un microscope électronique à balayage, des électrons balaient la surface de l'échantillon. Ce microscope permet d'obtenir des images tridimensionnelles des objets.

➡ Dans le manuel, les photographies d'objets observés au microscope électronique à balayage sont repérées par le symbole ‾‾MEB‾‾

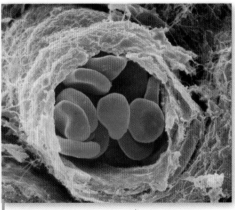

Observation au microscope électronique à balayage d'un vaisseau sanguin contenant des globules rouges, dans un muscle.

Fiche Technique

↪ Utiliser le logiciel *Google Earth*® (version 7)

Google Earth® est un logiciel permettant de visualiser la Terre depuis l'espace ou à quelques mètres du sol.

Barre de menu — Barre d'outils — Menu de commandes —

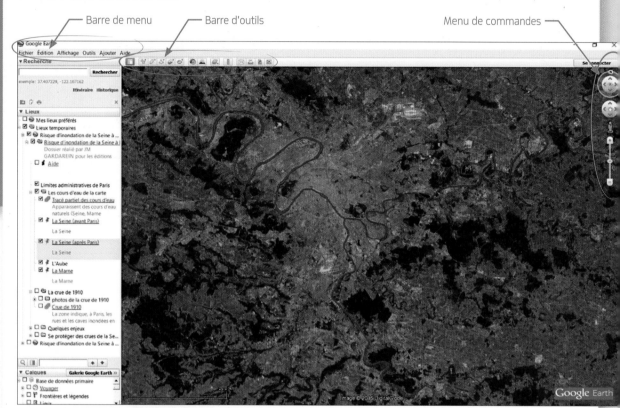

> Barre de Menu

Fichier Édition Affichage Outils Ajouter Aide

– Pour ouvrir un fichier de données .kmz .kml.

– Pour enregistrer un dossier au format .kmz ou .kml.

> Menu Recherche

– Pour rechercher et localiser un lieu grâce à son nom ou ses coordonnées géographiques.

> Menu Lieux

– Les fichiers .kmz sont ouverts dans le sous-menu **Lieux temporaires**, et ne sont pas enregistrés à la fermeture du logiciel.

– Le symbole **+** signifie qu'il existe plusieurs éléments dans le dossier. En cliquant sur **+** le contenu du dossier s'affiche.

– Un double-clic sur le nom d'un objet permet de déplacer la carte vers cet objet.

– Pour plus de lisibilité, éviter de superposer trop de données.

> Menu de Commandes

Inclinaison de l'image, orientation par rapport au Nord en cliquant sur **N**.

Déplacement droite/gauche/avant/arrière.

Curseur de zoom.

> Les principales fonctions de la Barre d'outils

1 : Permet de masquer la barre latérale (menus recherche, lieux et calques).

2 : Ajouter un repère sur la carte, que l'on peut déplacer, nommer, etc.

3 : Ajouter un polygone sur la carte, dont on peut modifier la couleur, la forme, l'opacité, etc.

4 : Ajouter un itinéraire sur la carte.

5 : Mesurer une distance, un trajet à l'aide de la règle.

> Pour mesurer une distance entre plusieurs points du sol

– Cliquer sur **Règle**, dans la barre d'outils : une nouvelle fenêtre s'affiche.

– Choisir l'onglet **Trajet**.

– Cliquer sur la carte pour définir le premier point du trajet, et cliquer à nouveau pour ajouter un nouveau point au trajet. Une ligne apparaît sur la carte, elle correspond au trajet.

– La distance s'affiche sur la fenêtre **Règle**.

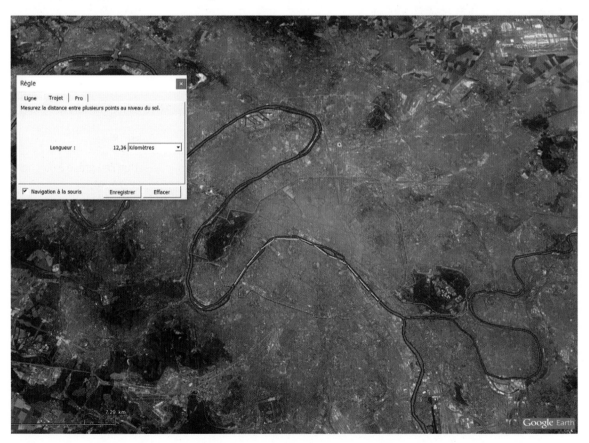

Fiche Technique

Phylogène® **est un logiciel permettant d'étudier la classification des êtres vivants grâce à ses nombreuses fonctionnalités (observer, comparer, construire, etc.).**

> Barre d'outils du logiciel

1 : **Choisir** une collection
2 : **Observer**
3 : **Comparer**
4 : **Construire** un tableau des attributs
5 : **Afficher** le tableau de référence de la collection choisie
6 : **Classer** en groupes emboités
7 : **Établir** des parentés.

8 : **Étudier** des molécules
9 : **Imprimer**
10 : **Copier**
11 : **Enregistrer**
12 : **Ouvrir** un fichier
13 : **Choix** possibles
14 : **Choisir** une sous-collection

> Choisir une collection

– Aller dans le menu déroulant et choisir la collection à étudier.

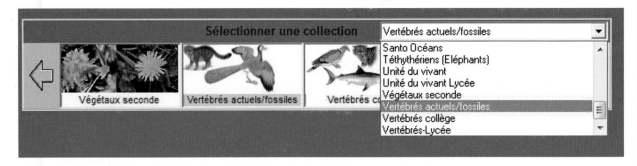

> Construire une matrice de caractères (ou tableau des attributs)

– Cliquer sur **Construire une matrice**.

Cliquer sur les caractères étudiés dans le menu déroulant.

Sélectionner les espèces en cliquant sur chacune d'elles.

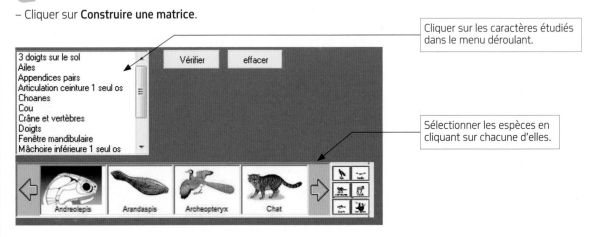

– Un tableau apparaît alors : pour le remplir, cliquer dans chacune des cases.

– Les informations qui apparaissent en bas, à droite de l'écran, peuvent aider à remplir ce tableau.

– Vérifier le tableau et le corriger si nécessaire.

	Articulation ceinture 1 seul os	Doigts	Mâchoire inférieure 1 seul os	Plus de 3 vertèbres cervicales	Squelette osseux
Chat					
Eusthenopteron	Absente Présente				
Ichtyostega					
Pigeon					
Sardine					

> Afficher la classification emboitée et l'arbre correspondant

– Cliquer sur l'icône **Établir des parentés**.

1- Cliquer sur **Afficher les boîtes**.

2- Cliquer sur les caractères du tableau : la classification et l'arbre correspondant apparaissent dans la fenêtre du dessus.

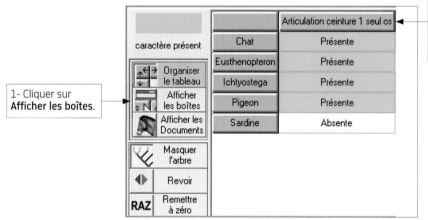

> Nommer les groupes de la classification et de l'arbre

– Dans la fenêtre où apparaît l'arbre, cliquer sur **Choix** puis sur **Afficher les boites de l'arbre**.

– Cliquer de nouveau sur **Choix** puis sur **Afficher les noms des groupes**.

– Cliquer ensuite sur **Groupe non nommé** dans l'arbre : une fenêtre apparait. Enfin, cliquer sur **Nommer le groupe**.

4 → Utiliser un logiciel de traitement de texte pour mettre en forme un document numérique

Exemple du logici OpenOffice® text

Fiche Technique

La mise en page d'un document est primordiale. Elle doit faciliter la lecture et mettre en évidence les éléments importants. Les logiciels de traitement de texte permettent de réaliser simplement des mises en page.

> Mettre en forme un texte

● Exemple de texte non mis en forme

Le monde vivant est organisé en écosystèmes. Même si tous n'ont pas la même taille, leur fonctionnement est identique. Un écosystème est constitué d'un ensemble d'êtres vivants en étroite relation entre eux (relations alimentaires, par exemple) et de paramètres physiques caractéristiques de leur milieu de vie (température, humidité, etc.).

● Texte mis en forme

<u>Définition d'un écosystème</u>

Le monde vivant est organisé en **écosystèmes**. Même si tous n'ont pas la même taille, leur fonctionnement est identique.

Un écosystème est constitué :
• d'un ensemble d'*êtres vivants* en étroite relation entre eux (relations alimentaires, par exemple) ;
• de *paramètres physiques* caractéristiques de leur milieu de vie (température, humidité, etc.).

Champignon accroché à un tronc d'arbre dans un écosystème.

> Apporter des modifications de style

Après avoir ouvert le logiciel *OpenOffice®*, cliquer sur **Texte**. Avant de modifier un mot, vous devez le sélectionner avec la souris.

Standard	Times New Roman	12	**G** *I* <u>S</u>				
Style d'écriture	Taille du texte		**Gras** *Italique* <u>Souligné</u>	Disposition du texte, au centre, droite, gauche, etc.	Écrire une liste	Changer la couleur	Surligner un mot

> Écrire une liste

Cliquer sur

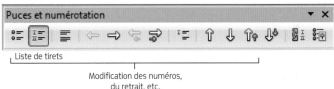

Liste de tirets

Modification des numéros, du retrait, etc.

> Insérer une image, un dessin, une zone de texte ou un objet

Pour ajouter une image, il suffit de faire un copier-coller de celle-ci dans le document.

Cliquer sur 🖉 , permet de faire apparaître la barre d'outil de dessin, en bas du document.

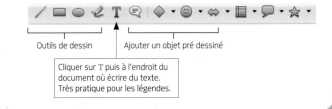

Outils de dessin

Ajouter un objet pré dessiné

Cliquer sur T puis à l'endroit du document où écrire du texte. Très pratique pour les légendes.

5 Utiliser un tableur, pour construire un tableau, un graphique

Un tableur est un logiciel permettant de construire des tableaux et des graphiques.

> Tracer un tableau de résultats

– **Ouvrir** *OpenOffice®*, puis choisir le logiciel **Classeur**.

– **Recopier** le tableau complet dans le logiciel, en deux colonnes.

– **Tracer** les contours du tableau : sélectionner toutes les cases du tableau à l'aide de la souris.

– **Cliquer** sur **Bordures** ⬜, puis sur ⊞ pour ajouter les bordures au tableau.

> Tracer un graphique à partir du tableau

– Pour tracer un graphique montrant l'évolution d'un facteur en fonction d'un autre, le tableau doit être écrit en **colonnes** : la colonne de gauche sera automatiquement l'axe horizontal du graphique.

– **Sélectionner** l'ensemble du tableau à l'aide de la souris.

– Dans le menu **Insertion**, cliquer sur **Diagramme** ▥ .
Un aperçu et un assistant de diagramme apparaissent.

– Dans l'assistant diagramme, **sélectionner** ▦ **XY (dispersion)** , qui permet de donner une valeur en fonction d'une autre, puis le type de graphique **Points et lignes**.

– **Cliquer** sur l'étape **4. Éléments du diagramme**, pour ajouter le titre du graphique et des axes.

– **Cliquer** sur **Terminer**.

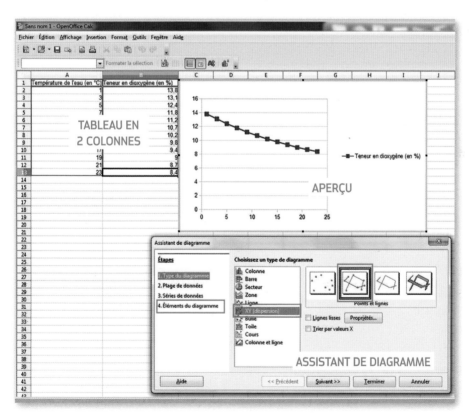

> Modifier la présentation du graphique

Faire un clic-droit sur l'élément à modifier, puis sélectionner **Formater**. Il est alors possible de modifier la couleur ou l'épaisseur de la courbe et l'orientation du titre des axes.

↪ **Utiliser un microscope optique**

Un microscope permet de grossir des éléments que l'on ne voit pas à l'œil nu. Le schéma ci-dessous présente les différentes parties du microscope.

> Installer le microscope

– Placer le microscope avec la colonne vers soi.
– Allumer la lumière.
– Mettre en place le plus petit des objectifs.
– Remonter au maximum la platine sous le petit objectif, avec la grosse vis.
– Placer la lame à observer sur la platine avec la lamelle dirigée vers le haut.
– Centrer la lame en mettant la région à observer au niveau du rond lumineux.

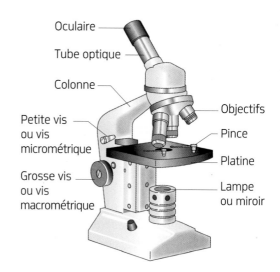

> Faire la mise au point

– Placer son œil sur l'oculaire et descendre lentement la platine à l'aide de la grosse vis, jusqu'à l'apparition d'une image.
– Si besoin, améliorer la netteté de l'image à l'aide de la petite vis.
– Explorer la préparation pour trouver la zone la plus favorable à l'observation et la positionner au centre du champ d'observation.
– Fixer la lame avec les pinces.

> Passer à un grossissement supérieur

– Sans changer le réglage, mettre en place l'objectif moyen.
– Ajuster la netteté à l'aide de la petite vis.
– Quand l'image est nette, sans modifier le réglage, passer à l'objectif plus puissant et affiner la netteté avec la petite vis.

> Ranger le microscope

– En fin d'observation, mettre en place le plus petit objectif.
– Ranger la lame.

> Déterminer le grossissement du microscope

– Multiplier la valeur indiquée sur l'oculaire par celle indiquée sur l'objectif.

Critères de réussite

o Mise en marche et utilisation du microscope :
– réalisation correcte des réglages (lumière, objectifs, etc.) ;
– utilisation des objectifs dans l'ordre croissant ;
– rangement du microscope.

o Qualité de l'observation réalisée :
– recherche puis centrage de la région la plus favorable à l'observation ;
– grossissement utilisé adapté à l'objet observé ;
– qualité de la mise au point.

TABLE DES ILLUSTRATIONS

185-4		Extr. de Biologie et Physiologie cellulaires, tome 4, A.Berkaloff, J. Bourguet, P. & N. Favard, J.-C. Lacroix © Editions Hermann 1981
185-5m	ph ©	Hervé Conge/ISM
185-5g,d	ph ©	Frédéric Hanoteau
186-2g	ph ©	Stéphane Vitzthum/Biosphoto
186-2d	ph ©	Peter Chadwick/SPL/Biosphoto
187-3	ph ©	Sovereign/ISM
187-4h	ph ©	Burger/Phanie
187-4b	ph ©	L. Willatt-EARGS/SPL/Cosmos
188-1	ph ©	The University of Utha, Genetic Science Learning Center
188-1d	ph ©	Aftonbladebild/Bestimage
188-3	ph ©	Stéphane Vitzthum/Biosphoto
189	ph ©	Eye of Science/Cosmos
190-1hg	ph ©	Jorge Sierra/Biosphoto
190-1hd,bd	ph ©	Phototake/Nikas/BSIP
190-1bg	ph ©	Rémy Courseaux/Biosphoto
191-3	ph ©	Power and Syred/SPL/Biosphoto
191-4	ph ©	Steve Gschmeissner/SPL/Cosmos
192	ph ©	Sovereign/ISM
194-1g	ph ©	May/BSIP
194-1d	ph ©	Tartrat/Colorise
194-2	ph ©	Frédéric Hanoteau/Archives Hatier
195-4g	ph ©	Fotolia
195-4d	ph ©	Portsmouth News/Solent/Visual Press Agency
198	ph ©	Y. Lanceau/Arioko
199-6	ph ©	Jean Mayet/Biosphoto
199-7	ph ©	Sovereign/ISM
201		Garulfo, volume 3, Ayroles- Maïorana © Editions Delcourt – 1997
202-1g	ph ©	Jeff Hunter/Getty Images
202-1d	ph ©	Nature in Stock/Hemis.fr
202-2	ph ©	Yva Momatiuk & John Eastcott/Minden Pictures/Biosphoto
204-1m	ph ©	Hervé Lenain/hemis.fr
204-1hd	ph ©	Thomas Marent/Minden Pictures/Biosphoto
204-1mg	ph ©	FLPA - Frank Lane Picture Agency/David Tipling/Biosphoto
204-1hg	ph ©	Sylvain Cordier/hemis.fr
205-3db	ph ©	Natural History Museum of London/Biosphoto
205-3hg	ph ©	Colin Keates/Getty Images
205-3hd	ph ©	Mint Images - Frans Lanting/Getty Images
205-3dh	ph ©	John Cancalosi/Getty Images
206-2d	ph ©	Abderrazak El Albani/Arnaud Mazurier/CNRS Photothèque
206-2	ph ©	J. W. Schopf/Department of Earth, Planetary, and Space Sciences/University of California, Los Angeles.
206-1d	ph ©	Dirk Wiersma/SPL/Biosphoto
206-1g	ph ©	Frans Lanting/Mint Images/Biosphoto
207-g	ph ©	Wikimedia Commons
208		James Carmichael Jr /NHPA/Photoshot/Biosphoto
209	ph ©	Manfred Ruckszio/Alamy
210-1	ph ©	Hervé Conge/ISM
210-3	ph ©	Corey Jenkins/Corbis
211-4	ph ©	Johann Brandstetter/akg-images
211-5g	ph ©	Minden Pictures/Steve Gettle/Biosphoto
211-5d	ph ©	National Geographic Creative/Alamy/hemis.fr
212-2	ph ©	The Granger Collection, New York/Aurimages
212-3bg	ph ©	Cnri/SPL/Biosphoto
212-3bd	ph ©	Dr Jeremy Burgess/SPL/Biosphoto
213-4g	ph ©	Dale Darwin/Getty Images
213-4d	ph ©	Frédéric Labaune (http://macromicrophoto.fr)
217-5md	ph ©	Fotosearch LBRF/Age Fotostock
217-5hd	ph ©	imageBROKER/hemis.fr
218-bg	ph ©	LesHoward/iStock
218-bd	ph ©	Hero Images/Photononstop
219-md	ph ©	Science Picture Company/BSIP
219-bd	ph ©	Elenathewise/iStock
219-bg	ph ©	Goir/iStock
219-mg	ph ©	Science Picture Company/BSIP
220-m	ph ©	Michele Daniau/AFP
220-b	ph ©	F.G. Grandin/MNHN
220-h	ph ©	Christiane Valcourt/iStock
221-m	ph ©	Mika/Corbis

221-h	ph ©	Trinette Reed/Blend Images/Photononstop
222-223	ph ©	Thomas Deerinck/BSIP
225	ph ©	Laurent Philippe/Divergence
226	ph ©	World Rugby/Getty Images
227-4g	ph ©	Getty Images
227-4d	ph ©	Celine Diais/Presse Sports
227-5	ph ©	Biophoto Associates/BSIP
228	ph ©	David R. Frazier/BSIP
229-4	ph ©	Frédéric Hanoteau
229-6	ph ©	ActionPlus/Panoramic
230	ph ©	Phototake/Kunkel/BSIP
231	ph ©	Mantey Stéphane/Presse Sports
232	ph ©	Biophoto Associates/BSIP
233-5	ph ©	iStock
233-6	ph ©	Chase Jarvis/Corbis
234	ph ©	iStock
235	ph ©	Lionel Montico/hemis.fr
236-1	ph ©	Ian Lishman/Juice Images/Corbis
236-2	ph ©	Alain Mounic/Presse Sports
236-3	ph ©	Cardoso/BSIP
237-4	ph ©	Papon/Presse Sports
237-5	ph ©	Clément/Presse Sport
240	ph ©	NBAE/Getty Images
241	ph ©	Blend Images/hemis.fr
243	ph ©	Edgar Mueller/Rex Fea/REX/Sipa Press
244-1	ph ©	Emmanuelle Thiercelin/Divergence
244-2	ph ©	iStock
245-4	ph ©	Soverein/ISM
245-5	ph ©	Frédéric Hanoteau/Archives Hatier
246-1	ph ©	iStock
247	ph ©	iStock
248-1g	ph ©	Visuals Unlimited/Corbis
248-1d	ph ©	SPL-RM/Getty Images
248-2	ph ©	Antoine Grigis/Université de Strasbourg/CNRS Photothèque
249-4	ph ©	Phototake/Kunkel/BSIP
250-1	©	Solo syndication 2015 by Daily Mail
251-6	ph ©	Marc Leloir/Inserm
251-7	ph ©	iStock
253-7	©	Sécurité routière
256-4g	ph ©	Cavallini James/BSIP
256-4d	ph ©	Soverein/ISM
257-5g	ph ©	Johannes Lieder/ISM
257-5d	ph ©	Carolina Biological/Visuals Unlimited/Corbis
259		Bridgeman images © ADAGP, Paris 2016
260-1,2	ph ©	Mike Kemp/Blend Images/Getty Images
260-3	ph ©	Frédéric Hanoteau
261	ph ©	B. Boissonnet/BSIP
262-1	ph ©	Peter Menzel/Cosmos
263	ph ©	Mauro Fermariello/SPL/Cosmos
264	ph ©	Fotolia
266-1	ph ©	Dr Kessel-Dr Shih/SPL/Biosphoto
266-2d	ph ©	Science Source/Phanie
266-2m	ph ©	Athénaïs/ISM
267-3hg,mg	ph ©	Frédéric Hanoteau
267-3bd,bg	ph ©	Frédéric Hanoteau
267-3d	ph ©	Jean-Michel Labat/Biosphoto
268-1hg	ph ©	Whiteimages/Leemage
268-1hd	ph ©	Leemage
268-1bd	ph ©	Sheila Terry/SPL/Cosmos
269	ph ©	Frédéric Hanoteau
270-1	ph ©	Frédéric Hanoteau
270-3g,m	ph ©	Gastrolab/SPL/Biosphoto
270-3d	ph ©	Manfred P. Kage-Okapia/ISM
271	ph ©	Biophoto Associates/BSIP
275-5	ph ©	Frédéric Hanoteau/Archives Hatier
275-6	ph ©	Biophoto Associates/BSIP
277	ph ©	Warner Bros/Collection Christophel
278-1	ph ©	Phototake/BSIP
278-2	ph ©	James Cavallin/BSIP
278-3	ph ©	Dr Tony Brain/SPL/Biosphoto
279-4bg	ph ©	Eye of Science/SPL/Biosphoto
279-4hd,hg	ph ©	Steve Gschmeissner/SPL/Biosphoto
279-4bd	ph ©	Dennis Kunkel Microscopy, Inc./Visuals Unlimited/Corbis
281-2	ph ©	Paul Gunning/SPL/Biosphoto
281-3	ph ©	Lemoine/BSIP

282-1g	ph ©	Brett Stivens/Cultura RF/Getty Images
282-1d	ph ©	Phototake/Gaugler/BSIP
282-2	ph ©	Scimat/BSIP
283	ph ©	Frédéric Hanoteau
284-2	ph ©	Dr. Fred Hossler/Visuals Unlimited/Corbis
284-3	ph ©	Steve Gschmeissner/SPL/Biosphoto
285-4	ph ©	Dr Dennis Kunkel-Phototake/ISM
285-6	ph ©	Science Source/BSIP
286-1d	ph ©	Visuals Unlimited/Getty Images
286-1g	ph ©	Fotolia
286-2	ph ©	Hervé Conge/ISM
287-3	ph ©	Dr. Volker Brinkmann/Visuals Unlimited/Corbis
287-4	ph ©	Juergen Berger/SPL/Biosphoto
289-4	ph ©	Universal Images Group/Getty Images
289-6	ph ©	Jean-Claude Revy/ISM
290	ph ©	Mary Evans/Rue des Archives
291-4g,5	ph ©	CNRI/SPL/Biosphoto
291-4d	ph ©	SPL/Corbis
292	ph ©	Jonas Ekstromer/epa/Corbis
293	ph ©	Dr Andrejs Liepins/SPL/Biosphoto
294-1	ph ©	B. Boissonnet/BSIP
294-2	ph ©	Cardoso/BSIP
295-4h	ph ©	Nano Art Ltd/SPL/Biosphoto
295-4b	ph ©	Clouds Hill Imaging Ltd/SPL/Biosphoto
295-5	ph ©	Estiot/BSIP
296	ph ©	Dr P. Marazzi/SPL/Phanie
297	ph ©	Humbert/BSIP
300	ph ©	Steve Gschmeissner/SPL/Biosphoto
303	ph ©	Elke Walford/BPK,Berlin, Dist. RMN-Grand Palais
304	ph ©	Kristiane Vey/Jump/Plainpicture
305-3		© Editions Glénat 2001
306	ph ©	Dr Gary Gaugler/SPL/Cosmos
307-5g	ph ©	Prisma/Collection Christophel
307-5d	ph ©	Jean-Luc & Françoise Ziegler/Biosphoto
308-2	ph ©	Wellcome photo LIB /BSIP
309-3hg	ph ©	Pr. P. Motta/SPL/Biosphoto
309-3hd	ph ©	Hervé Conge/ISM
309-3bg	ph ©	Biophoto Associates/BSIP
309-3bd	ph ©	Hervé Conge/ISM
310	ph ©	Cultura Image Source/BSIP
312	ph ©	Pascal Goetgheluck/ISM
313-5g	ph ©	Dr Yorgos Nikas/SPL/Phanie
313-5m	ph ©	Edelmann/SPL/Biosphoto
313-5d	ph ©	Leemage/Corbis
314-2	ph ©	UIG/Getty Images
314-3g	ph ©	B. Boissonnet/BSIP/Corbis
314-3d	ph ©	Jim Varney/SPL/Cosmos
315	ph ©	Philippe Ledru / akg-images
316-1	ph ©	James King-Holmes/SPL/Biosphoto
316-3	ph ©	LTD/SPL/Biosphoto
317-5	ph ©	Chassennet/BSIP
317-7	ph ©	AJ Photo/SPL/Biosphoto
318-2		© INPES
318-3	ph ©	Olivier Morin/AFP
319-6		© www.onsexprime.fr/Santé Publique France
322	ph ©	Hervé Conge
323	ph ©	B. Boissonnet/BSIP
324	ph ©	Wavebreakmedia/iStock
325-mg	ph ©	Image Source G/Photononstop
325-bd	ph ©	skynesher/iStock
326-m	ph ©	Bartek Szewczyk/iStock
326-h	ph ©	Radius Images/Photononstop
326-b	ph ©	Wladimir Bulgar/SPL/Age Fotostock
327	ph ©	iStock
337-h	ph ©	Dr. Gladden Willis/VU/SPL/Biosphoto
337-m	ph ©	S. Gschmeissner/SPL/Biosphoto
337-b	ph ©	Pr P.M. Motta & S. Correr/SPL/Biosphoto
338		© 2015 DigitalGlobe/Google earth
339		© Google earth
340-341		© http://acces.ens-lyon.fr/biotic/evolut/ phylogene/html - logiciel Phylogène/INRP
342	ph ©	Denis Bringard/Biosphoto

Couverture

-haut	ph ©	Gary Carlson/Getty images
-milieu	ph ©	Tim Tadder/Corbis
-bas	ph ©	Alain Mafart-Renodier/Biosphoto

Garde arrière

Data source : Muller, R.D., M. Sdrolias, C. Gaina, and W.R. Roest 2008. Age, spreading rates and spreading symmetry of the world's ocean crust, Geochem. Geophys. Geosyst.; Q04006, doi: 10.1029/2007GC001743 © Image created by Elliot Lim, Cooperative Institute for Research in Environmental Sciences, NOAA National Geophysical Date Center (NGDC) Marine Geology and Geophysics Division - Data & Images available from http://ngdc.noaa.gov/mgg/

Les auteurs et les éditions Hatier remercient pour leur collaboration :

M. Daniel Nouvian, personnel technique au laboratoire de SVT du collège-lycée Victor Duruy (Paris) pour ses conseils dans la mise au point des protocoles expérimentaux,

M. Cyril Cointreau de la Société EUROSMART pour l'ExAO,

M. Roger Clarke de Zygote Media Group Inc. pour le logiciel Zygotebody,

La Société SORDALAB pour le matériel d'expérience aimablement prêté.

Malgré nos efforts, il nous a été impossible de joindre certains photographes ou leurs ayants-droit, ainsi que des éditeurs ou leurs ayants-droit de certains documents, pour solliciter l'autorisation de reproduction, mais nous avons naturellement réservé en notre comptabilité des droits usuels.

Édition : Pascale Jacquet, Claire-Marie La Sade, Charline Ladroue, Danielle Roque
Iconographie : Nelly Gras, Pierre Philippon
Illustrations : Sandrine Lefèvre, Charles Benoît
Infographies : Corédoc/L. Blondel, Olivier Aubert
Création maquette : Studio Favre & Lhaïk ; Marc & Yvette
Mise en pages : Marc & Yvette

Achevé d'imprimer par Stige - Turin, ITALIE
Dépôt légal n° 02154-9/05 - Août 2017

Une classification simplifiée des Vertébrés

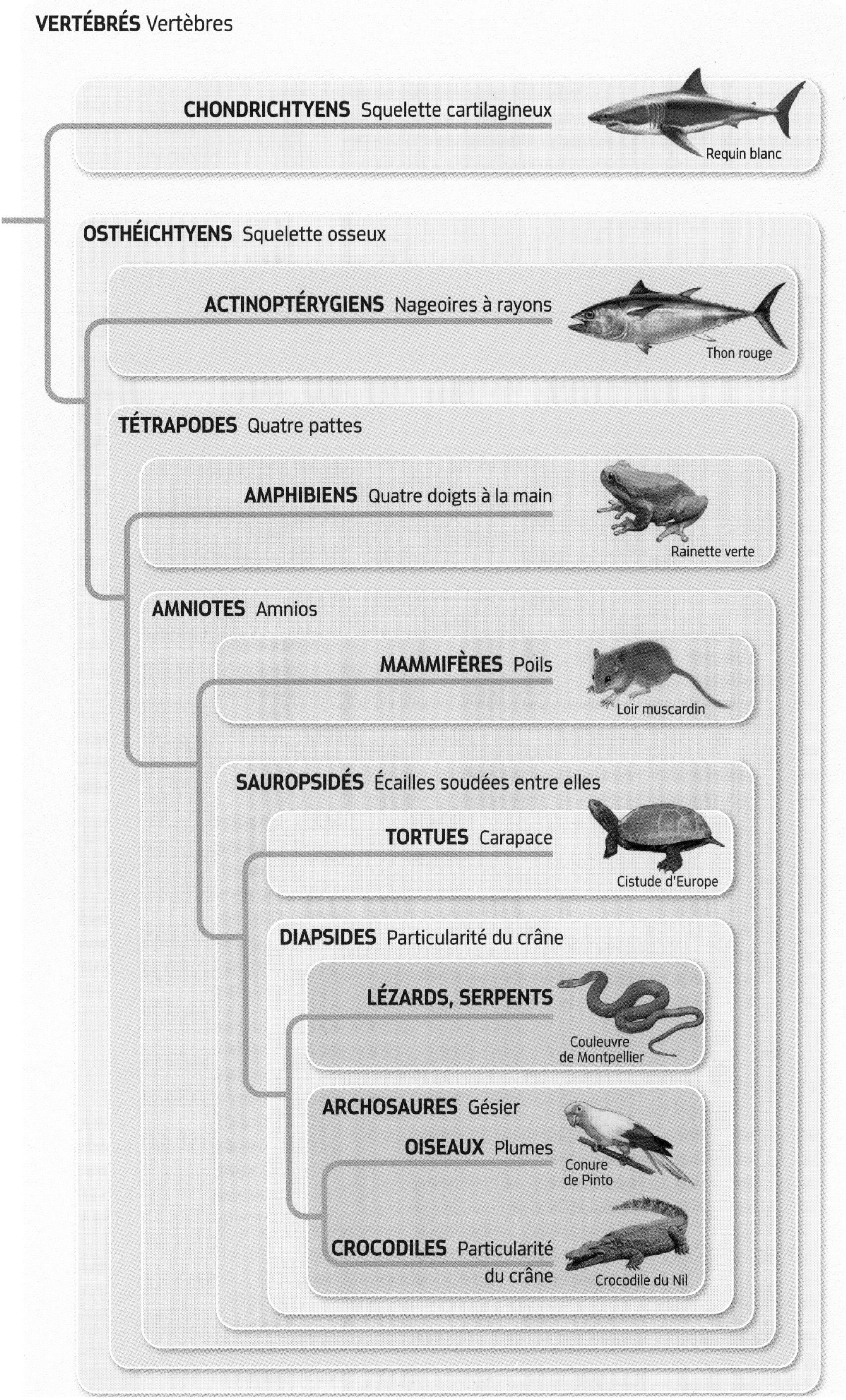

VERTÉBRÉS Vertèbres

CHONDRICHTYENS Squelette cartilagineux

Requin blanc

OSTHÉICHTYENS Squelette osseux

ACTINOPTÉRYGIENS Nageoires à rayons

Thon rouge

TÉTRAPODES Quatre pattes

AMPHIBIENS Quatre doigts à la main

Rainette verte

AMNIOTES Amnios

MAMMIFÈRES Poils

Loir muscardin

SAUROPSIDÉS Écailles soudées entre elles

TORTUES Carapace

Cistude d'Europe

DIAPSIDES Particularité du crâne

LÉZARDS, SERPENTS

Couleuvre
de Montpellier

ARCHOSAURES Gésier

OISEAUX Plumes

Conure
de Pinto

CROCODILES Particularité
du crâne

Crocodile du Nil

Âge des fonds océaniques

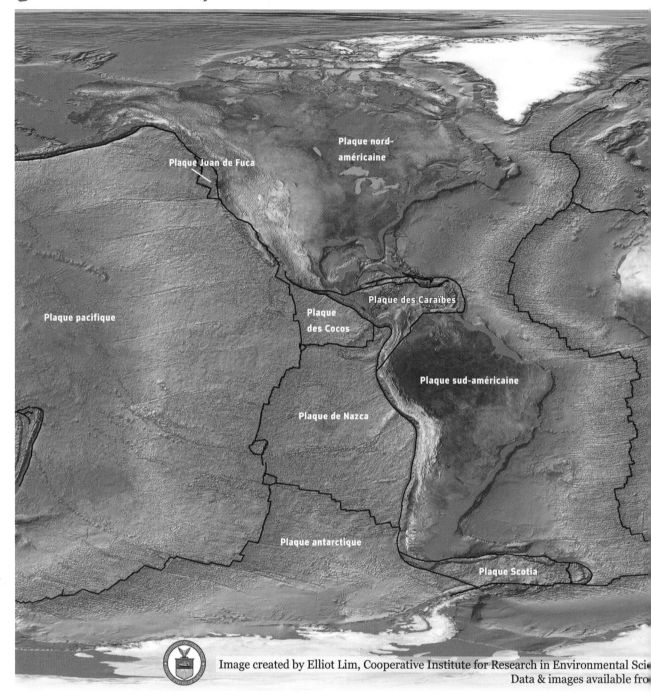

Plaque nord-américaine

Plaque Juan de Fuca

Plaque pacifique

Plaque des Caraïbes

Plaque des Cocos

Plaque sud-américaine

Plaque de Nazca

Plaque antarctique

Plaque Scotia

Image created by Elliot Lim, Cooperative Institute for Research in Environmental Sci
Data & images available fro

Échelle des temps géologiques

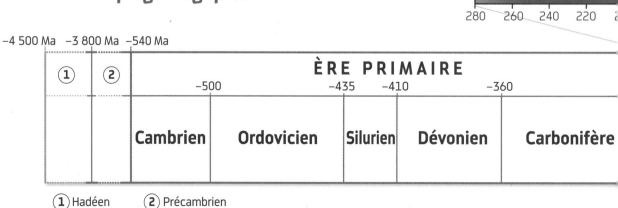

280 260 240 220

−4 500 Ma −3 800 Ma −540 Ma

①	②	ÈRE PRIMAIRE				
		−500	−435	−410	−360	
		Cambrien	Ordovicien	Silurien	Dévonien	Carbonifère

① Hadéen   ② Précambrien